THROUGH THE LOOKING-GLASS/
THE HUNTING OF THE SNARK

DE L'AUTRE CÔTÉ DU MIROIR /
LA CHASSE AU SNARK

LEWIS CARROLL

THROUGH
THE LOOKING-GLASS
AND WHAT
ALICE FOUND THERE/

THE HUNTING
OF THE SNARK

Biographical notice and bibliography
by
JEAN GATTÉGNO

Introduction
by
HÉLÈNE CIXOUS

Translated
by
HENRI PARISOT

AUBIER-FLAMMARION

LEWIS CARROLL

DE L'AUTRE CÔTÉ DU MIROIR ET DE CE QU'ALICE Y TROUVA/

LA CHASSE AU SNARK

Chronologie et bibliographie
par
JEAN GATTÉGNO

Introduction
par
HÉLÈNE CIXOUS

Traduction
par
HENRI PARISOT

AUBIER-FLAMMARION

ISBN 2-7007-0167-4.

CHRONOLOGIE

1832 : Naissance, le 27 janvier, de Charles Lutwidge Dodgson, troisième enfant de Charles Dodgson, desservant de la paroisse de Daresbury (proche de Manchester).

1843 : M. Dodgson est nommé recteur de Croft, dans le Yorkshire. L'instruction de Charles s'est jusque-là effectuée au sein de sa famille.

1844 : Charles va à Richmond Grammar School, où il prépare son entrée dans une « public-school ». Bons résultats, bonnes appréciations.

1846 : Il entre à Rugby, l'une des plus célèbres « public-schools » anglaises. Il en gardera un très mauvais souvenir : « Je ne puis dire que je garde de mon séjour à Rugby le moindre plaisir, ni qu'aucune considération au monde pourrait me persuader de vivre à nouveau ces trois années. » C'est pendant cette période que Charles commence à écrire avec ses frères et sœurs, et notamment des parodies que l'on retrouvera dans *Alice* ou dans *De l'autre côté du miroir*. Tous ces écrits ont été rassemblés dans *Mischmasch* et *The Rectory Magazine*. Il organise également des spectacles de marionnettes, avec succès.

1851 : Charles est immatriculé à Oxford, Christ Church College, le 24 janvier. Il y résidera jusqu'à sa mort. Sa mère meurt quelques jours plus tard.

1852 : Il réussit la première partie de ses examens, et se voit accorder un poste de « Student », qui en fait un membre à vie du Collège. Ses succès sont nets en mathématiques.

1854 : Obtient le diplôme de B. A. Commence à se préparer à l'ordination.

1855 : Liddell est élu doyen de Christ Church. Alice a trois ans. Charles entre en contact avec Edmund Yates, directeur du *Comic Times*, et lui donne des poèmes (généralement parodiques) et quelques courtes nouvelles.

1856 : Yates choisit pour Charles le pseudonyme de « Lewis Carroll ». Dodgson rencontre pour la première fois la petite Alice Liddell, et voit au théâtre l'actrice Ellen Terry, qui n'a que huit ans.

1856-1861 : Vie tranquille à Oxford. Charles se passionne pour la photographie, et prend fréquemment Alice pour modèle.

1861 : Il est ordonné diacre le 22 décembre. Mais il n'envisage pas d'aller au delà.

1862 : Le 4 juillet, expédition sur l'*Isis*, première narration d'*Alice*.

1863 : Ses amis MacDonald l'encouragent vivement à publier la version manuscrite d'*Alice*. John Tenniel accepte de l'illustrer, Macmillan de la publier.

1864 : Il est présenté à Ellen Terry (alors toute jeune mariée) avec qui il restera toujours lié.

1865 : Publication de *Alice's Adventures in Wonderland*. Fait paraître anonymement, à Oxford, son premier pamphlet satirique, *The Dynamics of a Parti-cle*.
Se brouille avec les Liddell.

1867 : Il rédige *Through the Looking-Glass*. De juillet à septembre, il voyage en Europe (jusqu'en Russie) avec son ami Liddon. C'est le seul déplacement à l'étranger qu'il fera.

1868 : Mort du père de Charles, alors archidiacre de Ripon. « C'est le plus grand malheur qui me soit arrivé », écrira-t-il trente ans plus tard. Il ne cessera de s'occuper de sa famille, surtout de ses sœurs, qu'il installe à Guildford.

1869 : Parution de *Phantasmagoria and other Poems*. Macmillan reçoit le premier chapitre de *De l'autre côté du miroir*.

1871 : Il achève le manuscrit de *Through the Looking-Glass*, que Tenniel accepte, à contrecœur, d'illustrer. Le livre paraît pour Noël. (12 000 exemplaires auront été vendus à la fin de janvier 1872.)

1872 : Il publie anonymement un pamphlet, *The New*

Belfry of Christ Church, Oxford, attaquant vivement les projets architecturaux de Liddell. Il reviendra à la charge l'année suivante, avec *Vision of the Three T's*.

1873 : Il commence à travailler sérieusement à *Sylvie et Bruno*, dont un chapitre, « Bruno's Revenge », avait paru dans une revue en 1868.

1874 : Il fait paraître plusieurs ouvrages de mathématiques (sous son vrai nom) et, anonymement, *Notes by an Oxford Chiel*, qui rassemble les pamphlets oxoniens. Compose *The Hunting of the Snark*.

1875 : Il fait la connaissance de Gertrude Chataway, qui sera l'une de ses « amies-enfants » les plus fidèles. Achève le *Snark*.

1876 : Publication, en mars, du *Snark*, illustré par Henry Holiday. Il commence à se plonger dans la logique.

1877 : Il passe ses vacances d'été à Eastbourne, plage qu'il n'abandonnera plus désormais le mois d'août. C'est cet été-là qu'il écrit dans son Journal : « Il me semble que, si je le voulais, je pourrais chaque jour me lier d'amitié avec de nouveaux groupes d'adorables enfants ! »

1887 : Commence à inventer des « jeux de langage ».

1879 : Fait paraître, sous son vrai nom, *Euclid and his modern rivals*, et un autre jeu de langage. Commence à prendre goût, grâce à l'artiste Gertrude Thomson, au dessin de nus enfantins.

1880 : Abandonne brutalement la photographie, qui était son passe-temps favori, vraisemblablement à la suite de remarques touchant son goût pour les nus. (Il écrivait à un illustrateur : « Je voudrais que nous puissions nous passer totalement de vêtements ; les corps d'enfants nus sont si beaux... »)

1881 : Il décide de renoncer à son enseignement à Christ Church, commencé vingt-six ans plus tôt, et poursuivi, semble-t-il, sans grand succès.

1882 : Dodgson est élu par ses collègues responsable du « Foyer » du Collège (Curator of the Common Room), poste qu'il conservera neuf ans. Il fait paraître un ouvrage de mathématiques.

1883 : Publie des poèmes (la plupart sont anciens), *Rhyme ? and Reason ? — A Tangled Tale* paraît en extraits dans un magazine féminin. Travaille à une adaptation d'*Alice* pour la scène.

1884 : Publie (également en 1885) plusieurs articles sur la représentation proportionnelle.

1885 : Publication en librairie de *A Tangled Tale*. Dodgson travaille à *The Nursery « Alice »*. Il commence la rédaction d'un traité de logique.

1886 : Il donne des cours de logique à Lady Margaret Hall (l'un des collèges pour jeunes filles de l'Université d'Oxford). Publication, en fac-similé, du manuscrit original d'*Alice*, *Alice's Adventures Underground*, et de plusieurs articles de logique. Carroll donne son accord à une adaptation théâtrale d'*Alice*, baptisée *Alice in Wonderland*.

1887 : Il écrit pour la revue *The Theatre* un article, « Alice on the Stage ». Parution de *The Game of Logic*. Il enseigne la logique dans un établissement secondaire pour filles d'Oxford. Fait la connaissance d'Isa Bowman, une autre de ses grandes « amies-enfants ».

1888 : Il publie, sous le nom de Dodgson, deux ouvrages de mathématiques.

1889 : Parution de *Sylvie and Bruno*, commencé en 1868, illustré par Harry Furniss.

1890 : Publication de *The Nursery « Alice »*.

1891 : Il revoit Alice Liddell (Mrs. Hargreaves) après une très longue séparation, et se réconcilie avec Mrs. Liddell...

1892 : Il abandonne son poste de « Curator ». Il publie plusieurs petits textes de logique.

1893 : Publication de *Sylvie and Bruno Concluded*, d'un recueil de jeux de langage, *Syzygies and Lanrick*, et de *Curiosa Mathematica, Part III. Pillow Problems* (signé C. L. Dodgson).

1894 : Il achève la rédaction de *Symbolic Logic*, et publie deux paradoxes logiques, dont « What the Tortoise said to Achilles ». Il écrit le 11 décembre : « Je consacre tout mon temps à la logique... »

1896 : Parution de *Symbolic Logic. Part I. Elementary* (signé : Lewis Carroll); la suite ne paraîtra jamais et reste inconnue.

1897 : Il adresse plusieurs sermons à un public d'enfants. Découvre de nombreuses règles de calcul accéléré. Le 8 novembre, il décide de renvoyer, avec la mention « Inconnu »,

toutes les lettres adressées à « Lewis Carroll, Christ Church ».

1898 : Au début de janvier, un refroidissement bénin se transforme en bronchite, et Charles Lutwidge Dodgson meurt paisiblement le 14 janvier.

INTRODUCTION

La lecture qui va suivre s'installe sans façon à l'intérieur du texte carrollien, profitant du remarquable travail de défrichement naguère accompli par d'autres. Qui veut faire le tour du jardin, être informé des différents aspects biographiques, critiques, phénoménologiques, structuraux de l'œuvre de Lewis Carroll, doit se reporter aux publications de J. Gattégno [1] et de G. Deleuze [2].

A dire vrai, le terrain est si bien étudié, ses stratifications en tous sens exposées, qu'il semble hardi ou impossible d'en « ajouter ». C'est pourquoi nous jouerons notre lecture « comme si » nous ne savions rien des lectures précédentes. Il nous convient d'avancer, avec la feinte innocence — et la feinte innocente — d'Alice, suivant la règle du « Let's pretend » qui ouvre les portes de la Maison du texte : là, nous opérerons le prélèvement de deux fragments, pour passer de l'autre côté de la Structure, pour faire jouer la partie contre le tout, et carrément pour saisir l'écriture et ses aventures là où le souffle est pris, et juste avant qu'il ne soit, comme il arrive souvent dans cette histoire, coupé. Autrement dit, réfléchissons. Ou encore : faisons semblant, sous couvert de lecture, de réfléchir le texte, et méthodiquement poursuivons ce qui s'échappe entre sens et non-sens et entre non-sens et le semblant. A la fin on devrait, si l'on n'a pas été semé, pouvoir jouir de perdre et reperdre diversement la partie et de lire comme on rêve.

---

1. Jean Gattégno, *Lewis Carroll*, José Corti, 1970.
2. Gilles Deleuze, *Logique du Sens*, Editions de Minuit, 1969.

PROBLÈMES DE MÉDIATION

Traduire ?

Dans les histoires d'Alice le langage travaille à tous les niveaux. L'organisation des rapports, des séries, le fonctionnement syntaxique, la production du sens, la maîtrise des significations, le passage de la désignation à l'expression, l'ensemble des opérations exécutées par le système de la langue sur son propre corps ne peut être aperçu précisément que si l'oreille entend ce qui bat ou fait battre le texte : on devrait donc, le plus possible, recourir au texte anglais pour ne pas manquer les effets. C'est un des insolubles qui grèvent la question de la traduction en général que cette perte inévitable des effets de tous ordres : si scrupuleux et habile que soit le traducteur, la version n'est jamais qu'*une autre*, surtout lorsque l'original a une surface en jeu de mots aussi importante que celle que présente Lewis Carroll.

Signalons donc ici la valeur de certains effets à laquelle même l'excellente traduction d'Henri Parisot ne peut fatalement pas équivaloir.

Les poèmes tiennent leur facture du « bruit » qu'ils font au sens où dans *Alice au pays des merveilles*, la Duchesse dit « occupez-vous du sens, les sons s'occuperont d'eux-mêmes ». Les rimes, les échos et les redondances attirent les mots et les déposent en couches phoniques où le sens s'accroche ça et là par hasard. C'est le lieu sonore de ce *Nonsense* que produit la langue anglaise, moins un « absurde » qu'un système de sons dont on pourrait sans doute dégager des lois, ou des structures enfouies.

Le « style » de ces poèmes en anglais est moins convenu que leur version française, avec son compte alexandrin, ne le donne à entendre, et plus « farfelu », mais il est grotesque à souhait, comme le français le fait paraître.

Humpty - Dumpty — Tweedledum et Tweedledee :

Faisons leur sort ici : l'apparition-disparition des personnages d'*A Travers le Miroir* n'est apparemment causée par aucune exigence du récit, et relève d'instances dif-

férentes : ainsi les pions sont posés d'avance à partir du
moment où Alice déclenche le jeu d'échecs, si bien que rois,
reines et cavaliers sont prévisibles jusque dans leurs gestes.
Mais c'est d'abord à l'ordre du langage auxquels ils parti-
cipent à la fois au niveau sémantique et au niveau phoné-
tique, que surgissent, dans une répercussion savamment
multipliée, Humpty-Dumpty et Tweedledum et Tweedledee :
œuf plein de lui-même et maître du vouloir dire des mots,
Humpty renvoie à Dumpty par redoublement de son
propre nom ; tout revient à ce qu'il décide d'être, mais il
est déjà lui-même « cité », repris, importé depuis la chanson
enfantine qui raconte sa chute et sa mise en pièces. Humpty-
Dumpty est une production des phonèmes de son propre
nom. Tout en rentrant dans le livre à la demande de l'intrigue : l'apparition de notre Œuf est l'exemple du double
fonctionnement du texte, au niveau des signifiants par sa
surface sonore, au niveau du récit par association d'en-
sembles disparates liés entre eux par métonymie : les
rois appellent les soldats, les rois et les soldats appellent
Humpty-Dumpty, qui s'appelle lui-même. Couple en soi,
l'Œuf fait couple avec la paire de jumeaux également ronds
dont les noms — Tweedle/Dum/Dee — tournent autour
d'une onomatopée commune (Tweedle : gratter l'instrument,
produire une série de sons aigus) : rivaux complémentaires,
ils fonctionnent par redoublement et surenchère ; leur
discours étant moins porteur de sens que producteur de
notes perçantes.
    Parce que l'objet du Désir dans cette Histoire d'Alice est
un certain savoir indissociable du langage, ou peut-être
la langue elle-même, « l'autre côté » désigne souvent la face
sonore des choses ou des mots. Les personnages, les épreuves,
relèvent de la même écoute : ce sont souvent des rôles
sonores que leurs actions figurent. On peut entendre les
batailles et les chutes et, en général tous les incidents de
Heurt comme une mise en scène de l'écho : autrement dit,
ce livre de questions ne renvoie à aucune réponse mais se
perpétue dans l'interrogation : ce n'est pas par hasard si le
comparse à transformation d'Alice, la minette-reine, est un
animal privé de parole — ce qu'Alice ne manque pas de
souligner vingt fois — que la petite fille harcèle de questions et qui « fait semblant » de ne pas entendre : il faut,
pour le projet d'ensemble, que la question du sujet se
heurte sans cesse à un non-entendu et rebondisse, et ainsi
de point en point jusqu'à la question motrice : qui a rêvé
cela ? laquelle à la fin s'attaque au lecteur, ainsi brusque-

ment rappelé à la réalité de son propre rôle vis-à-vis du texte ; si Alice est dans le rêve du Roi qu'elle rêve, le lecteur peut être, dans le livre qu'il lit, interloqué.

Qui lit, qui est là, qui rêve, qui est rêvé, on peut imaginer quelque réponse simplifiante, qui désignerait l'origine ou l'auteur : le titre du dernier chapitre pointerait vers l'auteur unique : « Which dreamed it ? » *lequel* est le rêveur. Mais la querelle pour la maîtrise (du sens, du savoir, du pouvoir) rebondit indéfiniment de l'intérieur, presque de la paroi intérieure, du discours : le texte se présente moins comme un bout à bout (« discours en plusieurs morceaux », dont la cohésion peut être, après coup, reconstituée » [1] dit J. Gattégno), que comme une impossible glissade sur soi, une piste qui se dépiste, une chasse pour autant que le texte chasse (au sens de déraper), tout autant qu'il poursuit, et que l'objet de la poursuite est la poursuite - comme - geste dont l'inscription produit sa possibilité - même d'être. Certes je n'ignore pas que je perche en cet instant mon discours sur l'arête étroite du mur qui sépare le langage du lieu où il se dispose, à la façon dangereuse de Humpty-Dumpty, qui est aussi celle de Lewis Carroll : ce n'est pas l'insensé, c'est ce qui le frôle, qui fait ce texte remarquable, qui fait bouger, courir, se précipiter son geste. *Texte du frôlement*, donc, *texte sans arrêt*, non seulement à cause de l'échiquier, qui est un semblant d'autre chose (voir plus loin), mais à cause du pressentiment déconstructeur de Lewis Carroll : s'il y a des lecteurs pour Carroll aujourd'hui ce n'est pas seulement qu'il y a des enfants (« l'enfant » espèce imaginaire, inventée par une certaine littérature psychologique ; la « petite fille », fantasme complexe de Lewis Carroll (voir plus loin)) pour le suivre, c'est qu'il s'est perdu, en laissant ces traces vertigineuses, du côté de ce qui s'appelle « la modernité » : c'est-à-dire une écriture qui ne se pose pas plus qu'un oiseau ou une opération, mais sautille, volète, se déplace, « à perte d'haleine », sans chercher à conserver le sens ou à l'attraper, mais animée par la *curiosité* — au sens étymologique —, qu'elle éprouve à son endroit propre : l'écriture elle-même s'interroge sur ce qu'elle va bien pouvoir dire, ce qu'elle va faire, jusqu'où elle ira. Pas de dépôt, pas de gain (personne ne « gagne » la partie d'échecs, qui se termine par une Apocalypse : la fin est aussi impossible à prendre que le début, et si par hasard je suis tentée de croire que j'ai enfin saisi quelque objet concret, solide, réel, lourd et capital (la

1. Jean Gattégno, *Logique sans peine*, p. 20.

couronne d'or par exemple) et que je vais pouvoir m'asseoir, siéger, présider, gouverner dans une atmosphère d'inauguration, de fête politique ou religieuse, d'intronisation, alors « il se passe quelque chose » : un déchaînement universel, comme causé par réaction contre l'*Etablissement* que mime ici la table mise et l'amoncellement qui la charge. Personne ne gagne, personne ne garde, mais quelque chose se passe, et le texte se produit : Carroll n'était pas un théoricien d'avant-garde, mais un savant, troublé par l'assaut que donnait, malgré lui, son savoir aux institutions. C'est pourquoi la critique des choses-établies, et de la Loi, de « l'essence de toutes les gouvernantes », reste métaphorique ou parodique ; le jeu permet la subversion en la laissant s'exercer dans l'ignorance d'elle-même ; toute pratique « égoïste » (selfish things! s'exclame Alice que les jumeaux ne convient pas à s'abriter sous leur parapluie) est dénoncée, jusque dans ses exercices familiers : ainsi, les récitations qui encombrent les rencontres sont littéralement débitées au poids, à la longueur, et choisies en fonction de leur durée comptable, excrétions de la mémoire, qui ont une valeur d'objet ou un simulacre de valeur au même titre que le hochet (rattle) est l'instrument de musique disputé par les jumeaux : le dérisoire devient la marque de la propriété.

Subrepticement, l'histoire qui se donnait, par l'intermédiaire de l'échiquier, des lois de cheminements en nombre précis, est partout dévoyée, à commencer par le dévoiement du jeu d'échecs qui se met lui-même en échec en tant que jeu visant à une victoire suivant les règles, et se déjoue.

Si Carroll n'était pas ce double inquiet de Charles L. Dodgson, qui tenait à chacune des lettres de son vrai nom [1] et redoublait à plaisir celles de son nom de guise, on pourrait voir *A Travers le Miroir* comme on regarde le travail d'une machine littéraire. Mais il n'y a pas de projet de l'auteur en cette direction ; Carroll voulait raconter une histoire à une petite fille, l'histoire divague, la petite fille change, le Désir reste seul maître de l'espace qu'aucun temps n'oriente, cependant qu'au bord du texte, celui qui a donné le signal du départ se lamente et confie ses angoisses d'adolescent antique et masochiste en des vers mouillés. Le texte en effet est humide, et c'est là, entre les rives du rêve par où le sens caché s'écoule, que se mirent le texte et

---

1. Cf. Lettre du 27 décembre 1873 :
« Ma chère Gaynor — Mon nom s'épelle avec « G », c'est-à-dire : Dodgson... Si vous recommencez, je vous appellerai... 'aynor : Pourriez-vous vivre heureuse avec un pareil nom. »

ses timidités : tout se passe comme si Carroll, au lieu de prendre les risques de la perte (de temps, de vie, de force, de sens) se voyait être risqué, en jouissait, exploitait cette jouissance pendant que l'inscription de cette jouissance le tourmentait de peur. Plusieurs rêveurs-lecteurs-auteurs sont à l'œuvre « contrariwise », à la mode des deux Tweedle — celui qui sait qu'il ne sait pas, celui qui ne sait pas qu'il sait, celui qui ne croit pas si bien dire, celui qui voit qu'il a peur et celui qui a peur de ce qu'il voit. Ils sont ce que l'angoisse fait de Dodgson-Carroll. L'axe patience/action traverse le paysage et l'échiquier, qui pivotent également sur l'axe savoir/semblant-de-savoir : si Humpty-Dumpty en impose à Alice parce qu'il fait dire aux mots ce qu'il veut qu'ils disent, il ne s'interroge pas sur le lieu d'origine de ces mots. Le tout est de savoir qui est le maître, dit-il. En effet, qui est le maître ? Alors qu'Alice, têtue, rusée, entreprenante, ignorante, curieuse, insatisfaite, fait écrire (elle tient le crayon du Roi, et la rédaction se transforme, un autre texte bouge sous le texte royal), Humpty-Dumpty *se* fait dire : Chef du sens, sa prétention ne vaut que dans le monde du sens : il prend les mots, mais les sens s'évanouissent : il faut qu'il parle pour que les mots consentent, et quand il coupe (sur un « *but* ») sa récitation, nul ne sait si le silence dans lequel il s'absorbe est un effet de sa puissance ou de son impuissance : est-ce Humpty-Dumpty qui coupe après *but*, ou *but* qui coupe le discours ?

S'il y a des mots qui viennent sans raison, est-ce parce que j'ai voulu les dire (alors je les connaissais et ils remontent du lieu de leur relégation et j'ignore et je crains ce qu'ils ont à dire depuis là) ou bien les mots me précèdent-ils et viennent-ils me chercher ? Si je fais des phrases, qu'est-ce que les phrases font de moi ?

Réponse : Un Snark : réponse : Un Boojum.

Ce n'est pas rien. La chasse au Snark doit être suivie jusqu'à son évanouissement à la huitième crise, « au milieu du mot qu'il était en train d'essayer de dire »... doucement et brusquement, en tous sens, bon sens, faux sens, sens interdit, que l'on pourra. « Car le Snark est un Boojum, voyez-vous », n'est pas en effet sans aucun sens : la chasse lève un Snark à la fin, mot-objet dévorateur de celui qui le dit, qui s'il n'est pas dit ne peut être; creux ou fente qui sitôt fendu se referme sur qui est en train de fendre. Le Snark, comme le Sujet, ne peut être que dans le mouvement de sa production qui est celui de sa perte. Il ne reste plus qu'à faire la chasse au Boojum.

Reste rien, sauf le Snark qui *est* un Boojum, et le Boojum est peut être le ... jum, ou peut-être « un souffle qui passe ». Ainsi de S en B, et de K en J, on est porté vers ce lieu secret, inexploré, peut-être inexplorable, où la science défaille par manque ou insuffisance de ses instruments de recherche, là où la pulsion pétrit le souffle en phonèmes.

Et maintenant le lecteur, ou l'écouteur, est-il sûr qu'il ne sait *pas du tout* ce qu'est un Snark ? Ou bien croit-il savoir, ou voir, après tout ? Avant le langage qui était-il ? Et à son commencement quelle lettre poussait-elle Carroll, de quel S ou K ou W vient-il ?

Quel hasardeux désir accouple ainsi Snark et Boojum, si bien que l'un n'est pas sans l'autre, que l'un est l'autre, que l'un n'est pas si l'autre est, dans ce non-lieu que le livre supporte mais qui déporte et harasse, gentiment, le lecteur ?

Si tout le conte de Carroll n'est que discours, où discours est personnage, sujet, intrigue, réalité, etc., il ne l'est qu'en dissolution : parler même d'installation de l'œuvre, c'est déjà lire *après*, soutenant la lecture par l'échafaud des structures toutes faites de la langue, alors que le texte reste sans prise.

Jouons cependant le jeu : nous pouvons montrer comment le discours travaille, le prendre à l'effet, accepter la scène du rêve comme une convention ; et ordonner ce qui se donne clairement à voir (sinon à signifier), jouons d'abord le jeu du sens, suivons les thèmes qu'il rassemble jusqu'au point où cela se disperse.

ALICE THROUGH THE LOOKING-GLASS
OU
L'ÉCHAPPEMENT D'UN TEXTE

Echapper (de cappare, latin)	: proprement, sortir de la chappe en la laissant
Escape (du français populaire)	aux mains du poursuivant.

Ainsi du lecteur-poursuivant, et qui s'empare, presque, du texte échappé, mais jamais tout à fait, de même qu'il ne serait jamais temps pour Alice de manger la confiture, si elle entrait au service de la Reine Blanche : symbole de l'interdit qui pèse sur toutes les nourritures, et sur la

consommation en général ou la récompense, l'offre d'emploi que fait la Reine à la petite fille (« quatre sous par semaine, et confiture tous les deux jours, — confiture hier et confiture demain, mais jamais confiture aujourd'hui ») pointe par allégorie le rapport non gratifiant que ce livre établit avec le lecteur : aucun jour ne sera jour de sens, mais il y a du sens de part et d'autre du temps de lecture, du sens promis et inaccessible. Alice refuse ; les refus d'Alice donnent à la Traversée son allure coupante, énergique, et rebelle. Elle ne cède jamais qu'un peu de temps ou un peu de terrain, par politesse, mais elle maintient résolument la distance critique, plus forte, plus impatiente que celle dont elle faisait preuve au long des *Aventures souterraines* : dans le jeu des forces, elle domine, comme dans les relations de taille. Le monde de l'autre côté du miroir est réduit, lilliputien et sans qu'il y ait recours aux modifications physiques si impressionnantes (trait du merveilleux dans le Wonderland). Alice au contraire, sauf dans l'épisode de la barque à rames, reste inébranlable, puissante et autoritaire : elle n'est pas bernée par les ruses des autres, et se prête sans se risquer aux sollicitations. A l'observer de près, on sent qu'il y a chez Alice une certaine duplicité, sous couvert de « civilité » : Alice n'a de l'enfant que l'âge. Sa faculté d'adaptation, le compromis qu'elle opère sans cesse, la simulation dont elle est capable à tout moment, sont d'une adulte. Autour d'elle, les personnages de toute espèce sont infantiles. L'ensemble des relations marque une sorte de désinvestissement (moins de plaisir, moins de violence) de l'affectivité, en même temps qu'un accroissement diffus de l'angoisse, du malaise. Quelque chose manque ou vaguement menace, et voile l'ancienne pétulance : si *De l'autre côté du miroir* est l'histoire d'une surface, qui se raconte entre le jeu et le rêve, c'est aussi la chape d'un drame, dont les traits obsédants produisent dès l'abord un espace fortement symbolisé. C'est pourquoi, en hors jeu, ou de l'extérieur du discours, et en examinant cet extérieur, le livre se prête naturellement à un repérage thématique :

Alice — through — the Looking — glass :

Lire : Alice / vue / à travers / le miroir
    Alice / à travers / le miroir voyant. Le verre à voir, qui voit, le verre où je me vois me voyant, et me voyant me voir, et de là lire *Alice à travers le miroir*. Si l'on peut

projeter une interprétation analytique sur *Alice au pays des merveilles*, ce livre-ci s'y prête moins; certes on est aussitôt tenté de penser au Stade du Miroir [1], et de prendre toute l'aventure pour une figuration de la constitution imaginaire du moi par identification spéculaire, l'autre côté du miroir n'étant jamais que ce côté; on pourrait y voir l'avènement du narcissisme, alors le titre « *Et ce qu'elle y trouva* » pointerait vers la découverte d'elle-même, *à travers l'inter-subjectivité*, découverte qui serait triomphante. « *Et ce qu'elle y trouva* » serait alors ensuite fendu en « ce qu'elle crut y trouver » et surtout « ce qui la trouva », comme on peut s'attendre à ce qu'une réflexion analytique portant sur le Moi et l'inconscient aboutisse à la mise en question ou entre parenthèses de l'objet-cru-trouvé. Si Alice avait cru trouver quelque chose, on s'attendrait à ce qu'au sortir de la Maison du Miroir, elle en soit marquée, légèrement autre.

Mais Alice « traverse » le miroir de part en part, et la surface, en cédant, donne accès à une *lecture inversée* du monde. Cette lecture a pour objet essentiel le Temps — l'Histoire — et les effets que produit l'inversion en miroir de ses lois : inversion de la causalité, l'effet précédant la cause. L'effet devient alors cause de la cause, la douleur appelle la *coupure*, le gâteau n'est « coupable » que d'abord mangé. Lire ici ce qui se glisse de notable dans le choix des exemples : c'est la coupure qui inscrit le retardement et son contraire le bond — ou la révolution — dans l'ordre des choses, ou le *découpage* (du rôti, du pudding, du poisson) comme par un retour inquiétant du morcellement (jusqu'au moment du renversement universel) : les contes et poèmes semblent pointer vers une sorte de naissance inversée, de régression mais vers le point de déconstitution, où se regroupent tous les fantasmes de dévoration. Si l'on s'en tient au mécanisme de la causalité contrariée, il faudrait apercevoir dans ce temps de pressentiment-à-réaliser, de futur siégeant au passé, ou de participe futur, le monde de l'Angoisse carrollienne. Le bond de l'Imminent sur la table ne serait après tout que l'irruption de la mort, là où elle ne semble pas invitée, en pleine enfance. Masochiste, Carroll, mais aussi, en douce, un peu ogre.

Du bout des dents : Frôleur : qui lit le poème liminaire peut-il ne pas sentir l'affleurement réfréné dont le texte

1. Cf. « Le Stade du Miroir » in Jacques Lacan, *Ecrits*, Ed. du Seuil, 1966, p. 93.

entier est un prolongement ; la dernière strophe est l'expression d'un déni :

" And though the shadow
               [of a sigh
May tremble through the
               [story,
For " happy summer days "
               [gone by,
And vanished summer
               [glory —

It shall not touch, with
               [breath of bale,
The Pleasance of our fairy
               [tale ".

*Moi, Carroll, ombre d'auteur,
fantôme de mon désir qui
traverse cette Histoire et s'excuse d'appartenir au passé
J'affirme
ne pas toucher de mon mauvais air
Alice* Plaisance *Liddell,
plaisance de notre conte,
celle à qui je veux plaire, et
qui me fait penser à ma mort.*

(Et bien que l'ombre d'un
               [soupir
Puisse trembler à travers
               [l'histoire
Pour regretter les heureux
               [jours d'été passés
Et la « gloire de l'été » dis-
               [parue —,
Cette ombre ne touchera
de son souffle empoisonné
La plaisance de notre conte
               [de fées.)

Dure, hardie, sans hésitation, mais équivoque, la dame du conteur effacé (le « Vanishing » est un procédé favori de suicide discret). Son passage et son retour sont présentés comme une parenthèse, semblable au rêve par sa nature mais différente par ses effets : tout ce qui s'est passé de l'autre côté du miroir reste extérieur au Sujet, le retour pourrait être senti comme refoulement. S'il y a quelque chose de troublant dans cet aller-retour, c'est ce qu'on pourrait appeler sa théâtralité, ou comme plus haut, sa feinte : Alice n'est, ne veut être ni de ce côté-là, ni de ce côté-ci, mais ici ou là en visiteuse, en conteuse, en ni enfant, ni grande personne, ni dehors ni dedans, mais en fait, à la façon des mots-valises qui sont constitués d'éléments emboîtés, elle est sujet de ce dehors du dedans du dehors, de ce lieu du langage entre monologue, soliloque et dialogue, de ce l'un-dans-l'autre-

dans-l'un, analogue au mot-valise : on ne peut décider lequel des mots est la valise. Mais il y a une valise. Pour le moment, occupons-nous de ce qui a l'air plus « valise » que le reste et que nous appellerons : Blanc.

Le Blanc : A partir de l'espace le plus extérieur au récit, on est pris entre feu et neige d'abord : voir Alice entre la fenêtre hivernale et le miroir accroché au-dessus du feu, entre la lumière et le reflet, entre le blanc et le rouge. Les Eléments vont travailler le texte de part en part, et dans de complexes rapports de sens et de force, où dominent toute-fois le blanc et ses connotants : eau, eau *figée*, neige, froid, etc. Un paysage d'hiver, et ce qu'il en résulte. Le passage d'une maison dans une autre maison. Deux minettes, l'une blanche (innocente, elle n'y est pour rien), une noire (coupable...) comme avant il y avait, pénis trot-tinant, un lapin moustachu pour entraîner Alice dans sa première aventure. Une pelote de laine qui tombe, se déroule, s'emmêle, fait le tour du cou d'une minette, sert de balle, mais est sans doute destinée à un autre usage. Echeveau. Fil du Récit. Alice mère ou maîtresse. On retrou-vera le feu, la neige; et les éléments de cette première scène sous des espèces voisines dans tous les épisodes. Alice est elle-même entre la neige et le feu dans l'attitude du souhait, de l'attente. Mais elle est précédée dans ce « nid de plaisir », par le dédicateur : il faut lire l'étrange poème liminaire (p. 46) et son écho final (p. 48) pour être saisi par la mélancolie qui a fait ce « nid » (nid, nicher, reviennent sans cesse, comme soleil, ensoleillé, été, brûlant, etc., reviennent mais sous la coupe refroidie de la mémoire). Une sinistre métaphore marque la 4e strophe du poème d'un avertisse-ment mortel : un triste lit attend l'enfant et le vieil enfant, lit de noces et lit de mort se superposent.

Comment les éléments se déplacent, sous diverses formes et en divers lieux, à partir des premières oppositions qui lancent l'histoire, de telle façon que l'été avec sa symbolique et ses attributs semble sortir de sous l'hiver qui le porte en soi comme la mémoire un souvenir et comme l'écriture son inconscient : distillation de la neige par le feu, du blanc qui bat le paysage à l'extérieur par le vert de la contrée du Miroir : l'autre côté n'est pas exactement l'inverse mais un contraire chargé de désir. Tout de suite d'ailleurs, le rapport du sujet aux éléments paraît ambigu : la célébration du feu fléchit la froideur de l'atmosphère. La neige en flocons tente d'ailleurs de pénétrer de l'autre côté de la fenêtre. Ainsi s'installe de part et d'autre d'une transpa-

rence qui fait croire à sa propre absence, mur qui se dresse
invisiblement comme l'interdit, le thème de l'effraction/
refoulement (et, à la limite, la « forclusion » au sens où il
y a rejet d'un « signifiant » — ici la neige en tant que signifiant de la mort — qui fait retour dans le réel, mais de
l'autre côté) et cet espace mitoyen qui fait pivoter si souvent
les scènes : soit la porte et le portier aphone du chapitre ix,
quel côté de la porte est le côté qui donne dedans, quel côté
est-il celui de la réponse ? La neige fuit, repoussée, mise
en échec par le feu (feu de joie dehors et feu dans la cheminée), revient par le blanc qui connote de douceur ou
bienveillance tous les personnages blancs du jeu, mais d'une
douceur qui est signe de *faiblesse* physique ou mentale
(la timide Reine Blanche, le doux Chevalier Blanc). Elle
revient aussi, nous le verrons, par les joncs dont le propre
est que sont toujours plus blancs que les joncs cueillis ceux
que l'on va cueillir, — « les vrais joncs parfumés fondant
comme neige au soleil » : A suivre le cours de l'eau et ses
avatars on voit l'élément se dédoubler, porteur-rivière aux
rives bordées de neige devenue fleur, elle se dissout et
reparaît, puis s'évanouit en la pluie (chap. 4) qui ne
tombe pas. En fait son fonctionnement thématique est
dès le seuil détourné au service du fantasme qui barre
l'affleurement du sens : la neige est d'abord le baiser de
la mort, le fantasme de la vieillesse que seule la jeunesse fait
fondre.

Le feu, lui, resurgit dans une violence également ambiguë :
force déterrante, il en met plein la vue : volcan, il est lilliputien
lorsqu'il terrifie roi et reine, au ch. 2, ou il fait flamber
le sens et le met en cendres, dans le langage du Livre-reflet,
par les yeux de flamme du Jabberwock, le monstre mis en
pièces. Le feu-soleil, lumière rouge, lumière sensible est
aussi lumière intelligible, sens : il couve sous les mots,
Jabberwock lui-même et se prête aux ordres sans conséquence de Humpty-Dumpty, lorsque celui-ci interprète le
premier poème du Miroir (chap. 6) : la lecture du Jabberwock par l'Œuf, polysémie (« je peux expliquer tous les
poèmes qu'on a jamais inventés ») économique, tient du
transport, métaphore donc, mais métaphore de la métaphore, transport dont la voie se creuse à l'intérieur même
de l'objet à transporter, le mot-valise.

Le transport est d'ailleurs lui-même un thème majeur,
et comme auto-métaphorique, se mirant en se donnant.
Il est à la fois thème du déplacement, associé au travail de
l'air, thème du passage qui se répète de l'extérieur à l'inté-

rieur, du jeu sur l'échiquier, des voyages en train ou en barque, et du message.

Le Thème du Déplacement entraîne non seulement la divagation du texte entier, mais aussi par tout ce qui le contrarie, l'établissement de son complément, le sur-place : depuis la Traversée du Miroir par Alice (par fonte et dispersion), la surface en devenant tissu (gaze) puis brume, son entrée dans la Maison du Même (ou Maison du mime) et aussitôt sa sortie dans le jardin, effectuée en un vol plané onirique, on passe dans le semblant de profondeur : comme du signifiant au leurre qu'il constitue, ou de l'inscription à l'infinie question de la lecture, elle-même soulevée à chaque case et souvent même « mangée », escamotée, quand par erreur ou mauvais calcul elle est posée là où un pion la menace : chaque fois qu'Alice, ou le lecteur, pose la question de la signification singulière (« qu'est-ce que ça veut dire » ?), le jeu des relations se déplace et se transforme. Les pions et personnages n'ont pas de place fixe mais sont déterminés par les systèmes de mouvement qui constituent toujours à nouveau des constellations de sens, et pluralisent tout état du jeu. Impossible, dans l'espace du jeu, d'être un individu autonome : chacun entraîne tous les autres, et simultanément est entraîné. Le tout dans une atmosphère de violence, car après tout ce jeu est une guerre et tend à l'épuisement des camps (avec l'infime chance de rachat pour tel pion perdu). L'usure, puisque le jeu est aux échecs, est inévitable, et la dépense énorme : d'où à la limite dans un simulacre de match nul, la course immobile, et le thème de l'accélération-pour-rester. Changer sans changer : le leurre de l'Histoire certes; mais aussi l'envers du désir d'immortalité : comme il faut vivre fort pour ne pas mourir, et s'essouffler pour ne pas être dépassé! L'air qui porte Alice d'ici à là fait couple avec cet air intérieur (breath) si souvent perdu. Entre les deux comme entre l'Histoire qui refait le pion, (puisqu'il y a toujours ensemble ou groupe dans le livre) et la biographie (le désir du sujet, remodelé par le principe de réalité) soufflent de grands vents « forts comme la « soupe » qui emportent les cheveux, arrachent le châle de la Reine Blanche, littéralement dé/capent. Décapitent. Y apercevoir la menace de la castration. L'individu qui se croirait maître de son mouvement (progrès, devenir) est victime d'une illusion : il est toujours déterminé par les structures qui l'encadrent et le soumettent à la loi scientifique : contraignant dix-neuvième siècle qui ébranle les fondements rassurants de la théologie et les remplace aussi-

tôt par l'accablant déterminisme matérialiste. D'où la déri-
sion de la croyance en une autonomie ou une force créatrice
pour l'individu exceptionnel, telle que la fait éclater l'épisode du Chevalier Blanc : « C'est moi-même qui l'ai inventé »,
répète-t-il tout en s'effondrant à chaque pas. Sa chute (qui
répète celle de Humpty-Dumpty, laquelle est également dictée
d'avance, même par une comptine) est ce qu'il accomplit
avec le plus de succès. Rien ne sert de partir à point, il faut
toujours courir, l'être naît en piste et dans la course, la
table est mise, la colline désirée dresse son phallus inaccessible et provoquant, mais quel que soit l'entêtement
d'Alice à vouloir aller là-bas, le sentier tout tracé tire-bou-
chonne et la déporte.

Sentier involué ou pliure ?

Le déplacement côtoie le refermement, et s'échange avec
lui : reploiements et aller-retours narguent les élans d'Alice
et sa curiosité pourtant inlassable. Certes le retour à zéro,
point de départ, relance le mouvement, mais jusqu'au jour
où il n'y a plus de force pour repartir. Déperdition d'énergie,
jouissance et lassitude, fonctionnent de concert. A la fin
Alice rejette tout.

Le déplacement n'est permis que dans les règles qui
l'annulent ou le bornent : sur l'échiquier, dans le cadre
cyclique des saisons, et dans le cadre étriqué de l'ensemble
des paysages : haies, ruisseaux, barrières et reliefs. Les
saisons, l'opposition jour/nuit (factice), tous les faux mouvements entourent la terre qui se joue en en prenant les
reflets. Le jeu des quatre saisons peut se prendre à part, chacune comportant sa mythologie dans la tradition symbolique
et ses atours coutumiers, feuilles brunes, prés verts etc.; mais
aussi trop coutumiers, jusqu'à la subversion des différences
que la représentation imaginaire des quatre fonds de
l'année projette : les saisons font office des limites, de
cadrage, et ne sont plus des repères climatiques mais des
doubles de la case ; enfin comme le débite le poème de
Humpty-Dumpty elles semblent organiser les étapes de la
communication : en hiver je chante, au printemps j'essaierai
d'expliquer ce que je veux dire, en été tu comprendras peut-
être, en automne prends plume et encre et écris mon chant
(hiver + expression + présent; printemps + interprétation + futur; été + réception + futur; automne + inscription + loi, le sens est à venir, l'inscription est sous la loi, la
communion, l'échange appartiennent à l'ordre du désir et
de l'insatisfaction).

Il y a *paysage* mais *subverti*, fait thème, donc déraciné,

figure d'un autre espace, mais visible et vert par opposition
à la volatilisation de l'élément eau :

Le vert : ce jardin où notre Alice se précipite est d'abord
un vrai terrain, plus tard étendu. Les fleurs, avant d'être des
allégories ou des personnes, sont plantées naturellement.
Il y a une vraie pelouse moelleuse, ... un bois, une forêt, des
arbres, mais ils sont sans nom, autre que celui de l'espèce.
Alice se cache derrière « un arbre », ils n'ont pas de propriété spécifique : ils sont là pour faire le semblant de
nature qui, sans couleur, sans relief, sans propre, figurent
« l'énorme-jeu d'échecs joué à travers le monde entier »
vu depuis la (fausse) colline.

C'est ici devant le trompe-l'œil de la « Nature », à cause
de l'échappement renouvelé du sol-texte, que le décor bâille
soudain : cet entrebâillement permet d'assister à une scène,
la seule qui échappe vraiment au contrôle, et c'est la même
faille qui fait apparaître l'opération de détournement où le
jeu lui-même est déjoué : la dénaturation symbolique des
objets naturels est prise à revers par l'inconscient qui soulève
le couvercle, au moment où on ne s'y attend plus. Et, après
la chaîne des simili-forêt, montagne, ruisseaux-jardin, se
lèvent : les *vrais joncs!* gardés par un cortège de notations
sensuelles, bouquet, et non pas en personnes et en mots
mais en signifiant, éblouissant retour de l'objet qui danse
— un balancement fin-de-siècle entre Salomé et Narcisse —
et se dérobe encore et encore, encore. C'est ici que tout ce
qui était rivé dérive, mais si vite que l'on risque de manquer
ce qui pourtant est la véritable levée du voile qu'est le
texte :

> "Oh, please! There are some scented rushes!" Alice cried in a
> sudden transport of delight.
> "There really are—and such beauties!"
> "You needn't say 'please' to me about 'em," the Sheep said,
> without looking up from her knitting : "I didn't put 'em there, and
> I'm not going to take 'em away."
> "No, but I meant-please, may we wait and pick some ?" Alice
> pleaded. "If you don't mind stopping the boat a minute."

Les vrais joncs échappent au miroir dans un bref sou-
bresaut de la structure. Un trouble saisit le récit, qui est
joué par un élément inattendu survenu dans le fonctionnement même du jeu. Cela ne dure pas plus que les joncs.
Le narrateur et la nature refont le pacte qui les fait complices
dans la fuite : « Même les vrais joncs parfumés... ne durent
que très peu de temps... » et ces « chéris » si puissamment
investis ont le sort des flocons de neige, ils fondent, et

gisent aux pieds d'Alice, ils *sont* ce qu'est la neige quand
elle tombe dans les rêves, accueillie par les cris de joie.

Subversion du paysage à partir du *thème* qui est ce paysage. La neige reprend et refond son eau jusqu'en été, à
égale distance du sens et du non-sens. Qu'en est-il de l'aventure du sens, à ce point ? Le paysage est sensé être autour de
la maison qui est autour de la pièce qui est autour du miroir :
l'emboîtement des thèmes appelle une lecture polysémique,
de ce qui paraît être un jouet autant qu'un jeu, une méca-
nique. Ce jeu semble être le Grand Effet à facettes : mais de
même qu'Alice voit se répéter l'écriteau qui pointe vers la
maison de Tweedledum et celui qui indique la maison de
Tweedledee, qui laisse supposer l'existence de deux maisons
(alors que c'est une maison à deux propriétaires), de même
ce texte est un objet qui travaille à faire paraître l'illusion
qu'il est : il y a miroir mais il n'est pas du côté que l'on
pense. Le miroir est lui-même réfléchi par les miroirs de
rappel que sont les prés, la mer, les ruisseaux, et surtout
l'échiquier ; vision du monde en planisphère, illusion d'éta-
gement démentie par l'étalement du jeu d'échecs, aplatissement de l'ordre du sens, et dispersion des rapports.

L'Aplatissement : La polysémie, factice, pointe et re-pointe
vers l'autre même : la réalité est dans le miroir qui était
supposé contenu dans la pièce qui était contenue, etc... est
dans le miroir qui en réalité les contient, leur permet d'être,
les retient, les joue, avec une perte du devenir : le livre bouge
sans avancer, et la lecture est jouée jusqu'à l'échec et mat.
Tout cela n'est finalement qu'une feuille. Et ce n'est pas
produire une métaphore que de le dire : le « ce n'est que »
n'est pas seulement la dénégation du rêveur qui, s'éveillant,
dit ce n'est qu'un rêve et aussitôt efface : l'éveil, le retour
aux choses en relief se fait en deux temps ; le premier temps
est destruction, le second est le temps du récit fait par Alice.
Tout se passe comme si l'autre côté étant devenu intolé-
rable (ou peut-être trop tolérable ?) la tension était portée à
un point de vibration si grand que le texte soudain se rompt.
Alice hérissée, crie. Et anéantit : « Vous n'êtes qu'un paquet
de cartes », « je ne peux plus supporter ça ! ». L'opération
d'annulation est à saisir à la fois comme brusque remise au
monde après une traversée de la mère, (les deux scènes
finales des Aventures et de la Traversée sont superposables :
Alice se dresse contre la Reine et l'écrase, juste après avoir
conquis la taille de sa réalité, ou des mystères de la langue
maternelle), donc comme assomption d'Alice, mais aussi
comme constat d'un certain échec. Constat, ou désir de

constater l'échec : car il ne reste plus alors qu'à passer
aussitôt au deuxième temps, celui de la jouissance différée,
celui de l'écriture, de la répétition, par opposition au temps
paroxystique du fantasme. C'est pourquoi l'échiquier inscrit
le jeu qu'il est mais aussi l'échec. C'est pourquoi ce qui
était insupportable de l'autre côté, lourd d'angoisse, est
repris par le conte (lequel s'annonce souvent de l'autre côté
par des « et plus tard, quand Alice raconta... ») mais sans
l'angoisse. Ce qui était violent devient merveilleux, à distance.

Annulation, aplatissement, désaffection et *récit* vont
ensemble : c'est que le miroir enveloppe la maison, et la
neige couvre le texte. Cet enveloppement de la maison est
en réalité la substance blanche du miroir : sens et blanc, loi
et mort, mémoire et froid s'échangent. Ce qui se lit dans le
miroir c'est la vie et la mort érotiques, le vestige de l'interdit
poussé dans le sillage dérapant des signifiants ; les poèmes
d'encadrement, concrétions figées, disent même cela de
façon explicite.

Le caractère équivoque du texte de Carroll, l'onirisme
général, les scènes — les fantasmes —, la profusion de
lapsus, toutes ces percées de l'inconscient qui vient s'ins-
crire de l'autre côté du tain sont les vestiges de ce désir
gelé.

(Comme Carroll était photographe, fixeur de lumière,
gardien d'images : la photo, par excellence l'art rétros-
pectif.)

Deux exemples de scènes de désir :

1. *Le Chapitre I*, chapitre du désir d'Alice, inscrit aussi
à ras du texte le désir du scripteur :

... "Do you hear the snow against the window-panes, Kitty ? How
nice and soft it sounds ! Just as if some one was kissing the window
all over outside. I wonder if the snow *loves* the trees and fields
that it kisses them so gently ? And then it covers them up snug,
you know, with a white quilt ; and perhaps it says 'Go to sleep,
darlings, till the summer comes again.' And when they wake up in
the summer, Kitty, they dress themselves all in green, and dance
about—whenever the wind blows—oh, that's very pretty !" cried
Alice, dropping the ball of worsted to clap hands. "And I do so
wish it was true ! I'm sure the woods look sleepy in the autumn,
when the leaves are getting brown." [1]

1. Les caractères italiques sont dans le texte original.

Il convient de mettre ce fragment de *passage* sur *deux*
scènes, entre lesquelles la lecture hésite; ces deux scènes
étant à leur tour chacune le lieu d'un dédoublement; l'une
et l'autre cependant soulevées par le même désir, insistant,
exclamatif, pris entre *love* et *wish* que l'impression souligne :
l'attention du lecteur est attirée du premier coup d'œil par
les signes du manque, de l'attente, mais c'est l'oreille du
scripteur qui est d'abord sollicitée : en effet ce fragment
laisse affleurer, pour qui l'écoute, ce qu'on peut comparer
à une « scène primitive », fonctionnant ici, d'entrée, comme
l'*Ur-szene* de la *Traversée* entière; le réel et le fantasmatique
se mêlent dans un scénario où le commentaire dépasse le
fait : désir d'information (curiosité), excitation sexuelle,
interrogation sur la libido, c'est le désir du désir qui attise
Alice et la prépare à l'exploration : ce qui l'intéresse se passe
de l'autre côté de la vitre, et elle n'en saisit que le bruit,
à partir de quoi elle reconstruit toute la relation terre/neige.

Heurt du sujet à la fenêtre du savoir : *against*, paroi,
donc désir de traverser. (Elle ne traversera pas la fenêtre
vers la *vraie* neige.)

La scène dit la pulsion avec S : nice-soft-sound kiss snow etc.
battent, production phonique de l'inconscient. Même manège au niveau sémantique où *cover* et *quilt* se recouvrent
et doublent, pour être articulés au point zéro du sommeil,
être rejetés au moment de la levée d'*été*. Mais c'est aussi
une scène (laquelle est « l'autre » par rapport à l'une, on ne
sait en décider) *mythologique* : dyonisiaque, elle se joue
depuis la mort/hiver/enfouissement jusqu'au réveil de la
nature/été/resurgissement. Enfin la distribution des conno-
tations (couleur, mouvements, bruits...) implique, pour le
texte entier, non seulement les saisons mais l'hésitation
entre deux saisons complémentaires. Tout vire entre semblant et vérité, songe et réalité.

I do so wish it was true!... : le souhait n'entraîne pas
nécessairement l'accomplissement, ni même le désir que
s'accomplisse en réalité l'ordre du fantasme. Les forêts qui
« ont l'air » endormies, le sont-elles ou pas ? La neige
embrasse et tue ou met au lit : elle suspend la vie, mais
s'il y a sommeil, on peut supposer qu'il y aura rêve, donc
texte. Alors on peut jouer avec la pelote de laine qu'Alice,
pour battre des mains, a laissé tomber : globe (écheveau,
destin de l'aventure) si elle roule sur l'axe analytique, elle
est la mère; si elle pivote sur l'axe mythologique, elle est
la terre. Déroulée, elle est la ligne sans queue ni tête qui sert
de chemin au miroir.

2. *La surenchère du rêvé/rêvant :*

" 'If that there King was to wake,' àdded Tweedeldum, 'you'd go out—bang!—just like a candle!'

'I shouldn't!' Alice exclaimed indignantly. 'Besides, if *I'm* only a sort of thing in his dream, what are *you*, I should like to know ?'

'Ditto,' said Tweedledum.

'Ditto, ditto!' cried Twedledee.

He shouted this so loud that Alice couldn't help saying 'Hush! You'll be waking him, I'm afraid, if you make so much noise.'

'Well, it's no use *your* talking about waking him,' said Tweedledum, 'when you're only one of the things in his dream. You know very well you're not real.'

'I *am* real!' said Alice, and began to cry.

'You wo'n't make yourself a bit realer by crying,' Twedledee remarked : 'there's nothing to cry about.'

'If I wasn't real,' Alice said—half laughing through her tears, it all seemed so ridiculous—'I shouldn't be able to cry.'

'I hope you don't suppose those are real tears ?' Tweedledum interrupted in a tone of great contempt.

'I know they're talking nonsense,' Alice thought to herself : 'and it's foolish to cry about it.' So she brushed away her tears, and went on, as cheerfully as she could. 'At any rate, I'd better be getting out of the wood, for really it's coming on very dark. Do you think it's going to rain ?'

Tweedledum spread a large umbrella over himself and his brother, and looked up into it. 'No, I don't think it is,' she said : 'at least—not under here. Nohow.'

But it may rain *outside?*'

'It may—if it chooses,' said Tweedledee : 'we've no objection. Contrariwise.'

'Selfish things!' thought Alice, and she was just going to say 'Good-night' and leave them, when Tweedledum sprang out from under the umbrella, and seized her by the wrist.''

Ici, la question d'existence, posée entre les jumeaux complémentaires et opposés par Alice, se fraie une voie entre réalité et fiction, vers l'être mais sans jamais l'atteindre, malgré les sauts et jaillissements :

If donne le départ, hypothèse qui soulève la question et produit l'espace — mais le roi reste de l'autre côté de cette petite scène, là où l'envie de savoir et de faire avancer est arrêtée, Alice barrée, saisie par Tweedledum qui l'empoigne.

Cependant le débat a sinué le long des verbes d'existence, à la recherche d'un accostage, produisant dans son déroulement un système à trois couples ontologiques :

I am	1 je suis/je ne suis pas	être/non/être
you	2 moi/autre	
your		
am		
here	3 ici/dehors	
outside		

En fait tous les couples qui définissent le moi dans un monde logique sont mis en question, au delà des trois couples privilégiés : Ceux-ci travaillent le jeu d'échecs par leurs oppositions organisatrices. Ainsi l'intrigue est un effet de ces couplages : attaque/parade, attaque/parade, la suite de coups à sujets permutants est déclenchée par les couples 1 et 2. Danse (guerrière) de Tweedledum/Tweedledee puis Tweedledee/Alice, puis Alice/Tweedledum. En outre le couple 3 re-joue les autres : il y a en effet un quatrième sujet, absent, le roi qui dort, celui vers quoi tout converge : tout ce qui est dit est dit à son propos. Alice occupe la place du contraire par rapport au roi : elle est présente, seule permanence dans l'histoire, et sauf à de rares moments d'éclipse, elle assure la motricité et le présent du texte, avec un trouble parfois dans son jeu, mais jamais radical (même son nom, lorsqu'il s'efface dans le bois d'oubli, reste accroché à elle par une lettre). Quant aux deux musiciens glapisseurs, au lieu de lui répondre ils se répondent et font écho.

If + wake (éveil) + added... bang, miment, comme dans le fragment précédent, une surrection puis une retombée : au plus près de la pulsion les mouvements sémantiques de levée font partout vibration constituant dans l'ensemble un vaste sème de la levée, dilué : *candle* est attiré dans le paradigme dans la mesure où c'est une lumière érigée, mais en même temps qu'il y a connotation de puissance, ce (donc Alice) n'est jamais qu'une bougie.

You'd go out, *bang* like a candle : la chandelle pointe (rappel du thème du feu) et éclate (symbole phallique) mais avec une onomatopée qu'il ne faut pas sous-estimer : en effet, elle est décalée, sonore, craquement d'une arme ou claquement d'une porte, c'est une répercussion sonore d'un effet d'extinction, forte et disproportionnée, comme dans un rêve. Non seulement s'exerce ici la rhétorique de Tweedledum, mais aussi son agressivité : au niveau de l'effet psychologique, le bonhomme cherche à effacer Alice, à la souffler (comme un pion), (comme une bougie). *Bang exclame*. Alice fait écho, et le passage de l'exclamation à l'expression de l'exclamation (exclaimed) propage le redoublement jusqu'aux couches internes du récit : de même le *Besides* d'Alice surenchérit, et fait le même jeu par rapport à *added* que *exclaimed* par rapport à Bang. La levée se soutient d'une relance de l'agression qui porte toujours sur la question d'existence : qu'est-ce que vous êtes si je suis ce que vous dites que je suis, qu'est-ce que je suis si je ne suis pas réelle, s'il me rêve qu'êtes-vous ?

Si l'objet de son rêve la rêve comme rêvée dans son rêve à elle où est-elle ce qu'elle est ? Un échange d'être entre rêvant et rêvée perpétue le trouble et dresse la *question du savoir* : on recoupe la question de la scène primitive. Qu'est-ce que je suis, *j'aimerais le savoir*, si je suis engendrée dans la structure, question dont l'existence même de Tweedledee et Tweedledum accroît l'inquiétude : leur façon d'être par surcroît, renchérissement, dissymétrie dans l'asymétrie : Ditto! Ditto! Ditto!, leur façon de se relayer avec de minces différences produit un effet psychologique de dérobade renforcée. La réponse semble échapper, toujours ailleurs et même déjà donnée mais sans contenu, et dans une langue étrangère. Cependant la séquence de plus en plus bruyante (Bang! Hush!) forme, chemin faisant, un autre couple encore, celui de sommeil/réveil et de son cortège d'oppositions : réalité/fiction, connaissance/ignorance, silence/bruit et ainsi de suite, dans un essaimage d'autres paires, qui cernent le Sujet.

Je suis réelle : c'est peut-être *le* grand paradoxe de la Traversée du Miroir. S'il est *écrit* qu'Alice est *réelle* dans le *rêve*, alors le texte en tant qu'écrit se dénie lui-même, il opère la dénégation du rêve qu'il est, cette opération étant productrice de l'échappement qui constitue l'écrit. Logique du sens du côté de la fenêtre, logique du manque du côté du miroir : Alice est en asymptote d'être par rapport à

la surface   qui sépare le dehors extérieur
l'axe de l'être   du dehors intérieur.

Tweedledee est d'une sournoise pertinence lorsqu'il dit que ce n'est pas en pleurant qu'elle se fera plus réelle, et qu'il n'*y a pas de quoi* pleurer. Le manque est ce qui toujours reste manque. « Il n'y a pas de quoi » être. Parce qu'il n'y a pas d'autre côté, qu'on ne touche pas le miroir, même si l'on croit le traverser : Alice voyant toute la pièce de la Maison du Miroir, sauf le point aveugle à l'emplacement du feu, est au ras d'être en ceci que dire « miroir » c'est aussi dire que je suis ce miroir (et que la langue est elle-même ce qui réfléchit, plutôt que ce qui signifie). Lorsque Tweedledee signale le manque d'Alice, il reste à l'extérieur du manque, tandis qu'elle *se débat à l'intérieur du manque, à l'intérieur de ce qui reste hors de l'être*. Elle est chandelle, dans la mesure où elle est ce qu'on souffle ; mais elle est aussi le *rire à travers* les *larmes* :
si les trois discours qui déplacent la réflexion d'Alice du lieu du rêve (I am) au lieu de son discours (le réel), au lieu

de son discours intérieur, mènent à une impasse, celle-ci
provoque enfin le rire. Eclats de gaieté, mouvements qui,
sur le plan de l'effet psychologique et sur le plan du récit,
jouent le même rôle de levée que *If*. Si par hasard...

As cheerfully as she could : relevée d'Alice qui s'arrache
aux pleurs pour passer à un autre type de question : cette
nouvelle séquence (Do you think it's going to rain...) a la
force de l'illusion qui donne au sujet « de quoi » poursuivre
après l'échec : sitôt demandé on déploie un grand parapluie.
C'est la supposition qui engendre le geste dans une réci-
procité remarquable : le fantasme engendré par le texte
engendre ce texte. L'obscurcissement de la scène se distribue
en plusieurs directions : obscurité des significations (foolish, nonsense, ridiculous), obscurité du ciel qui appelle à
pleuvoir. Comme si la pluie était une sécrétion de l'absurde.
D'ailleurs il ne pleut pas sauf dehors. Tweedledum étend le
parapluie qui exclut Alice, protège les deux personnages,
mais ne la protège pas. Ce parapluie dans lequel Tweedledum entre, n'est-il pas le rêve ? ou le rêve serait fait de
l'étoffe du parapluie.

Dernière échauffourée : Tweedledum (il dit quatre fois
non, no, not, nohow) bouge en même temps que le texte
(Force du dit.) — Alice au fond est isomorphe aux personnages qu'elle croise : elle est choisie par son choix qui est
le personnage qu'elle rêve. Seul le texte échappe, inattendu ;
c'est lui qui fait la pluie et le beau temps. " It may, if it
chooses ", c'est *it*, le sujet qui se sauve, *le rescapé*.

Libre, croit Alice, qui n'a pourtant pas brisé le rêve... et
de vouloir s'éloigner, de vouloir, en échappant au nuage,
symboliquement échapper à la nuit, ou la précéder peut-être.
Mais au moment où elle annonce (good night), Tweedledum
la saisit par le poignet et le cauchemar recommence. Alice
est reprise par le rêve.

Hélène CIXOUS.

BIBLIOGRAPHIE

L'ouvrage de base, dans le domaine bibliographique, est *The Lewis Carroll Handbook*, Oxford University Press, 1962, nouvelle édition (mise à jour en 1960), due à Roger Lancelyn Green, de *A Handbook of the Literature of the Rev. C. L. Dodgson*, O. U. P., 1931.

PRINCIPALES ŒUVRES DE LEWIS CARROLL
(liste chronologique)

Deux éditions rassemblent l'essentiel de l'œuvre de L. Carroll :
  The Complete Works of Lewis Carroll, Londres, 1959.
  The Works of Lewis Carroll, Londres, 1965.
La deuxième, préparée par R. L. Green, est nettement plus complète.

1845 : *Useful and Instructive Poetry*, publiée en 1954, Londres.

1850-1862 : *The Rectory Umbrella* et *Mischmasch*, publiés en 1932, Londres.

1865 : *Alice's Adventures in Wonderland*, Londres.

1869 : *Phantasmagoria, and Other Poems*, Londres.

1872 : *Through the Looking-Glass, and what Alice found there*, Londres.

1874 : *Notes by an Oxford Chiel* (pamphlets anonymes), Oxford.

1876 : *The Hunting of the Snark*, Londres.

1879 : *Euclid and his modern rivals*, Londres (publié sous le nom de C. L. Dodgson).

1883 : *Rhyme ? and Reason ?* Londres.

1885 : *A Tangled Tale*, Londres.

1886 : *Alice's Adventures Under Ground*, Londres (fac-similé du manuscrit original).
1887 : *The Game of Logic*, Londres.
1889 : *The Nursery « Alice »*, Londres.
1889 : *Sylvie and Bruno*, Londres.
1893 : *Sylvie and Bruno Concluded*, Londres.
1896 : *Symbolic Logic, Part I. Elementary*, Londres — réédité en 1958, avec :
    The Game of Logic par Dover Publications, New York.

TEXTES POSTHUMES ET BIOGRAPHIES

COOLINGWOOD, S. D., *The Life and Letters of Lewis Carroll*, Londres, 1898.
    The Lewis Carroll Picture Book, Londres, 1899 — réédité en 1961, sous le titre :
    Diversions and Digressions of Lewis Carroll, Dover Publications, New York.
GREEN, R. L., *Lewis Carroll*, Londres, 1960.
    The Diaries of Lewis Carroll, Londres, 1953.
HATCH, E. M., *Letters to Child-Friends* (choix de lettres de Lewis Carroll), Londres, 1953.
HUDSON, DEREK, *Lewis Carroll*, Londres, 1954.
LENNON, F. B., *The Life of Lewis Carroll*, New·York, 1968 (1re édition : 1945).
TAYLOR, A. L., *The White Knight. A Study of Lewis Carroll*, Londres, 1952.

OUVRAGES OU ARTICLES CONSACRÉS A LEWIS CARROLL

ALEXANDER, PETER, *Logic and the Humour of Lewis Carroll*, Leeds, 1951.
COUMET, ERNEST, « Lewis Carroll logicien », dans Lewis Carroll, *Logique sans peine*, Paris, 1966.
DE LA MARE, WALTER, *Lewis Carroll*, Londres, 1952.
DELEUZE, GILLES, « Le schizophrène et le mot », *Critique*, 255-256, Paris, 1968.
DELEUZE, GILLES, *Logique du sens*, Paris, 1969.
EMPSON, WILLIAM, « The Child as Swain », dans *Some Versions of Pastoral*, Londres, 1966 (1re éd., 1935).
GATTÉGNO, JEAN, « La logique et les mots dans l'œuvre de Lewis Carroll », dans Lewis Carroll, *Logique sans peine*, Paris, 1966.

GATTÉGNO, JEAN, *Lewis Carroll*, José Corti, 1970.

GATTÉGNO, JEAN, *Les Aventures d'Alice au Pays des Merveilles* (Préface), Aubier-Flammarion, 1970.

GERNSHEIM, HELMUT, *Lewis Carroll : Photographer*, Londres, 1949.

GREENACRE, PHYLLIS, *Swift and Carroll. A Psycho-analytic study of two lives*, New York, 1955.

PARISOT, HENRI, *Lewis Carroll* (Collection « Poètes d'Aujourd'hui »), Paris, 1952.

RACKIN, DONALD, « *Alice's Journey to the end of night* », *PMLA*, octobre 1966.

SEWELL, ELIZABETH, *The Field of Nonsense*, Londres, 1952.

THROUGH THE LOOKING-GLASS
AND WHAT ALICE FOUND THERE/
THE HUNTING OF THE SNARK

DE L'AUTRE CÔTÉ DU MIROIR
ET DE CE QU'ALICE Y TROUVA /
LA CHASSE AU SNARK

(Version française ne varietur)

PREFACE

As the chess-problem, given on the next page, has puzzled some of my readers, it may be well to explain that it is correctly worked out, so far as the *moves* are concerned. The *alternation* of Red and White is perhaps not so strictly observed as it might be, and the "castling" of the three Queens is merely a way of saying that they entered the palace: but the "check" of the White King at move 6, the capture of the Red Knight at move 7, and the final "checkmate" of the Red King, will be found, by anyone who will take the trouble to set the pieces and play the moves as directed, to be strictly in accordance with the laws of the game.

The new words, in the poem "Jabberwocky," have given rise to some differences of opinion as to their pronunciation: so it may be well to give instructions on *that* point also. Pronounce "slithy" as if it were the two words "sly, the": make the "g" *hard* in "gyre" and "gimble": and pronounce "rath" to rhyme with "bath."

PRÉFACE

Attendu que le problème d'échecs ci-après énoncé a déconcerté plusieurs de nos lecteurs, il sera sans doute bon de préciser qu'il est correctement résolu en ce qui concerne l'exécution des *coups*. Il se peut que l'*alternance* des Rouges et des Blancs n'y soit pas observée aussi strictement qu'il se devrait, et lorsqu'à propos des trois reines on emploie le verbe « roquer », ce n'est là qu'une manière de dire qu'elles sont entrées dans le palais. Mais quiconque voudra prendre la peine de disposer les pièces et de jouer les coups comme indiqué, devra reconnaître que l' « échec » au Roi Blanc du sixième coup, la prise du Cavalier Rouge du septième, et le final « mat » du Roi Rouge répondent strictement aux règles du jeu.

Les mots nouveaux employés dans le poème *Bredoulocheux* (pages 65-67) ont donné lieu à des divergences d'opinion quant à la façon de les articuler ; il pourrait donc être également indiqué de donner quelques conseils à cet égard. Prononcez « slictueux » comme s'il s'agissait de trois mots distincts (« slic », « tu » et « eux »), et détachez bien également les quatre syllabes — al-lou-in-d' — d' « allouinde ». Sachez aussi que, dans *Le Morse et le Charpentier* (pages 111-117), la locution conjonctive « parce que », placée à la fin du cinquième, du quinzième, du quarante-septième et de l'avant-dernier vers doit, toujours, se prononcer *parceuk*.

Signalons enfin, aux lecteurs peu familiarisés avec le jargon des canotiers, que le verbe *plumer* (intr.), employé par la Reine Blanche à la page 141, veut dire ramener l'aviron vers l'avant de l'embarcation en effleurant les flots de sa pelle tenue presque horizontale, et que la locution argotique *attraper un crabe*, prononcée par ladite souveraine à la même page, signifie engager — par maladresse — l'aviron dans l'eau assez profondément pour qu'il se trouve placé, la pelle vers le bas, en position verticale.

RED

WHITE

White Pawn (Alice) to play, and win in eleven moves.

1. Alice meets R. Q.	1. R. Q. to K. R.'s 4th.
2. Alice through Q.'s 3d *(by railway)* to Q.'s 4th *(Tweedledum and Tweedledee).*	2. W. Q. to Q. B.'s 4th *(after shawl).*
3. Alice meets W. Q. *(with shawl).*	3. W. Q. to Q. B.'s 5th *(becomes sheep).*

ROUGES

BLANCS

Le Pion Blanc (Alice) joue et gagne en onze coups.

1. Alice rencontre la Reine Rouge.

1. La Reine Rouge va à la 4e case de la Tour du Roi.

2. Alice traversant *(par chemin de fer)* la 3e case de la Reine, va à la 4e case de celle-ci *(Twideuldeume et Twideuldie)*.

2. La Reine Blanche *(lancée à la poursuite de son châle)* va à la 4e case du Fou de la Reine.

3. Alice rencontre la Reine Blanche *(et le châle de celle-ci)*.

3. La Reine Blanche *(en train de se métamorphoser en brebis)* va à la 5e case du Fou de la Reine.

4. Alice to Q.'s 5th *(shop, river, shop)*.

4. W. Q. to K. B.'s 8th *(leaves egg on shelf)*.

5. Alice to Q.'s 6th *(Humpty Dumpty)*.

5. W. Q. to Q. B.'s 8th *(flying from R. Kt.)*.

6. Alice to Q.'s 7th *(forest)*.

6. R. Kt. to K.'s 2nd (ch.).

7. W. Kt. takes R. Kt.

7. W, Kt. to K. B.'s 5th.

8. Alice to Q.'s 8th *(coronation)*.

8. R. Q. to K.'s sq. *(examination)*.

9. Alice becomes Queen.

9. Queens castle.

10. Alice castles *(feast)*.

10. W. Q. to Q. R. 6th *(soup)*.

11. Alice takes R. Q. & wins.

4. Alice va à la 5e case de la Reine *(boutique, rivière, boutique)*.

4. La Reine Blanche *(abandonnant l'œuf sur l'étagère)* va à la 8e case du Fou du Roi.

5. Alice va à la 6e case de la Reine *(Heumpty Deumpty)*.

5. La Reine Blanche *(fuyant devant le Cavalier Rouge)* va à la 8e case du Fou de la Reine.

6. Alice va à la 7e case de la Reine *(forêt)*.

6. Le Cavalier Rouge va à la 2e case du Roi *(échec)*.

7. Le Cavalier Blanc prend le Cavalier Rouge.

7. Le Cavalier Blanc va à la 5e case du Fou du Roi.

8. Alice va à la 8e case de la Reine *(couronnement)*.

8. La Reine Rouge va à la case du Roi *(examen)*.

9. Alice devient Reine.

9. Les Reines roquent.

10. Alice roque *(festin)*.

10. La Reine Blanche va à la 6e case de la Tour de la Reine *(soupe)*.

11. Alice prend la Reine Rouge et gagne.

Child of the pure unclouded brow
    And dreaming eyes of wonder!
Though time be fleet, and I and thou
    Are half a life asunder,
Thy loving smile will surely hail
The love-gift of a fairy-tale.

I have not seen thy sunny face,
    Nor heard thy silver laughter :
No thought of me shall find a place
    In thy young life's hereafter—
Enough that now thou wilt not fail
To listen to my fairy-tale.

A tale begun in other days,
    When summer suns were glowing—
A simple chime, that served to time
    The rhythm of our rowing—
Whose echoes live in memory yet,
Though envious years would say "forget."

Come, hearken then, ere voice of dread,
    With bitter tidings laden,
Shall summon to unwelcome bed
    A melancholy maiden!
We are but older children, dear,
Who fret to find our bedtime near.

Without, the frost, the blinding snow,
    The storm-wind's moody madness—
Within, the firelight's ruddy glow
    And childhood's nest of gladness.

Enfant au front plus pur qu'un beau ciel sans nuage,
    Aux yeux de songe émerveillés,
Malgré la loi du temps qui veut que de ton âge
La moitié d'une vie à jamais me sépare,
Ton sourire si tendre accueillera, je gage,
L'hommage affectueux de ce conte de fées.

Hélas! je ne vois plus ton radieux visage,
Je n'entends plus l'éclat de ton rire argentin;
Nulle image de moi ne devant demeurer
    Dans le futur de ton destin,
Il suffit qu'à présent tu veuilles accepter
    D'écouter ce conte de fées.

Un conte commencé en des jours de bonheur,
Tandis que de l'été les soleils rayonnaient, —
Une aimable chanson qui servit à rythmer
Le calme mouvement des rames et des heures,
Et dont en moi l'écho encore retentit
Bien que les ans jaloux me conseillent l'oubli.

Allons, écoute-moi avant que la terrible
Voix des chagrins amers et des calamités
N'invite à prendre place en un lit abhorré
Une mélancolique et douce jeune fille!
Nous ne sommes, enfant, que des enfants vieillis
Qui pleurnichent, sachant qu'il faut aller dormir.

Dehors, l'âpre froidure et la neige aveuglante,
Le sifflement rageur et maussade du vent ;
Au-dedans, la lueur du foyer rougeoyant
Et le doux nid joyeux de l'enfance qui chante.

The magic words shall hold thee fast:
Thou shalt not heed the raving blast.

And though the shadow of a sigh
  May tremble through the story,
For "happy summer days" gone by,
  And vanish'd summer glory—
It shall not touch with breath of bale
The pleasance of our fairy-tale.

Là, grâce à ces propos magiques qui t'enchantent,
Tu ne prendras plus garde à l'aquilon dément.

Encore que sans doute l'ombre d'un regret
Pour les merveilleux jours d'un été qui n'est plus
Et pour un paradis de splendeurs disparues
Traverse quelquefois notre rêve secret,
Cette ombre cependant ne viendra pas troubler
Le très simple agrément de ce conte de fées.

CHAPTER I

LOOKING-GLASS HOUSE

One thing was certain, that the *white* kitten had had nothing to do with it:—it was the black kitten's fault entirely. For the white kitten had been having its face washed by the old cat for the last quarter of an hour (and bearing it pretty well, considering); so you see that it *couldn't* have had any hand in the mischief.

The way Dinah washed her children's faces was this: first she held the poor thing down by its ear with one paw, and then with the other paw she rubbed its face all over, the wrong way, beginning at the nose: and just now, as I said, she was hard at work on the white kitten, which was lying quite still and trying to purr—no doubt feeling that it was all meant for its good.

But the black kitten had been finished with earlier in the afternoon, and so, while Alice was sitting curled up in a corner of the great arm-chair, half talking to herself and half asleep, the kitten had been having a grand game of romps with the ball of worsted Alice had been trying to wind up, and had been rolling it up and down till it had all come undone again; and there it was, spread over the hearth-rug, all knots and tangles, with the kitten running after its own tail in the middle.

"Oh, you wicked, wicked little thing!" cried Alice, catching up the kitten, and giving it a little kiss to make it understand that it was in disgrace. "Really, Dinah ought to have taught you better manners! You *ought*, Dinah, you

CHAPITRE PREMIER

LA MAISON DU MIROIR

La chose est bien certaine, la minette *blanche* n'y avait été pour rien : c'était entièrement la faute de la minette noire. Car la minette blanche s'était vu infliger par la vieille chatte, durant le dernier quart d'heure, un débarbouillage en règle — épreuve qu'elle avait assez bien supportée, somme toute —, de sorte que, voyez-vous, elle *n'eût pu* prendre aucune part au méfait en question.

Pour débarbouiller ses enfants, Dinah s'y prenait de la façon suivante : d'abord elle plaquait le pauvre petit animal au sol en lui appuyant une patte sur l'oreille; puis, de l'autre patte, elle lui frottait à rebrousse-poil toute la figure, en commençant par le bout du nez. Or, au moment qui nous occupe, comme je viens de le dire, elle était en train de s'escrimer de toutes ses forces sur la minette blanche, qui restait allongée, parfaitement immobile, et s'essayait à ronronner (comprenant sans nul doute que tout cela était pour son bien).

Mais le débarbouillage de la minette noire avait été terminé dès le début de l'après-midi; c'est pourquoi, tandis qu'Alice, blottie, à demi sommeillante, dans un coin du grand fauteuil, se tenait de vagues discours, ladite minette s'était livrée à une effrénée partie de balle avec la pelote de laine à tricoter que la fillette avait essayé de former, et elle avait fait rouler cette pelote en tous sens jusqu'à ce qu'elle fût complètement redéfaite; la laine était là, répandue sur la carpette, toute pleine de nœuds et emmêlée, et la minette, au beau milieu de ce désastre, courait après sa propre queue.

« Oh! la vilaine, vilaine! s'écria Alice en se saisissant de la minette et en lui donnant un petit baiser pour lui faire comprendre qu'elle était en disgrâce. Vraiment, Dinah aurait dû t'inculquer de meilleures manières! Tu *aurais dû*,

know you ought!" she added, looking reproachfully at the
old cat, and speaking in as cross a voice as she could
manage—and then she scrambled back into the arm-chair,
taking the kitten and worsted with her, and began winding
up the ball again. But she didn't get on very fast, as she
was talking all the time, sometimes to the kitten, and sometimes to herself. Kitty sat very demurely on her knee, pretending to watch the progress of the winding, and now
and then putting out one paw and gently touching the ball,
as if it would be glad to help if it might.

"Do you know what to-morrow is, Kitty?" Alice began.
"You'd have guessed if you'd been up in the window with
me—only Dinah was making you tidy, so you couldn't.
I was watching the boys getting in sticks for the bonfire—and
it wants plenty of sticks, Kitty! Only it got so cold, and it
snowed so, they had to leave off. Never mind, Kitty, we'll
go and see the bonfire to-morrow." Here Alice wound two
or three turns of the worsted round the kitten's neck, just
to see how it would look: this led to a scramble, in which
the ball rolled down upon the floor, and yards and yards
of it got unwound again.

"Do you know, I was so angry, Kitty," Alice went on,
as soon as they were comfortably settled again, "when I
saw all the mischief you had been doing, I was very nearly
opening the window, and putting you out into the snow!
And you'd have deserved it, you little mischievous darling!
What have you got to say for yourself? Now don't interrupt me!" she went on, holding up one finger. "I'm going
to tell you all your faults. Number one: you squeaked twice
while Dinah was washing your face this morning. Now you
can't deny it, Kitty: I heard you! What's that you say?"
(pretending that the kitten was speaking). "Her paw went
into your eye? Well, that's *your* fault, for keeping your
eyes open—if you'd shut them tight up, it wouldn't have
happened. Now don't make any more excuses, but listen!
Number two: you pulled Snowdrop away by the tail just
as I had put down the saucer of milk before her! What,
you were thirsty, were you? How do you know she wasn't
thirsty too? Now for number three: you unwound every
bit of the worsted while I wasn't looking!

Dinah, oui, oui, tu aurais dû ! » ajouta-t-elle en lançant à la
vieille chatte un regard chargé de reproche et en l'apostro-
phant de son ton de voix le plus fâché. Après quoi, empor-
tant la minette et la laine à tricoter, elle revint se blottir
dans le fauteuil, et se mit à refaire la pelote. Mais elle n'allait
pas très vite en besogne, car elle parlait tout le temps,
tantôt à la minette et tantôt à part soi. Kitty restait bien
sagement sur ses genoux, feignant de s'intéresser à la confec-
tion de la pelote ; de temps à autre elle tendait une patte
et touchait légèrement la boule de laine, comme pour montrer qu'elle eût été heureuse de se rendre utile si elle l'avait pu.

« Sais-tu quel jour nous serons demain, Kitty ? commença de dire Alice. Tu l'aurais deviné si tu t'étais mise à
la fenêtre avec moi tout à l'heure... Mais Dinah était en
train de te débarbouiller, c'est pour cela que tu n'as pu
venir. Je regardais les garçons qui ramassaient du bois
pour le feu de joie... et cela demande force bois, Kitty !
Seulement, voilà, il s'est mis à faire si froid et à neiger tant
qu'ils durent y renoncer. N'importe, Kitty, nous irons voir
le feu de joie, demain. » Cela dit, Alice enroula deux ou
trois fois le fil de laine à tricoter autour du cou de la
minette, simplement pour voir de quoi elle aurait l'air avec
un tel collier : il en résulta une mêlée confuse au cours de
laquelle la pelote chut sur le plancher, et des mètres et des
mètres de fil de laine se déroulèrent derechef.

« Le sais-tu, Kitty, poursuivit Alice dès qu'elles furent
de nouveau confortablement installées, j'ai été si fâchée en
voyant toutes les bêtises que tu avais faites, que j'ai bien
failli ouvrir la fenêtre et te mettre dehors, dans la neige ! Tu
l'aurais mérité, petite coquine chérie ! qu'as-tu à dire pour
ta défense ? Je te prie de ne pas m'interrompre ! ordonna-
t-elle, le doigt levé. Je vais te dire tout ce que tu as fait.
Premièrement, ce matin, tu as crié deux fois pendant que
Dinah te lavait la figure. Inutile d'essayer de le nier, Kitty :
je t'ai entendue ! Quoi ? Que dis-tu ? (faisant semblant de
croire que la minette venait de parler). Elle t'a mis la patte
dans l'œil ? Eh bien, c'est ta faute, à toi ; cela t'apprendra à
garder les yeux ouverts : si tu les avais tenus bien fermés,
cela ne se serait pas produit. Inutile de te chercher de nouvelles excuses : écoute-moi plutôt ! Deuxièmement : tu as
tiré la queue de Blanche-Neige au moment précis où je
mettais la soucoupe de lait devant elle ! Comment ? Tu
prétends que tu avais soif ? Qui te dit qu'elle n'avait pas
soif, elle aussi ? Puis, troisièmement : tandis que je ne te
regardais pas, tu as défait toute ma pelote de laine à tricoter !

"That's three faults, Kitty, and you've not been punished for any of them yet. You know I'm saving up all your punishments for Wednesday week—Suppose they had saved up all *my* punishments!" she went on, talking more to herself than the kitten. "What *would* they do at the end of a year ? I should be sent off to prison, I suppose, when the day came. Or—let me see—suppose each punishment was to be going without a dinner: then, when the miserable day came, I should have to go without fifty dinners at once! Well, I shouldn't mind *that* much! I'd far rather go without them than eat them!

"Do you hear the snow against the window-panes, Kitty ? How nice and soft it sounds! Just as if someone was kissing the window all over outside. I wonder if the snow *loves* the trees and fields, that it kisses them so gently ? And then it covers them up snug, you know, with a white quilt; and perhaps it says, 'go to sleep, darlings, till the summer comes again.' And when they wake up in the summer, Kitty, they dress themselves all in green, and dance about— whenever the wind blows—oh, that's very pretty!" cried Alice, dropping the ball of worsted to clap her hands. "And I do so *wish* it was true! I'm sure the woods look sleepy in the autumn, when the leaves are getting brown.

"Kitty, can you play chess ? Now, don't smile, my dear, I'm asking it seriously. Because, when we were playing just now, you watched just as if you understood it: and when I said 'Check!' you purred! Well, it *was* a nice check, Kitty, and really I might have won, if it hadn't been for that nasty Knight, that came wriggling down among my pieces. Kitty, dear, let's pretend——" And here I wish I could tell you half the things Alice used to say, beginning with her favourite phrase, "Let's pretend." She had had quite a long argument with her sister only the day before— all because Alice had begun with, "Let's pretend we're kings and queens"; and her sister, who liked being very exact, had argued that they couldn't, because there were only two of them, and Alice had been reduced at last to say, "Well, *you* can be one of them then, and *I'll* be all the rest." And once she had really frightened her old nurse by

« Cela fait trois sottises, Kitty, et tu n'as encore été punie pour aucune d'entre elles. Tu sais que je te garde toutes tes punitions en réserve pour te les infliger de mercredi en huit ? Si l'on me gardait en réserve toutes mes punitions, à *moi*, poursuivit-elle à part soi plutôt que pour la minette, qu'est-ce que cela pourrait bien faire à la fin de l'année ? On me jetterait en prison, je le suppose, le jour venu. Ou bien... voyons... si chaque punition consistait à être privée de dîner : alors, quand viendrait ce sombre jour, il me faudrait me passer de cinquante dîners d'un coup ! Eh bien, réflexion faite, cela me serait tout à fait égal ! J'aimerais autant m'en passer que devoir les manger !

« Entends-tu, Kitty, la neige qui tombe contre les vitres ? Quel doux et joli bruit elle fait ! Comme si quelqu'un dehors les couvrait de baisers. Est-ce parce qu'elle aime les arbres et les champs, que la neige les embrasse si doucement ? Après cela, vois-tu, elle les met bien au chaud sous son couvre-pied blanc; et peut-être leur dit-elle : « Dormez bien, mes chéris, jusqu'à ce que l'été revienne. » Et lorsque vient l'été, Kitty, et qu'ils s'éveillent, ils se vêtent tout de vert et se mettent à danser... chaque fois que la brise souffle... oh, le joli spectacle ! s'écria Alice en lâchant, pour battre des mains, la pelote de laine à tricoter. Et comme je *souhaiterais* que tout cela soit vrai ! Pour sûr que les bois ont l'air endormi en automne, quand les feuilles jaunissent !

« Sais-tu, Kitty, jouer aux échecs ? Voyons, ne ris pas, ma chérie, je te demande cela très sérieusement. Tout à l'heure, quand nous étions en train de jouer, tu as suivi la partie comme si tu la comprenais : et quand j'ai dit « Echec » tu t'es mise à ronronner ! Ma foi, c'était vraiment, Kitty, un échec très réussi, et je suis sûre que j'aurais pu gagner si ce vilain cavalier n'était venu se faufiler parmi mes pièces. Kitty chérie, faisons semblant... »

Je voudrais, ici, pouvoir vous répéter la moitié des phrases qu'Alice avait l'habitude de prononcer et qui commençaient par son expression favorite : « Faisons semblant. » La veille encore elle avait eu une longue discussion avec sa sœur, parce qu'Alice avait commencé de dire : « Faisons semblant d'être des rois et des reines », et que sa sœur, férue d'exactitude, avait prétendu le simulacre impossible attendu qu'elles n'étaient que deux. Alice en avait finalement été réduite à dire : « Eh bien, *toi*, tu seras l'une des reines, et *moi* je serai toutes les autres et aussi tous les rois. » Et, un jour, elle avait fait une peur bleue à sa vieille gouvernante en lui criant tout à trac dans le tuyau de l'oreille :

shouting suddenly in her ear, "Nurse! Do let's pretend
that I'm a hungry hyæna, and you're a bone!"

But this is taking us away from Alice's speech to the
kitten. "Let's pretend that you're the Red Queen, Kitty!
Do you know, I think, if you sat up and folded your arms,
you'd look exactly like her. Now do try, there's a dear!"
And Alice got the Red Queen off the table, and set it up
before the kitten as a model for it to imitate: however, the
thing didn't succeed, principally, Alice said, because the
kitten wouldn't fold its arms properly. So, to punish it, she
held it up to the Looking-glass, that it might see how sulky
it was"—"and if you're not good directly," she added,
"I'll put you through into Looking-glass House. How
would you like *that?*

"Now, if you'll only attend, Kitty, and not talk so much,
I'll tell you all my ideas about Looking-glass House. First,
there's the room you can see through the glass—that's just
the same as our drawing-room, only the things go the other
way. I can see all of it when I get upon a chair—all but the
bit just behind the fire-place. Oh! I do so wish I could see
that bit! I want so much to know whether they've a fire
in the winter: you never *can* tell, you know, unless our fire
smokes, and then smoke comes up in that room too—but
that may be only pretence, just to make it look as if they had
a fire. Well then, the books are something like our books,
only the words go the wrong way; I know that, because
I've held up one of our books to the glass, and then they
hold up one in the other room.

"How would you like to live in Looking-glass House,
Kitty? I wonder if they'd give you milk, there? Perhaps
Looking-glass milk isn't good to drink—but oh, Kitty!
now we come to the passage. You can just see a little *peep*
of the passage in Looking-glass House, if you leave the
door of our drawing-room wide open: and it's very like
our passage as far as you can see, only you know it may
be quite different on beyond. Oh, Kitty! how nice it would
be if we could only get through into Looking-glass House!
I'm sure it's got, oh! such beautiful things in it! Let's pretend there's a way of getting through into it somehow,

« Nounou, faisons semblant d'être, moi une hyène affamée, et vous un os ! »

Mais ceci nous écarte un peu trop de ce qu'Alice disait à la minette : « Faisons semblant de croire que tu es la Reine Rouge, Kitty ! Vois-tu, je pense que si tu t'asseyais sur ton séant en te croisant les bras, tu lui ressemblerais à s'y méprendre. Allons, essaie un peu, pour me faire plaisir ! » Là-dessus, Alice prit la Reine Rouge sur la table et la mit devant Kitty pour qu'elle lui servît de modèle : mais cette tentative échoua, surtout, dit Alice, parce que la minette refusait de croiser les bras comme il le fallait. Pour la punir, la fillette la tint devant le miroir afin de lui montrer comme elle avait l'air maussade : « ... et si tu n'es pas sage tout de suite, ajouta-t-elle, je te fais passer dans la Maison du Miroir. Que dirais-tu de *cela ?*

« Maintenant, Kitty, si tu veux bien m'écouter, au lieu de jacasser sans arrêt, je vais te dire tout ce que j'imagine à propos de la Maison du Miroir. D'abord il y a la pièce que tu peux voir dans la glace... Elle est exactement semblable à notre salon, mais les objets y sont inversés. Je peux la voir tout entière lorsque je grimpe sur une chaise... tout entière à l'exception de la partie qui se trouve juste derrière la cheminée. Oh ! comme j'aimerais voir cette partie-là ! J'ai tellement envie de savoir si l'on y fait du feu, en hiver ! On ne *saurait* être fixé à ce sujet, vois-tu, à moins que notre feu ne se mette à fumer et qu'alors la fumée ne s'élève aussi dans cette pièce-là... et peut-être encore ne serait-ce qu'un feint semblant, destiné seulement à faire croire qu'il y a du feu. Puis, vois-tu, les livres y ressemblent à nos livres, à cette différence près que les mots y sont écrits à l'envers; je le sais bien, car un jour j'ai tenu un de nos livres devant la glace, et lorsqu'on fait cela, on tient un livre aussi dans l'autre pièce.

« Aimerais-tu vivre dans la Maison du Miroir, Kitty ? Je me demande si l'on t'y donnerait du lait ? Peut-être le lait du Miroir n'est-il pas bon à boire ?... Mais, maintenant, oh ! Kitty, maintenant nous en arrivons au couloir. On peut tout juste avoir un petit aperçu de ce qu'est le couloir de la Maison du Miroir, si l'on laisse grande ouverte la porte de notre salon; ce que l'on en voit ressemble fort à notre couloir, à nous, mais plus loin, vois-tu, il est peut-être tout différent. Oh, Kitty, comme ce serait merveilleux si l'on pouvait entrer dans la Maison du Miroir ! Je suis sûre de ce que je dis, oh ! elle contient tant de belles choses ! Faisons semblant d'avoir découvert un moyen d'y entrer,

Kitty. Let's pretend the glass has got all soft like gauze, so that we can get through. Why, it's turning into a sort of mist now, I declare! It'll be easy enough to get through——" She was up on the chimney-piece while she said this, though she hardly knew how she had got there. And certainly the glass *was* beginning to melt away, just like a bright silvery mist.

In another moment Alice was through the glass, and had jumped lightly down into the Looking-glass room. The very first thing she did was to look whether there was a fire in the fire-place, and she was quite pleased to find that there was a real one, and blazing away as brightly as the one she had left behind. "So I shall be as warm here as I was in the old room," thought Alice: "warmer, in fact, because there'll be no one here to scold me away from the fire. Oh, what fun it'll be, when they see me through the glass in here, and can't get at me!"

Then she began looking about, and noticed that what could be seen from the old room was quite common and uninteresting, but that all the rest was as different as possible. For instance, the pictures on the wall next the fire seemed to be all alive, and the very clock on the chimney-piece (you know you can only see the back of it in the Looking-glass) had got the face of a little old man, and grinned at her.

"They don't keep this room so tidy as the other," Alice thought to herself, as she noticed several of the chessmen down is the hearth among the cinders: but in another moment, with a little "Oh!" of surprise, she was down on her hands and knees watching them. The chessmen were walking about, two and two!

"Here are the Red King and the Red Queen," Alice said (in a whisper, for fear of frightening them), "and there are the White King and the White Queen sitting on the edge of the shovel—and here are two Castles walking arm in arm—I don't think they can hear me," she went on, as she put her head closer down, "and I'm nearly sure they can't see me. I feel as if I were invisible——"

Here something began squeaking on the table behind Alice, and made her turn her head just in time to see one of

Kitty. Faisons semblant d'avoir rendu le verre inconsistant comme de la gaze et de pouvoir passer à travers celui-ci. Mais, ma parole, voici qu'il se change en une sorte de brouillard! Cela va être un jeu d'enfant que de le traverser... »

Tandis qu'elle prononçait ces mots, elle se trouva juchée sur la cheminée, sans trop savoir comment elle était venue là. Et, à coup sûr, la glace commençait bel et bien à se dissoudre, comme un brouillard de vif argent.

A l'instant suivant, Alice avait traversé la glace et sauté avec agilité dans le salon du Miroir. La toute première idée qu'il lui vint, ce fut de regarder s'il y avait du feu dans la cheminée, et elle fut ravie de constater que l'on y entretenait un feu bien réel et tout aussi ardent que celui qu'elle avait laissé dans l'autre salon. « De sorte que j'aurai chaud ici autant que là-bas, se dit Alice : davantage même, puisqu'il n'y aura personne pour me réprimander si je m'approche de la flamme. Oh! comme ce sera drôle, lorsque l'on me verra dans la glace et que l'on ne pourra pas venir m'attraper! »

Se mettant alors à promener son regard autour d'elle, elle remarqua que, du salon de ses parents, ce que l'on pouvait voir dans celui où elle se trouvait à présent était tout à fait banal et dénué d'intérêt, mais que tout le reste était étrange au possible. Ainsi, les tableaux accrochés au mur à côté du feu avaient l'air d'être vivants, et la pendule placée sur la cheminée (vous savez que, dans le Miroir, l'on n'en voit que l'envers) empruntait le visage d'un petit vieillard qui regardait Alice en souriant.

« Ce salon-ci n'est pas tenu aussi bien que l'autre », se dit Alice, en remarquant que plusieurs pièces du jeu d'échecs étaient tombées parmi les cendres du foyer; mais, un instant plus tard, c'est avec un bref « Oh! » de surprise qu'elle se mettait à quatre pattes pour les mieux observer. Les pièces du jeu d'échecs déambulaient deux par deux!

« Voici le Roi Rouge et la Reine Rouge, dit (à voix très basse, de peur de les effrayer) Alice, et voici le Roi Blanc et la Reine Blanche assis sur le tranchant de la pelle à charbon... puis voilà deux Tours marchant bras dessus, bras dessous... Je ne crois pas qu'ils puissent m'entendre, poursuivit-elle en baissant un peu plus la tête, et je suis à peu près certaine qu'ils ne peuvent me voir. J'ai l'impression d'être invisible... »

A cet instant, s'élevant de la table qui se trouvait derrière Alice, on entendit un glapissement qui fit se retourner la fillette, juste à temps pour voir l'un des Pions Blancs tomber

the White Pawns roll over and begin kicking: she watched it with great curiosity to see what would happen next.

"It is the voice of my child!" the White Queen cried out, as she rushed past the King, so violently that she knocked him over among the cinders. "My precious Lily! My imperial kitten!" and she began scrambling wildly up the side of the fender.

"Imperial fiddlestick!" said the King, rubbing his nose, which had been hurt by the fall. He had a right to be a *little* annoyed, for he was covered with ashes from head to foot.

Alice was very anxious to be of use, and, as the poor little Lily was nearly screaming herself into a fit, she hastily picked up the Queen and set her upon the table by the side of her noisy little daughter.

The Queen gasped, and sat down: the rapid journey through the air had quite taken away her breath, and for a minute or two she could do nothing but hug the little Lily in silence. As soon as she had recovered her breath a little, she called out to the White King, who was sitting sulkily among the ashes, "Mind the volcano!"

"What volcano?" said the King, looking up anxiously into the fire, as if he thought that was the most likely place to find one.

"Blew—me—up," panted the Queen, who was still a little out of breath. "Mind you come up—the regular way—don't get blown up!"

Alice watched the White King as he slowly struggled up from bar to bar, till at last she said, "Why, you'll be hours and hours getting to the table, at that rate. I'd far better help you, hadn't I?" But the King took no notice of the question: it was quite clear that he could neither hear her nor see her.

So Alice picked him up very gently, and lifted him across more slowly than she had lifted the Queen, that she mightn't take his breath away: but, before she put him on the table, she thought she might as well dust him a little, he was so covered with ashes.

She said afterwards that she had never seen in all her life such a face as the King made, when he found himself held in the air by an invisible hand, and being dusted: he

à la renverse et se mettre à gigoter : elle l'observa avec
beaucoup de curiosité en se demandant ce qu'il allait se
passer ensuite.

« C'est la voix de mon enfant! s'écria la Reine Blanche
en s'élançant en avant et en bousculant au passage le Roi
avec une violence telle qu'elle le fit choir au beau milieu des
cendres. Ma chère petite Lily! Mon impériale mignonne! »
Et elle se mit à escalader avec frénésie la paroi du garde-feu.

« Impériale andouille ! » grommela le Roi en frottant
son nez tout meurtri (Il avait le droit d'être *quelque peu*
fâché contre la Reine, car il était couvert de cendres de la
tête aux pieds).

Alice était très désireuse de se rendre utile et, comme la
pauvre petite Lily criait à vous faire craindre de la voir
tomber en convulsions, elle empoigna bien vite la Reine
pour la poser sur la table à côté de sa bruyante fillette.

La Reine s'affala sur son séant; elle suffoquait; le rapide
voyage qu'elle venait d'effectuer à travers les airs lui avait
coupé le souffle et, durant une minute ou deux, elle ne put
faire rien d'autre que serrer en silence dans ses bras la
petite Lily. Dès qu'elle eut à peu près recouvré l'usage de ses
poumons, elle cria au Roi Blanc, qui était resté assis, maussade, parmi les cendres : « Attention au volcan! »

« Quel volcan ? » s'enquit le Roi en regardant, d'un air
inquiet, le feu, comme s'il jugeait que ce fût l'endroit où
l'on avait le plus de chances de découvrir un cratère en
éruption.

« M'a... fait... sauter en l'air, hoqueta la Reine, encore
quelque peu haletante. Attention de monter... de la manière
normale... de ne pas vous faire... projeter en l'air! »

Alice regarda le Roi Blanc grimper lentement de barreau
en barreau, puis elle finit par dire : « Mais, à ce train-là,
vous allez mettre des heures et des heures pour atteindre la
table! Ne croyez-vous pas qu'il vaudrait mieux que je vous
aide ? » Le Roi ne prêta pas la moindre attention à sa question : il était évident qu'il ne pouvait ni voir ni entendre la
petite fille.

Alice le prit très délicatement entre le pouce et l'index et,
afin de ne pas lui couper le souffle, le souleva plus lentement
qu'elle n'avait soulevé la Reine; mais avant de le poser sur
la table, elle crut bon de l'épousseter un peu, car il était
tout couvert de cendre.

Elle raconta par la suite que, de sa vie, elle n'avait contemplé figure pareille à celle que fit le Roi lorsqu'il se vit tenu
en l'air et épousseté par une invisible main; il était bien

was far too much astonished to cry out, but his eyes and
his mouth went on getting larger and larger, and rounder
and rounder, till her hand shook so with laughing that she
nearly let him drop upon the floor.

"Oh! *please* don't make such faces, my dear!" she cried
out, quite forgetting that the King couldn't hear her. "You
make me laugh so that I can hardly hold you! And don't
keep your mouth so wide open! All the ashes will get into
it—there, now I think you're tidy enough!" she added, as
she smoothed his hair, and set him down very carefully
upon the table near the Queen.

The King immediately fell flat on his back, and lay perfectly still: and Alice was a little alarmed at what she had
done, and went round the room to see if she could find any
water to throw over him. However, she could find nothing
but a bottle of ink, and when she got back with it she
found he had recovered, and he and the Queen were talking together in a frightened whisper—so low, that Alice
could hardly hear what they said.

The King was saying, "I assure you, my dear, I turned
cold to the very ends of my whiskers!"

To which the Queen replied, "You haven't got any whiskers."

"The horror of that moment," the King went on,
"I shall never, *never* forget!"

"You will, though, "the Queen said, "if you don't make
a memorandum of it."

Alice looked on with great interest as the King took an
enormous memorandum-book out of his pocket, and began
writing. A sudden thought struck her, and she took hold
of the end of the pencil, which came some way over his
shoulder, and began writing for him.

The poor King looked puzzled and unhappy, and struggled with the pencil for some time without saying anything;
but Alice was too strong for him, and at last he panted
out, "My dear! I really *must* get a thinner pencil. I can't
manage this one a bit; it writes all manner of things that
I don't intend——"

"What manner of things ?" said the Queen, looking over
the book (in which Alice had put, "The White Knight is

trop stupéfait pour crier, mais ses yeux et sa bouche s'agrandirent et s'arrondirent de la manière la plus cocasse. Alice, à ce spectacle, fut prise d'un fou rire tel que sa main tremblait et qu'elle faillit laisser choir le monarque sur le plancher.

« Oh! je vous en prie, mon cher monsieur, ne grimacez pas comme cela! s'écria-t-elle, oubliant tout à fait que le Roi ne pouvait l'entendre. Vous me faites rire tellement que c'est tout juste si j'ai la force de vous tenir! Et n'ouvrez pas si grand la bouche! Toute la cendre va y entrer! Là, je crois que vous êtes maintenant un peu plus propre! » ajouta-t-elle en lui lissant les cheveux; puis elle le posa sur la table, à côté de la Reine.

Le Roi, à l'instant même, tomba tout plat sur le dos et demeura ainsi parfaitement immobile; et Alice, un peu effrayée de ce qu'elle avait fait, se mit à tourner en rond dans la pièce pour voir si elle y trouverait un peu d'eau à lui jeter au visage. Mais elle ne put découvrir qu'une bouteille d'encre, et lorsqu'elle revint, tenant à la main ladite bouteille, ce fut pour constater que le Roi avait repris ses sens, et que la Reine et lui, l'air terrifié, s'entretenaient à voix si basse que la fillette eut peine à entendre ce qu'ils disaient.

Le Roi chuchotait : « Je vous assure, ma chère amie, que je m'en suis senti glacé jusqu'à la pointe de mes favoris! »

A quoi la Reine répliquait : « Vous savez bien que vous n'avez jamais porté de favoris! »

« L'horreur de cette minute-là, poursuivit le Roi, jamais, au grand jamais, je ne l'oublierai! »

« Vous l'oublierez pourtant, dit la Reine, si vous n'y consacrez un paragraphe de votre pense-bête. »

Alice, avec grand intérêt, regarda le Roi tirer de sa poche un énorme calepin sur lequel il entreprit d'écrire. Une idée tout à coup lui vint à l'esprit : elle saisit l'extrémité du crayon, qui dépassait un peu le niveau de l'épaule du souverain, et elle se mit à écrire à sa place.

Le pauvre Roi, l'air perplexe et malheureux, lutta avec son crayon quelques instants durant sans mot dire; mais, Alice étant trop forte pour qu'il lui pût résister, il finit par déclarer, haletant : « Ma chère amie! Il me faut absolument trouver un crayon plus fin. Je ne puis venir à bout de celui-ci : il écrit toute sorte de choses que je n'ai jamais eu l'intention... »

« Quelle sorte de choses ? demanda la Reine en parcourant du regard le calepin (sur lequel Alice avait écrit : « *Le Cavalier Blanc, à califourchon, se laisse glisser le long du*

sliding down the poker. He balances very badly"). "That's not a memorandum of *your* feelings!"

There was a book lying near Alice on the table, and while she sat watching the White King (for she was still a little anxious about him, and had the ink all ready to throw over him, in case he fainted again), she turned over the leaves, to find some part that she could read, "—for it's all in some language I don't know," she said to herself.

It was like this:

YƆOWᴙƎᗺᗺAႱ

'Ɫwɒƨ ᖯɿillig, ɒuɔ Ɉʜɘ ƨliɈʜγ Ɉovɘƨ
ᗡiɔ ƍγɿɘ ɒuɔ ǫimᖯlɘ iu Ɉʜɘ wɒᖯɘ;
Ⱥll mimƨγ wɘɿɘ Ɉʜɘ ᖯoɿoǫovɘƨ,
Ⱥuɔ Ɉʜɘ momɘ ɿɒɈʜƨ ouɈǫɿɒᖯɘ.

She puzzled over this for some time, but at last a bright thought struck her. "Why, it's a Looking-glass book, of course! And, if I hold it up to a glass, the words will all go the right way again."

This was the poem that Alice read.

JABBERWOCKY

'Twas brillig, and the slithy toves
  Did gyre and gimble in the wabe;
All mimsy were the borogoves,
  And the mome raths outgrabe.

"Beware the Jabberwock, my son!
  The jaws that bite, the claws that catch!
Beware the Jubjub bird, and shun
  The frumious Bandersnatch!"

He took his vorpal sword in hand:
  Long time the manxome foe he sought—

tisonnier. *Son équilibre laisse beaucoup à désirer.* ») Ce n'est certes pas là un compte rendu de ce que *vous*, vous avez ressenti! »

Sur la table, tout près d'Alice, il y avait un livre, et tandis qu'assise elle observait le Roi Blanc (car elle était encore un peu inquiète à son sujet, et se tenait toute prête à lui jeter l'encre à la figure au cas où il s'évanouirait de nouveau), elle se mit à tourner les pages pour y trouver un passage qu'elle pût lire : « ...car c'est tout écrit dans une langue que je ne connais pas », dit-elle à part soi.

Et voici à quoi cela ressemblait :

» BREDOULOCHEUX

Il était reveneure; les slictueux toves
Sur l'allouinde gyraient et vriblaient;
Tout flivoreux vaguaient les borogoves;
Les verchons fourgus bourniflaient.

Elle se tortura les méninges, quelques instants durant, sur ces lignes, mais finalement une idée lumineuse lui vint à l'esprit : « C'est, bien sûr, un livre du Miroir! Si je le tiens devant une glace, les mots vont se remettre à l'endroit. »

Et voici le poème que lut Alice :

« BREDOULOCHEUX[1]

Il était reveneure; les slictueux toves
Sur l'allouinde gyraient et vriblaient;
Tout flivoreux vaguaient les borogoves;
Les verchons fourgus bourniflaient.

« Au Bredoulochs prends bien garde, mon fils!
A sa griffe qui mord, à sa gueule qui happe!
Gare l'oiseau Jeubjeub, et laisse
En paix le frumieux, le fatal Pinçmacaque! »

Le jeune homme, ayant ceint sa vorpaline épée,
Longtemps, longtemps cherchait le monstre manxiquais,

---

1. Nos amis André Bay et Jacques Papy ont inséré une de nos précédentes versions françaises de ce poème et, partant, de la glose qui s'y rapporte (voir pp. 161-163 du présent ouvrage) dans les diverses éditions de leurs traductions respectives de *Through the Looking-glass and what Alice found there.*

H. P.

So rested he by the Tumtum tree,
*   And stood awhile in thought.*

And as in uffish thought he stood,
*   The Jabberwock, with eyes of flame,*
Came whiffling through the tulgey wood,
*   And burbled as it came!*

One, two! One, two! And through and through
*   The vorpal blade went snicker-snack!*
He left it dead, and with its head
*   He went galumphing back.*

"And hast thou slain the Jabberwock?
*   Come to my arms, my beamish boy!*
O frabjous day! Callooh! Callay!"
*   He chortled in his joy.*

'Twas brillig, and the slithy toves
*   Did gyre and gimble in the wabe;*
All mimsy were the borogoves,
*   And the mome raths outgrabe.*

"It seems very pretty," she said when she had finished
it, "but it's *rather* hard to understand!" (You see she didn't
like to confess even to herself, that she couldn't make it
out at all.) "Somehow it seems to fill my head with ideas—
only I don't exactly know what they are! However, *somebody* killed *something:* that's clear, at any rate——"

"But oh!" thought Alice, suddenly jumping up, "if
I don't make haste, I shall have to go back through the
Looking-glass, before I've seen what the rest of the house
is like! Let's have a look at the garden first!" She was out
of the room in a moment, and ran down stairs—or, at
least, it wasn't exactly running, but a new invention for
getting down stairs quickly and easily, as Alice said to
herself. She just kept the tips of her fingers on the hand-
rail, and floated gently down without even touching the
stairs with her feet; then she floated on through the hall,

Puis, arrivé près de l'arbre Tépé,
Pour réfléchir un instant s'arrêtait.

Or, tandis qu'il lourmait de suffèches pensées,
Le Bredoulochs, l'œil flamboyant,
Ruginiflant par le bois touffeté,
Arrivait en barigoulant!

Une, deux! une, deux! Fulgurant, d'outre en outre,
Le glaive vorpalin perce et tranche : flac-vlan!
Il terrasse la bête et, brandissant sa tête,
Il s'en retourne, galomphant.

« Tu as tué le Bredoulochs!
Dans mes bras, mon fils rayonnois!
O jour frableux! callouh! calloc! »
Le vieux glouffait de joie.

Il était reveneure; les slictueux toves
Sur l'allouinde gyraient et vriblaient;
Tout flivoreux vaguaient les borogoves;
Les verchons fourgus bourniflaient.

« Cela semble très joli, dit-elle quand elle en eut terminé la lecture, mais c'est rudement difficile à assimiler! (Elle ne voulait pas s'avouer qu'elle n'y comprenait rien du tout, voyez-vous bien.) Je ne sais pourquoi, j'ai l'impression que cela me remplit la tête de toute sorte d'idées... J'ignore malheureusement quelles sont ces idées! Pourtant, *quelqu'un* a tué *quelque chose :* c'est ce qu'il y a de clair là-dedans, en tout cas...

« Mais, oh! se dit Alice en se levant d'un bond, si je ne me hâte pas, il me faudra repasser à travers le miroir avant d'avoir vu à quoi ressemble le reste de la maison! Jetons un coup d'œil, d'abord, sur le jardin! »

En un instant elle était hors de la pièce et descendait l'escalier en courant... Pour être plus précis, disons que ce n'était pas exactement de courir qu'il s'agissait, mais — comme Alice se le disait — d'une façon nouvelle, rapide et facile, de descendre les étages. Elle se contenta de maintenir le bout de ses doigts sur la rampe, et descendit en un doux vol plané sans même que ses pieds touchassent les marches; puis, toujours planant dans les airs, elle traversa le vesti-

and would have gone straight out at the door in the same way, if she hadn't caught hold of the door-post. She was getting a little giddy with so much floating in the air, and was rather glad to find herself walking again in the natural way.

bule; et elle eût franchi, de la même façon, le pas de la porte, si elle ne se fût cramponnée désespérément au chambranle de celle-ci. Car, à force de planer dans les airs, elle éprouvait un léger vertige, et elle fut bien aise de se voir marcher de nouveau de manière naturelle.

CHAPTER II

THE GARDEN OF LIVE FLOWERS

"I should see the garden far better," said Alice to herself, "if I could get to the top of that hill: and here's a path that leads straight to it—at least, no, it doesn't do that——" (after going a few yards along the path, and turning several sharp corners), "but I suppose it will a last. But how curiously it twists! It's more like a corkscrew than a path! Well, *this* turn goes to the hill, I suppose—no, it doesn't! This goes straight back to the house! Well then, I'll try it the other way."

And so she did: wandering up and down, and trying turn after turn, but always coming back to the house, do what she would. Indeed, once, when she turned a corner rather more quickly than usual, she ran against it before she could stop herself.

"It's no use talking about it," Alice said, looking up at the house and pretending it was arguing with her. "I'm *not* going in again yet. I know I should have to get through the Looking-glass again—back into the old room—and there'd be an end of all my adventures!"

So, resolutely turning her back upon the house, she set out once more down the path, determined to keep straight on till she got to the hill. For a few minutes all went on well, and she was just saying, "I really *shall* do it this time——" when the path gave a sudden twist and shook itself (as she described it afterwards), and the next moment she found herself actually walking in at the door.

CHAPITRE II

LE JARDIN DES FLEURS VIVANTES

« Je verrais le jardin beaucoup mieux, se dit Alice, si je pouvais gagner le sommet de cette colline; et voici un sentier qui y mène tout droit... ou plutôt, non, pas *tout droit*... rectifia-t-elle après avoir suivi le sentier sur quelques mètres et pris plusieurs tournants brusques, mais je suppose qu'il finira bien par y mener. Comme il se tortille de bizarre façon! Plutôt qu'un sentier, on dirait un tire-bouchon! Bon, ce tournant-*ci* va à la colline, je suppose... Eh bien non, il n'y va pas! Tout au contraire, il me ramène directement à la maison! Puisqu'il en est ainsi, je vais essayer de le suivre en sens inverse. »

C'est ce qu'elle fit : allant de bas en haut, puis de haut en bas, prenant tournant après tournant, mais, quoi qu'elle tentât, se retrouvant toujours en vue de la maison. Il lui arriva même, alors qu'elle venait de prendre un tournant plus vite que d'ordinaire, de ne pouvoir s'arrêter à temps pour éviter de se cogner contre la façade de ladite maison.

« Inutile d'insister, déclara la fillette en regardant la maison comme si elle discutait avec elle. Je ne rentre pas encore. Je sais qu'il me faudrait de nouveau traverser le Miroir... revenir dans le salon... et que ce serait la fin de l'aventure! »

Donc, tournant résolument le dos à la maison, elle reprit une fois de plus le sentier, bien décidée à marcher jusqu'à ce qu'elle eût atteint le haut de la colline. Pendant quelques minutes tout alla bien, et elle était en train de dire : « Cette fois-ci, je suis sûre et certaine d'y arriver... » quand le sentier brusquement bifurqua et s'ébroua (c'est du moins le terme qu'employa par la suite Alice en racontant ce qu'il lui était arrivé), et à l'instant suivant elle se trouvait bel et bien en train de franchir le seuil de la maison.

"Oh, it's too bad!" she cried. "I never saw such a house for getting in the way! Never!"

However, there was the hill full in sight, so there was nothing to be done but start again. This time she came upon a large flower-bed, with a border of daisies, and a willow-tree growing in the middle.

"O Tiger-lily," said Alice, addressing herself to one that was waving gracefully about in the wind, "I *wish* you could talk!"

"We *can* talk," said the Tiger-lily: "when there's any-body worth talking to. "

Alice was so astonished that she couldn't speak for a minute: it quite seemed to take her breath away. At length, as the Tiger-lily only went on waving about, she spoke again, in a timid voice—almost in a whisper. "And can *all* the flowers talk ?"

"As well as *you* can," said the Tiger-lily. "And a great deal louder."

"It isn't manners for us to begin, you know," said the Rose, "and I really was wondering when you'd speak! Said I to myself, 'Her face has got *some* sense in it, though it's not a clever one!' Still, you're the right colour, and that goes a long way."

"I don't care about the colour," the Tiger-lily remarked. "If only her petals curled up a little more, she'd be all right."

Alice didn't like being criticised, so she began asking questions: "Aren't you sometimes frightened at being plant-ed out here, with nobody to take care of you ?"

"There's the tree in the middle," said the Rose. "What else is it good for ?"

"But what could it do, if any danger came ?" Alice asked.

"It could bark," said the Rose.

"It says, 'Bough-wough!'" cried a Daisy: "that's why its branches are called boughs!"

"Didn't you know *that?*" cried another Daisy, and here they all began shouting together, till the air seemed quite

« Oh, c'est trop fort! s'écria-t-elle. Je n'ai jamais vu une maison se mettre ainsi en travers de votre route! Non, jamais! »

Cependant la colline était là, bien visible; il n'y avait donc qu'à se remettre en marche. Cette fois, elle arriva devant un vaste parterre de fleurs, entouré d'une bordure de pâquerettes, et au milieu duquel un chêne épandait son ombre.

« O Lys tigré, dit Alice en s'adressant à un lys qui se balançait avec grâce au souffle du vent, comme je *voudrais* que vous pussiez parler! »

« Nous pouvons fort bien parler, répondit le Lys tigré, quand nous avons un interlocuteur valable. »

Alice fut si surprise de cette réplique qu'elle en resta pantoise, le souffle apparemment coupé, une minute durant. Finalement, comme le Lys tigré ne faisait rien d'autre que de continuer de se balancer, elle reprit la parole pour lui demander timidement et à voix basse : « Est-ce que *toutes* les fleurs peuvent parler ? »

« Aussi bien que vous-même, répondit le Lys tigré, et à voix beaucoup plus haute que vous ne le sauriez faire. »

« Ce serait très discourtois de notre part que de prendre l'initiative du dialogue, voyez-vous bien, dit la Rose, et je me demandais à quel moment vous alliez vous décider à parler! Je disais à part moi : « Son visage a l'air *assez* sensé, bien que ce ne soit pas ce qui s'appelle un visage intelligent! » Quoi qu'il en soit, vous êtes de la couleur qu'il faut, et cela, c'est très important. »

« Sa couleur, je n'en ai cure, intervint le Lys tigré. Si seulement ses pétales frisaient un peu plus qu'ils ne le font, elle serait parfaite. »

Alice, qui n'aimait guère à être l'objet de critiques, se mit à poser des questions : « N'avez-vous pas peur, parfois, de devoir rester plantées là, sans personne pour veiller sur vous ? »

« Et ce chêne qui se dresse au milieu de notre parterre, dit la Rose. A quoi d'autre croyez-vous qu'il serve ? »

« Mais que pourrait-il faire en cas de danger ? » s'enquit Alice.

« Il pourrait se *dé-chêner* », dit la Rose.

« Cela lui arrive parfois, confirma une Pâquerette. Si on le met hors de lui, il cesse sur-le-champ d'être un chêne et l'on peut donc dire alors qu'il se dé-chêne! »

« Ne saviez-vous pas *cela ?* » s'exclama une autre Pâquerette. Et, là-dessus, elles se mirent à crier toutes ensemble, jusqu'à ce que les airs semblassent remplis de petites voix aiguës.

full of little shrill voices. "Silence, every one of you!" cried
the Tiger-lily, waving itself passionately from side to side,
and trembling with excitement. "They know I can't get at
them!" it panted, bending its quivering head towards Alice,
"or they wouldn't dare do it!"

"Never mind!" Alice said in a soothing tone, and stooping down to the daisies, who were just beginning again,
she whispered, "If you don't hold your tongues, I'll pick
you!"

There was silence in a moment, and several of the pink
daisies turned white.

"That's right!" said the Tiger-lily. "The daisies are worst
of all. When one speaks, they all begin together, and it's
enough to make one wither to hear the way they go on!"

"How is it you can all talk so nicely?" Alice said, hoping
to get it into a better temper by a compliment. "I've been
in many gardens before, but none of the flowers could
talk"

"Put your hand down, and feel the ground," said the
Tiger-lily. "Then you'll know why."

Alice did so. "It's very hard," she said, "but I don't see
what that has to do with it."

"In most gardens," the Tiger-lily said, "they make the
beds too soft—so that the flowers are always asleep."

This sounded a very good reason, and Alice was quite
pleased to know it. "I never thought of that before!" she
said.

"It's *my* opinion that you never think *at all*," the Rose
said in a rather severe tone.

"I never saw anybody that looked stupider," a Violet said,
so suddenly, that Alice quite jumped; for it hadn't spoken
before.

"Hold *your* tongue!" cried the Tiger-lily. "As if *you* ever
saw anybody! You keep your head under the leaves, and
snore away there till you know no more what's going on
in the world, than if you were a bud!"

"Are there any more people in the garden besides me?"
Alice said, not choosing to notice the Rose's last remark.

« Silence, vous autres! ordonna le Lys tigré, en se balançant furieusement de tous côtés et en tremblant de colère. Elles savent que je ne peux les attraper! ajouta-t-il, haletant, en penchant vers Alice sa tête frémissante; sinon, elles n'oseraient pas agir de la sorte! »

« Qu'importe! » fit Alice, conciliante; puis, se penchant vers les pâquerettes qui s'apprêtaient à crier de plus belle, elle murmura : « Si vous ne vous taisez pas tout de suite, je vous vais cueillir! »

Le silence s'établit instantanément et plusieurs pâquerettes roses devinrent toutes blanches.

« C'est bien! s'exclama le Lys tigré. Les pâquerettes sont les pires de toutes. Quand l'une d'elles prend la parole, elles s'y mettent toutes ensemble, et, d'entendre la façon dont elles jacassent, il y a de quoi vous faire faner sur pied! »

« Comment se fait-il que vous sachiez toutes si bien parler ? demanda Alice, qui espérait le mettre de meilleure humeur en lui adressant un compliment. J'ai été déjà dans nombre de jardins, mais aucune des fleurs que j'y ai vues ne savait parler. »

« Mettez votre main par terre et tâtez le sol, ordonna le Lys tigré. Vous trouverez la réponse à votre question. »

Alice fit ce qu'on lui disait de faire. « Le sol est très dur, dit-elle, mais je ne vois pas le rapport entre ce fait et ce que je vous demande. »

« Dans la plupart des jardins, dit le Lys tigré, on prépare des couches trop molles, de sorte que les fleurs y dorment tout le temps. »

Cela avait l'air d'être une excellente raison, et Alice fut ravie de la connaître : « Je n'avais jamais pensé à cela jusqu'à présent! » reconnut-elle.

« M'est avis que vous ne pensez jamais *à rien* », fit observer la Rose d'un ton de voix plutôt sévère.

« Je n'avais jamais vu personne qui eût l'air aussi stupide », dit une Violette si brusquement qu'Alice fit un véritable bond, car la Violette n'avait pas ouvert la bouche jusqu'alors.

« Tenez votre langue! s'écria le Lys tigré. Comme si *vous*, vous aviez jamais vu qui que ce fût! Vous gardez la tête en permanence sous les feuilles, et vous restez là à ronfler tant et si bien que vous ignorez ce qui se passe dans le monde, tout comme si vous étiez un vulgaire bouton! »

« Y a-t-il d'autres personnes que moi dans le jardin ? » demanda Alice, qui prit le parti de ne pas relever la dernière remarque de la Rose.

"There's one other flower in the garden that can move about like you," said the Rose. "I wonder how you do it ——" ("You're always wondering," said the Tiger-lily), "but she's more bushy than you are."

"Is she like me?" Alice asked eagerly, for the thought crossed her mind, "There's another little girl in the garden somewhere!"

"Well, she has the same awkward shape as you," the Rose said: "but she's redder—and her petals are shorter, I think."

"Her petals are done up close, almost like a dahlia," the Tiger-lily interrupted: "not tumbled about anyhow, like yours."

"But that's not *your* fault," the Rose added kindly: "you're beginning to fade, you know—and then one can't help one's petals getting a little untidy."

Alice didn't like this idea at all: so, to change the subject, she asked, "Does she ever come out here?"

"I dare say you'll see her soon," said the Rose. "She's one of the thorny kind."

"Where does she wear the thorns?" Alice asked with some curiosity.

"Why, all round her head, of course," the Rose replied. "I was wondering *you* hadn't got some too. I thought it was the regular rule."

"She's coming!" cried the Larkspur. "I hear her footstep, thump, thump, along the gravel-walk!"

Alice looked round eagerly, and found that it was the Red Queen. "She's grown a good deal!" was her first remark. She had indeed: when Alice first found her in the ashes, she had been only three inches high—and here she was, half a head taller than Alice herself!

"It's the fresh air that does it," said the Rose: "wonderfully fine air it is, out here."

"I think I'll go and meet her," said Alice, for, though the flowers were very interesting, she felt that it would be far grander to have a talk with a real Queen.

"You can't possibly do that," said the Rose: "*I* should advise you to walk the other way."

« Il est au jardin une fleur qui peut se déplacer comme vous, dit la Rose. Je me demande du reste comment vous vous y prenez... (« Vous êtes toujours en train de vous demander quelque chose », fit observer le Lys tigré), mais elle est plus touffue que vous ne l'êtes. »

« Me ressemble-t-elle ? » demanda avec vivacité Alice, car cette pensée venait de lui traverser l'esprit : « Il y a une autre petite fille quelque part dans le jardin ! »

« Ma foi, elle a votre tournure disgracieuse, répondit la Rose, mais vous êtes moins rouge qu'elle, et ses pétales sont plus courts, je pense, que les vôtres. »

« Ses pétales sont très serrés; presque autant que ceux d'un dahlia, intervint le Lys tigré; ils ne retombent pas n'importe comment, comme le font les vôtres. »

« Mais cela n'est pas votre faute, ajouta gentiment la Rose : vous commencez à vous flétrir, voyez-vous bien... et dès lors vous ne pouvez empêcher vos pétales d'avoir l'air quelque peu négligé. »

Cette idée ne plut pas du tout à Alice; pour changer de sujet de conversation, elle s'enquit : « Vient-elle par ici quelquefois ? »

« Vous la verrez bientôt, je vous le garantis, répondit la Rose. Elle appartient à l'espèce épineuse. »

« Où porte-t-elle ses piquants ? » demanda, non sans quelque curiosité, Alice.

« Eh bien, autour de la tête, naturellement, répondit la Rose. J'étais en train de me demander pourquoi vous n'en aviez pas là, vous aussi. Je supposais que c'était la règle. »

« La voici qui arrive ! s'écria le Pied d'Alouette. J'entends son pas — crac, crac — sur le gravier de l'allée. »

Alice, d'un mouvement vif, se retourna et constata que c'était la Reine Rouge. « Elle a beaucoup grandi », remarqua-t-elle d'emblée. Elle avait beaucoup grandi, en effet : lorsque la fillette l'avait trouvée dans les cendres, elle ne mesurait que 7 centimètres, et voilà que, maintenant, elle dépassait Alice d'une demi-tête !

« C'est l'effet du grand air, affirma la Rose : c'est un merveilleux air que l'on respire ici. »

« Je crois bien que je vais aller au-devant d'elle », dit Alice; car, si intéressantes que fussent les fleurs, elle sentait qu'il serait bien plus magnifique d'avoir un entretien avec une vraie Reine.

« Vous n'avez pas la possibilité de faire cela, dit la Rose; *moi*, je vous conseillerais plutôt d'aller dans l'autre sens. »

This sounded nonsense to Alice, so she said nothing, but set off at once towards the Red Queen. To her surprise, she lost sight of her in a moment, and found herself walking in at the front-door again.

A little provoked, she drew back, and, after looking everywhere for the Queen (whom she spied out at last, a long way off), she thought she would try the plan, this time, of walking in the opposite direction.

It succeeded beautifully. She had not been walking a minute before she found herself face to face with the Red Queen, and full in sight of the hill she had been so long aiming at.

"Where do you come from?" said the Red Queen. "And where are you going? Look up, speak nicely, and don't twiddle your fingers all the time."

Alice attended to all these directions, and explained, as well as she could, that she had lost her way.

"I don't know what you mean by *your* way," said the Queen: "all the ways about here belong to *me*—but why did you come out here at all?" she added in a kinder tone. "Curtsey while you're thinking what to say. It saves time."

Alice wondered a little at this, but she was too much in awe of the Queen to disbelieve it. "I'll try it when I go home," she thought to herself, "the next time I'm a little late for dinner."

"It's time for you to answer now," the Queen said, looking at her watch: "open your mouth a *little* wider when you speak, and always say 'your Majesty.'"

"I only wanted to see what the garden was like, your Majesty——"

"That's right," said the Queen, patting her on the head, which Alice didn't like at all: "though, when you say 'garden,' *I've* seen gardens, compared with which this would be a wilderness."

Alice didn't dare to argue the point, but went on: "—and I thought I'd try and find my way to the top of that hill——"

"When you say 'hill,'" the Queen interrupted, "*I* could show you hills, in comparison with which you'd call that a valley."

Ce propos parut absurde à Alice; elle ne répondit rien mais se dirigea immédiatement vers la Reine Rouge. A sa grande surprise, elle la perdit de vue en un instant, pour se retrouver en train de franchir le seuil de la maison.

Légèrement agacée, elle fit demi-tour et après avoir cherché des yeux, de tous côtés, la Reine (qu'elle finit par apercevoir dans le lointain), elle décida d'essayer, cette fois-là, de marcher dans la direction opposée.

Cela réussit admirablement. A peine avait-elle cheminé une minute durant qu'elle se trouvait face à face avec la Reine Rouge, et bien en vue de la colline qu'elle avait si longtemps essayé d'atteindre.

« D'où venez-vous ? s'enquit la Reine Rouge. Et où allez-vous ? Levez la tête, répondez poliment, et ne jouez pas sans arrêt avec vos doigts. »

Alice obéit à toutes ces injonctions et, de son mieux, expliqua comment elle s'était égarée et n'avait pu retrouver son chemin.

« Je ne sais ce que vous voulez dire lorsque vous parlez de *votre* chemin, dit la Reine : tous les chemins d'ici m'appartiennent, à moi... mais, du reste, pourquoi êtes-vous venue ici ? ajouta-t-elle d'un ton de voix plus aimable. Faites donc la révérence tandis que vous réfléchissez à ce que vous m'allez répondre. Cela fait gagner du temps. »

Alice s'étonna un peu d'entendre de telles paroles, mais elle avait une trop sainte terreur de la Reine pour ne pas croire ce qu'elle venait de dire. « J'essaierai cela lorsque je serai de retour à la maison, se dit-elle, la prochaine fois que j'arriverai un peu en retard au dîner. »

« Il est temps à présent, pour vous, de me répondre, dit la Reine en consultant sa montre : ouvrez un peu plus grand la bouche en parlant, et ne manquez pas de dire : Votre Majesté. »

« Je voulais seulement voir à quoi ressemblait le jardin, Votre Majesté... »

« Fort bien, dit la Reine en lui tapotant la tête, ce qui déplut souverainement à Alice; mais, à propos de « jardin », sachez que, *moi*, j'ai vu des jardins en comparaison de qui celui-ci serait un désert. »

Alice n'osa pas la reprendre sur ce point et poursuivit : «... et je comptais essayer de retrouver mon chemin afin de parvenir au haut de cette colline... »

« A propos de « colline », intervint la Reine, j'ai vu, *moi*, des collines en comparaison de qui vous appelleriez celle-ci une vallée. »

"No, I shouldn't," said Alice, surprised into contradict-
ing her at last: "a hill *can't* be a valley, you know. That
would be nonsense——"

The Red Queen shook her head. "You may call it 'nonsense' if you like," she said, "but *I've* heard nonsense,
compared with which that would be as sensible as a dict-
ionary!"

Alice curtseyed again, as she was afraid from the Queen's
tone that she was a *little* offended: and they walked on in
silence till they got to the top of the little hill.

For some minutes Alice stood without speaking, looking out in all directions over the country—and a most
curious country it was. There were a number of little
brooks running straight across it from side to side, and the
ground between was divided up into squares by a number
of little green hedges, that reached from brook to brook.

"I declare it's marked out just like a large chessboard!"
Alice said at last. "There ought to be some men moving
about somewhere—and so there are!" she added in a tone
of delight, and her heart began to beat quick with excitement as she went on. "It's a great game of chess that's
being played—all over the world—if this *is* the world at
all, you know. Oh, what fun it is! How I *wish* I was one
of them! I wouldn't mind being a Pawn, if only I might
join—though of course I should *like* to be a Queen, best."

She glanced rather shyly at the real Queen as she said
this, but her companion only smiled pleasantly, and said,
"That's easily managed. You can be the White Queen's
Pawn, if you like, as Lily's too young to play; and you're
in the Second Square to begin with: when you get into the
Eighth Square you'll be a Queen——" Just at this moment,
somehow or other, they began to run.

Alice never could quite make out, in thinking it over
afterwards, how it was that they began: all she remem-
bers is, that they were running hand in hand, and the
Queen went so fast that it was all she could do to keep
up with her: and still the Queen kept crying "Faster!

« Non, sûrement pas, répliqua Alice, surprise de contredire enfin son interlocutrice : une colline ne *saurait* être une vallée, voyez-vous bien. Ce serait là une parfaite ineptie... »

La Reine Rouge hocha la tête : « Vous pouvez parler d' « ineptie » si cela vous plaît, dit-elle, mais *moi*, j'ai entendu des inepties en comparaison de qui ceci paraîtrait aussi sensé qu'un dictionnaire! »

Alice, derechef, fit une révérence, car d'après le ton de voix de la Reine, elle craignait de l'avoir un tout petit peu offensée; et toutes deux cheminèrent en silence jusqu'à ce qu'elles eussent atteint le sommet de la petite colline.

Pendant quelques minutes Alice demeura sans mot dire, à promener dans toutes les directions son regard sur la contrée qui s'étendait devant elle et qui était vraiment une fort étrange contrée. Un grand nombre de petits ruisseaux la parcouraient d'un bout à l'autre, et le terrain compris entre lesdits ruisseaux était divisé en carrés par un nombre impressionnant de petites haies vertes perpendiculaires aux ruisseaux.

« Je vous assure que l'on dirait les cases d'un vaste échiquier! finit par s'écrier Alice. Il devrait y avoir des pièces en train de se déplacer quelque part là-dessus — et effectivement il y en a! ajouta-t-elle, ravie, tandis que son cœur se mettait à battre plus vite. C'est une grande partie d'échecs qui est en train de se jouer — à l'échelle du monde entier — si cela est vraiment le monde, voyez-vous bien. Oh! que c'est amusant! Comme je *voudrais* être une de ces pièces-là! Cela me serait égal d'être un simple Pion, pourvu que je pusse prendre part au jeu... mais, évidemment, j'aimerais mieux encore être une Reine. »

En prononçant ces mots elle lança un timide regard à la vraie Reine, mais sa compagne se contenta de sourire aimablement et lui dit : « C'est un vœu facile à satisfaire. Vous pouvez être, si vous le désirez, le Pion de la Reine Blanche, car Lily est trop jeune pour jouer. Pour commencer, vous prendrez place dans la seconde case; et quand vous arriverez à la huitième case, vous serez Reine... » A ce moment précis, on ne sait trop pourquoi, elles se mirent à courir.

Lorsqu'elle y réfléchit par la suite, Alice ne put jamais très bien comprendre comment cela avait commencé : tout ce dont elle se souvint c'est qu'elles couraient en se tenant par la main et que la Reine allait si vite que la fillette avait toutes les peines du monde à se maintenir à sa hauteur; et aussi que la Reine ne cessait de crier : « Plus vite! Plus

Faster!" but Alice felt she *could not* go faster, though she had no breath left to say so.

The most curious part of the thing was, that the trees and the other things round them never changed their places at all: however fast they went, they never seemed to pass anything. "I wonder if all the things move along with us?" thought poor puzzled Alice. And the Queen seemed to guess her thoughts, for she cried, "Faster! Don't try to talk!"

Not that Alice had any idea of doing *that*. She felt as if she would never be able to talk again, she was getting so much out of breath: and still the Queen cried, "Faster! Faster!" and dragged her along. "Are we nearly there?" Alice managed to pant out at last.

"Nearly there!" the Queen repeated. "Why, we passed it ten minutes ago! Faster!" And they ran on for a time in silence, with the wind whistling in Alice's ears, and almost blowing her hair off her head, she fancied.

"Now! Now" cried the Queen. "Faster! Faster!" And they went so fast that at last they seemed to skim through the air, hardly touching the ground with their feet, till suddenly, just as Alice was getting quite exhausted, they stopped, and she found herself sitting on the ground, breathless and giddy.

The Queen propped her against a tree, and said kindly, "You may rest a little now."

Alice looked round her in great surprise. "Why, I do believe we've been under this tree all the time! Everything's just as it was!"

"Of course it is," said the Queen: "what would you have it?"

"Well, in *our* country," said Alice, still panting a little, "you'd generally get to somewhere else—if you ran very fast for a long time, as we've been doing."

"A slow sort of country!" said the Queen. "Now, *here*, you see, it takes all the running *you* can do, to keep in the

vite! » et qu'Alice sentait bien qu'elle *ne pouvait* aller plus
vite, encore qu'elle n'eût pas assez de souffle pour le dire à
haute voix.

Ce qu'il y avait de plus curieux dans l'aventure, c'est
que les arbres et les autres objets qui les entouraient ne
changeaient pas du tout de place; si vite qu'elles courussent,
il semblait qu'elles ne dépassassent jamais rien. « Je me
demande si toutes les choses se déplacent dans le même
sens et avec la même vitesse que nous ? » pensait, déconcertée, la pauvre Alice. Et la Reine semblait deviner ses pensées car elle criait : « Plus vite! N'essayez pas de parler! »

Parler ? Alice n'en éprouvait pas la moindre envie. Il lui
semblait qu'elle ne serait jamais plus capable de dire un
mot, tant elle était essoufflée; et pourtant la Reine continuait de crier : « Plus vite! Plus vite! » en l'entraînant de
force vers un but indéterminé. « Allons-nous y arriver bientôt ? » parvint enfin à articuler, haletante, la fillette.

« Y arriver bientôt! répéta la Reine. Ma foi, nous sommes
passées devant, voici dix bonnes minutes! Plus vite! » Elles
continuèrent de courir durant quelque temps en silence;
le vent sifflait aux oreilles d'Alice et elle avait l'impression
que ce vent allait lui arracher les cheveux.

« Allons! Allons! criait la Reine. Plus vite! Plus vite! »
Et elles allaient si vite qu'il semblait qu'elles glissassent à
travers les airs, en effleurant à peine de leurs pieds la surface
du sol; puis, tout à coup, à l'instant précis où Alice touchait
à la limite de l'épuisement, elles s'arrêtèrent net, et la fillette
se retrouva assise par terre, hors d'haleine et tout étourdie.

La Reine la fit s'adosser contre un arbre, et lui dit avec
gentillesse : « Vous pouvez maintenant vous reposer un
peu. »

Alice promena son regard autour d'elle, fort surprise de
ce qu'elle voyait : « Ma parole, je crois bien que nous
sommes restées tout le temps sous cet arbre! Tout est
demeuré exactement comme auparavant! »

« Pour sûr que c'est demeuré exactement comme auparavant, répliqua la Reine; que vouliez-vous donc que cela
devînt ? »

« Eh bien, dans notre pays, à nous, répondit Alice, encore
un peu haletante, si l'on courait très vite pendant longtemps, comme nous venons de le faire, on arrivait généralement quelque part, ailleurs. »

« Un pays bien lent! dit la Reine. Tandis qu'*ici*, voyez-
vous bien, il faut courir de toute la vitesse de ses jambes
pour simplement rester là où l'on est. Si l'on veut aller

same place. If you want to get somewhere else, you must run at least twice as fast as that!"

"I'd rather not try, please!" said Alice. "I'm quite content to stay here — only I *am* so hot and thirsty!"

"I know what *you'd* like!" the Queen said goodnaturedly taking a little box out of her pocket. "Have a biscuit?"

Alice thought it would not be civil to say, "No", though it wasn't at all what she wanted. So she took it, and ate it as well as she could: and it was *very* dry; and she thought she had never been so nearly choked in all her life.

"While you're refreshing yourself," said the Queen, "I'll just take the measurements." And she took a ribbon out of her pocket, marked in inches, and began measuring out the ground, and sticking little pegs in here and there.

"At the end of two yards," she said, putting in a peg to mark the distance, "I shall give you your directions—have another biscuit?"

"No, thank you," said Alice: "one's *quite* enough!"

"Thirst quenched, I hope?" said the Queen.

Alice did not know what to say to this, but luckily the Queen did not wait for an answer, but went on. "At the end of *three* yards I shall repeat them—for fear of your forgetting them. At the end of *four*, I shall say good-bye. And at the end of *five*, I shall go!"

She had got all the pegs put in by this time, and Alice looked on with great interest as she returned to the tree, and then began slowly walking down the row.

At the two-yard peg she faced round, and said, "A pawn goes two squares in its first move. So you'll go *very* quickly through the Third Square—by railway, I should think—and you'll find yourself in the Fourth Square in no time. Well, *that* square belongs to Tweedledum and Tweedledee—the Fifth is mostly water—the Sixth belongs to Humpty Dumpty—But you make no remark?"

"I—I didn't know I had to make one—just then," Alice faltered out.

quelque part, ailleurs, il faut alors courir au moins deux fois plus vite que ça ! »

« S'il vous plaît, j'aime autant ne pas essayer ! dit Alice. Je me trouve tout à fait bien ici... sauf que j'y ai fort chaud et grand-soif ! »

« Je sais ce qui vous ferait plaisir ! dit avec bienveillance la Reine, en tirant de sa poche une petite boîte. Prenez donc un biscuit. »

Alice estima qu'il ne serait pas poli de dire « non », encore que cela ne fût pas du tout ce qu'elle désirait. Elle prit donc le biscuit et s'efforça de le manger ; il était terriblement sec ; et elle pensa que, de sa vie, elle n'avait été en si grand danger de s'étouffer.

« Tandis que vous vous désaltérez, ajouta la Reine, je vais prendre les mesures. » Elle tira de sa poche un ruban divisé en centimètres et se mit à mesurer le terrain, en y enfonçant çà et là de petits piquets.

« Quand j'en aurai arpenté deux mètres, dit-elle en enfonçant dans le sol un piquet pour marquer l'intervalle, je vous donnerai mes instructions... Voulez-vous un autre biscuit ? »

« Non, merci, dit Alice, un seul me suffit *amplement !* »

« Votre soif est étanchée, j'espère ? » s'enquit la Reine.

Alice ne savait que répondre à cela, mais fort heureusement, la Reine n'attendit pas sa réplique pour poursuivre : « Au bout du *troisième* mètre je les répéterai... de crainte que vous ne les ayez oubliées. Au bout du *quatrième*, je vous dirai au revoir. Et au bout du *cinquième*, je m'en irai ! »

Elle avait entre-temps planté tous les piquets et Alice, vivement intéressée, la regarda revenir vers l'arbre, puis se mettre à marcher lentement le long de la ligne droite qu'elle venait de tracer.

Parvenue au piquet qui marquait le deuxième mètre, elle se retourna et dit : « Un pion, lorsqu'il se déplace pour la première fois, franchit deux cases. Donc, vous traverserez *très* rapidement la troisième case — par chemin de fer, je suppose — et vous vous trouverez dans la quatrième case en moins de temps qu'il n'en faut pour le dire. Or, cette case-là appartient à Twideuldeume et à Twideuldie ; la cinquième ne renferme guère que de l'eau... La sixième est la propriété de Heumpty-Deumpty... Mais vous ne faites aucune remarque ? »

« Je... Je ne savais pas que j'avais à en faire une... à ce moment-ci », balbutia Alice.

"You *should* have said," the Queen went on in a tone of grave reproof, " 'It's extremely kind of you to tell me all this'—however, we'll suppose it said—the Seventh Square is all forest—however, one of the Knights will show you the way—and in the Eighth Square we shall be Queens together, and it's all feasting and fun!" Alice got up and curtseyed, and sat down again.

At the next peg the Queen turned again, and said, "Speak in French when you can't think of the English for a thing —turn out your toes as you walk—and remember who you are!" She did not wait for Alice to curtsey this time, but walked on quickly to the next peg, where she turned to say "good-bye", and then hurried on to the last.

How it happened, Alice never knew, but exactly as she came to the last peg, she was gone. Whether she vanished into the air, or whether she ran quickly into the wood ("and she *can* run very fast!" thought Alice), there was no way of guessing, but she was gone, and Alice began to remember that she was a Pawn, and that it would soon be time for her to move.

« Vous auriez *dû* dire, poursuivit, sur un ton de vive réprimande, la Reine : « C'est très aimable à vous de me dire tout cela... » Enfin, nous supposerons que vous l'avez dit... La septième case est constituée par une forêt — mais un Cavalier vous montrera le chemin — et dans la huitième case nous serons Reines, de conserve, et ce ne sera que festoiement et réjouissances! » Alice se leva, fit une révérence et se rassit.

Parvenue au piquet suivant, la Reine se retourna derechef et dit : « Quand vous ne pouvez vous rappeler le mot anglais qui désigne tel ou tel objet, parlez français... en marchant, écartez bien les pointes des pieds... et rappelez-vous qui vous êtes! » Elle ne laissa pas cette fois à Alice le temps de faire une révérence; elle alla d'un pas vif jusqu'au piquet suivant, se retourna pour dire « au revoir » et se dirigea rapidement vers le dernier piquet.

Alice ne sut jamais comment la chose advint, mais, au moment précis où elle arrivait à la hauteur du dernier piquet, la Reine disparut. S'était-elle volatilisée dans les airs, ou avait-elle couru s'enfoncer sous l'ombrage des bois (« et elle est *capable* de courir très vite », pensa Alice), impossible de deviner laquelle de ces deux solutions elle avait choisie; mais ce qu'il y avait de certain, c'est qu'elle était partie, et Alice commença de se souvenir qu'elle était un Pion, et qu'il serait bientôt temps pour elle de se déplacer.

CHAPTER III

LOOKING-GLASS INSECTS

Of course the first thing to do was to make a grand survey of the country she was going to travel through. "It's something very like learning geography," thought Alice, as she stood on tiptoe in hopes of being able to see a little further. "Principal rivers—there *are* none. Principal mountains— I'm on the only one, but I don't think it's got any name. Principal towns—why what *are* those creatures, making honey down there? They can't be bees—nobody ever saw bees a mile off, you know——" and for some minutes she stood silent, watching one of them that was bustling about among the flowers, poking its proboscis into them, "just as if it was a regular bee," thought Alice.

However, this was anything but a regular bee: in fact, it was an elephant—as Alice soon found out, though the idea quite took her breath away at first. "And what enormous flowers they must be!" was her next idea. "Something like cottages with the roofs taken off, and stalks put to them—and what quantities of honey they must make! I think I'll go down and—no, I won't go *just* yet," she went on, checking herself just as she was beginning to run down the hill, and trying to find some excuse for turning shy so suddenly. "It'll never do to go down. among them without a good long branch to brush them away—and what fun it'll be when they ask me how I liked my walk. I shall say—'Oh, I liked it well enough—'(here came the favou-

CHAPITRE III

INSECTES DU MIROIR

Bien entendu, la première chose à faire, c'était d'examiner à fond la contrée qu'elle allait parcourir. « Cela ressemble beaucoup à mes leçons de géographie », pensa la petite fille en se haussant sur la pointe des pieds dans l'espoir de pouvoir porter son regard un peu plus loin. « Principaux fleuves... il n'y en a pas. Principales montagnes... je suis sur la seule qui existe, mais je ne crois pas qu'elle ait un nom. Principales villes... tiens, tiens, quelles sont donc ces créatures qui font du miel, là-bas ? Cela ne saurait être des abeilles... nul n'a jamais vu des abeilles à une distance d'un kilomètre et demi, c'est évident... » Et durant quelques minutes elle resta à observer en silence l'une de ces créatures qui s'affairait parmi les fleurs en qui elle plongeait sa trompe, « tout comme le ferait une abeille ordinaire », se dit Alice.

Pourtant, c'était tout autre chose qu'une abeille ordinaire : en fait — comme Alice ne tarda pas à s'en persuader, encore que cette idée tout d'abord lui coupât le souffle — c'était un éléphant. « Quelles énormes fleurs il doit butiner ! », telle fut la pensée qu'il lui vint ensuite. « Elles doivent ressembler à des pavillons dont on aurait enlevé le toit et que l'on aurait placés sur une tige... et quelles quantités de miel cela doit produire ! Je crois que je vais descendre pour... non, je ne vais pas y aller tout de suite, poursuivit-elle en se retenant à l'instant précis où elle allait se mettre à descendre en courant la colline, et en s'efforçant de trouver une excuse à cette crainte soudaine. Ça ne serait pas très intelligent que de descendre parmi eux sans s'être munie d'une longue branche solide pour les chasser... Et comme ce sera drôle quand on me demandera si j'ai fait une bonne promenade. Je répondrai : « Oh ! oui, excellente... (ce disant, elle fit le petit mouvement de tête qui lui était familier),

rite little toss of the head), 'only it was so dusty and hot, and the elephants did tease so!' "

"I think I'll go down the other way," she said after a pause: "and perhaps I may visit the elephants later on. Besides, I do so want to get into the Third Square!"

So with this excuse she ran down the hill and jumped over the first of the six little brooks.

. . . .

"Tickets, please!" said the Guard, putting his head in at the window. In a moment everybody was holding out a ticket : they were about the same size as the people, and quite seemed to fill the carriage.

"Now then! Show your ticket, child!" the Guard went on, looking angrily at Alice. And a great many voices all said together ("like the chorus of a song," thought Alice), "Don't keep him waiting, child! Why, his time is worth a thousand pounds a minute!"

"I'm afraid I haven't got one," Alice said in a frightened tone: "there wasn't a ticket-office where I came from." And again the chorus of voices went on. "There wasn't room for one where she came from. The land there is worth a thousand pounds an inch!"

"Don't make excuses," said the Guard: "you should have bought one from the engine-driver." And once more the chorus of voices went on with, "The man that drives the engine. Why, the smoke alone is worth a thousand pounds a puff!"

Alice thought to herself, "Then there's no use in speaking." The voices didn't join in this time, as she hadn't spoken, but, to her great suprise, they all *thought* in chorus (I hope you understand what *thinking in chorus* means—for I must confess that *I* don't), "Better say nothing at all. Language is worth a thousand pounds a word!"

"I shall dream about a thousand pounds to-night, I know I shall!" thought Alice.

All this time the Guard was looking at her, first through

seulement il y avait beaucoup de poussière, il faisait très chaud et les éléphants étaient bien énervants! »

« Je crois que je vais descendre par l'autre versant, décida-t-elle après un moment de réflexion; peut-être irai-je voir les éléphants un peu plus tard. Du reste, j'ai une telle envie d'entrer dans la troisième case! »

C'est sur cette excuse qu'en courant elle redescendit de la colline et d'un bond franchit le premier des six petits ruisseaux.

. . . .

« Billets, s'il vous plaît! » dit le Contrôleur en passant la tête par la portière. Chacun tout aussitôt produisit son billet : un billet à peu près aussi grand que celui qui le présentait, et qui semblait remplir vraiment tout le wagon.

« Allons! Allons! Montrez votre billet, fillette! » reprit le Contrôleur en lançant à Alice un regard courroucé. Et un grand nombre de voix de prononcer simultanément (« comme un chœur chante le refrain d'une chanson », pensa Alice) : « Ne le faites pas attendre, fillette! Dame, son temps vaut 1 000 livres sterling la minute! »

« J'ai grand'peur de n'en pas avoir, de billet, dit Alice d'un ton de voix craintif; à l'arrêt d'où je viens il n'y avait pas de guichet de distribution. »

De nouveau, les voix reprirent en chœur : « A l'arrêt d'où elle vient il n'y avait pas de place où mettre un guichet. Le terrain, là-bas, vaut 1 000 livres sterling le centimètre carré! »

« Vous n'avez pas d'excuse, dit le Contrôleur; vous auriez dû en demander un au mécanicien. » Et, une fois de plus, les voix reprirent en chœur : « C'est l'homme qui conduit la machine. Dame, la fumée seule vaut 1 000 livres sterling la bouffée! »

Alice songea : « Dans ces conditions, toute explication est inutile. » Comme elle n'avait pas parlé, les voix, cette fois, n'eurent rien à prononcer en chœur, mais, à sa grande surprise, elles se mirent toutes à *penser* en chœur (vous comprenez, j'espère, ce que *penser en chœur* signifie; pour ma part je dois avouer que je l'ignore) : « Mieux vaut ne rien dire du tout. Le langage articulé vaut 1 000 livres sterling le mot. »

« Je vais rêver d'un millier de livres cette nuit, c'est sûr et certain! » se dit la petite fille.

Durant tout ce temps, le Contrôleur n'avait cessé de

a telescope, then through a microscope, and then through
an opera-glass. At last he said, "You're travelling the wrong
way," and shut up the window and went away.

"So young a child," said the gentleman sitting opposite
to her (he was dressed in white paper), "ought to know
which way she's going, even if she doesn't know her own
name!"

A Goat, that was sitting next to the gentleman in white,
shut his eyes and said in a loud voice, "She ought to know
her way to the ticket-office, even if she doesn't know her
alphabet!"

There was a Beetle sitting next the Goat (it was a very
queer set of passengers altogether), and, as the rule seemed
to be that they should all speak in turn, *he* went on with,
"She'll have to go back from here as luggage!"

Alice couldn't see who was sitting beyond the Beetle,
but a hoarse voice spoke next. "Change engines——" it
said, and there it choked and was obliged to leave off.

"It sounds like a horse," Alice thought to herself. And
an extremely small voice, close to her ear, said, 'You might
make a joke on that——something about 'horse' and
'hoarse,' you know."

Then a very gentle voice in the distance said, "She must
be labelled, 'Lass, with care,' you know——"

And after that other voices went on ("What a number
of people there are in the carriage!" thought Alice), saying,
"She must go by post, as she's got a head on her——"
"She must be sent as a message by the telegraph——" "She
must draw the train herself the rest of the way——," and
so on.

But the gentleman dressed in white paper leaned forwards and whispered in her ear, "Never mind what they
all say, my dear, but take a return-ticket every time the
train stops."

"Indeed I shan't!" Alice said rather impatiently. "I don't
belong to this railway journey at all—I was in a wood just
now—and I wish I could get back there!"

"You might make a joke on *that*" said the little voice

l'observer, d'abord au moyen d'un télescope, ensuite au moyen d'un microscope et enfin au moyen d'une lorgnette de théâtre. Il finit par déclarer : « Vous n'avez pas pris la bonne direction », releva la vitre de la portière et s'éloigna.

« Une enfant si jeune, dit le monsieur assis en face d'elle (il était vêtu de papier blanc), devrait savoir dans quelle direction elle va, même si elle ignore son propre nom ! »

Un Bouc, assis à côté du monsieur de blanc vêtu, ferma les yeux et dit à haute voix : « Elle devrait savoir trouver le guichet, même si elle ignore son alphabet ! »

A côté du Bouc avait pris place un Scarabée (c'était un bien étrange assortiment de voyageurs, en vérité) et, la règle voulant apparemment qu'ils parlassent à tour de rôle, ce fut lui qui intervint alors : « Il lui faudra repartir d'ici en colis postal ! »

Alice ne pouvait voir qui était assis de l'autre côté du Scarabée, mais ce fut une voix vibrante qui s'éleva ensuite : « Changez de machine », dit-elle avant de s'étouffer et de s'interrompre.

« On dirait un cheval en colère qui hennit », se dit Alice. Et une toute petite voix de lui chuchoter à l'oreille : « Vous pourriez fabriquer un jeu de mots à ce propos... Quelque chose sur « hennir » et « en ire », voyez-vous bien. »

Puis une voix très douce, s'élevant au loin, murmura : « Il faudra mettre la mention « Fillette : Fragile », voyez-vous bien. »

Après cela, d'autres voix encore se firent entendre. (« Quel nombre incroyable d'êtres il y a dans ce wagon ! » pensa la petite fille.) Ces voix disaient : « Il lui faut voyager par poste, car elle a une tête comme on en voit sur les timbres-poste... », « Il faut l'expédier en message télégraphique... », « Il faut qu'elle remorque elle-même le train sur tout le reste du trajet... », etc.

Mais le monsieur vêtu de papier blanc se pencha vers elle pour lui murmurer à l'oreille : « Ne vous souciez pas, mon enfant, de ce que tous ceux-là peuvent dire, mais prenez un aller et retour à chaque arrêt du train. »

« Ne comptez pas sur moi pour cela ! dit, non sans impatience, Alice. J'étais dans la forêt il n'y a qu'un instant, et je voudrais bien pouvoir y retourner. Je n'ai que faire de ce voyage par chemin de fer ! »

« Vous devriez fabriquer un jeu de mots à ce propos, dit la petite voix tout contre son oreille : quelque chose

close to her ear: "something about 'you *would* if you could,' you know."

"Don't tease so," said Alice, looking about in vain to see where the voice came from; "if you're so anxious to have a joke made, why don't you make one yourself?"

The little voice sighed deeply: it was *very* unhappy, evidently, and Alice would have said something pitying to comfort it, "if it would only sigh like other people!" she thought. But this was such a wonderfully small sigh, that she wouldn't have heard it at all, if it hadn't come *quite* close to her ear. The consequence of this was that it tickled her ear very much, and quite took off her thoughts from the unhappiness of the poor little creature.

"I know you are a friend," the little voice went on; "a dear friend, and an old friend. And you won't hurt me, though I *am* an insect."

"What kind of insect?" Alice inquired a little anxiously. What she really wanted to know was, whether it could sting or not, but she thought this wouldn't be quite a civil question to ask.

"What, then you don't——' the little voice began, when it was drowned by a shrill scream from the engine, and everybody jumped up in alarm, Alice among the rest.

The Horse, who had put his head out of the window, quietly drew it in and said, "It's only a brook we have to jump over." Everybody seemed satisfied with this, though Alice felt a little nervous at the idea of trains jumping at all. "However, it'll take us into the Fourth Square, that's some comfort!" she said to herself. In another moment she felt the carriage rise straight up into the air, and in her fright she caught at the thing nearest to her hand, which happened to be the Goat's beard.

. . . .

But the beard seemed to melt away as she touched it, and she found herself sitting quietly under a tree—while the Gnat (for that was the insect she had been talking to) was balancing itself on a twig just over her head, and fanning her with its wings.

sur « chemin à faire » et « chemin de fer », voyez-vous bien. »

« Cessez de me taquiner ainsi, dit Alice en promenant en vain son regard de tous côtés pour voir d'où venait la voix; si vous tenez tellement à ce que l'on fasse un jeu de mots, pourquoi n'en faites-vous pas un vous-même ? »

La petite voix exhala un profond soupir : il était évident qu'elle était *très* malheureuse, et Alice eût volontiers prononcé quelques mots propres à la consoler, « si seulement elle soupirait comme tout le monde! » pensa-t-elle. Mais son soupir, à elle, avait été si extraordinairement discret, qu'elle ne l'eût certes pas du tout entendu, s'il n'eût été poussé tout contre son oreille. En conséquence il la chatouilla terriblement et détourna complètement ses pensées du malheur de la pauvre petite créature.

« Je sais que vous êtes une amie, poursuivit la petite voix; une intime amie et une vieille amie. Vous ne voudriez pas me faire du mal, bien que je sois un insecte. »

« Quelle sorte d'insecte ? » s'enquit Alice, quelque peu inquiète. Ce qu'elle voulait vraiment savoir, c'était s'il piquait ou non, mais elle estima qu'il ne serait pas très poli de le demander.

« Comment donc ? Mais alors vous n'... » commençait de dire la petite voix, lorsqu'elle fut submergée par un strident sifflement de la machine et que, de terreur, chacun — Alice comme les autres — fit un bond.

Le Cheval qui avait passé la tête par la portière, la rentra tranquillement en disant : « Ce n'est qu'un ruisseau qu'il nous va falloir sauter. » Tout le monde parut rassuré par cette explication. Alice pourtant se sentait quelque peu angoissée à l'idée qu'il existât des trains sauteurs. « De toute façon, celui-ci nous conduira à la quatrième case, ce qui est assez réconfortant! » se dit-elle. Un instant plus tard, elle sentit que le wagon se soulevait droit dans les airs. Dans son effroi, elle se cramponna au premier objet qui lui tomba sous la main et qui se trouva être la barbe du Bouc.

. . . .

Mais la barbe sembla se volatiliser au moment précis où elle la touchait, et Alice se retrouva tranquillement assise sous un arbre... tandis que le Moucheron (car c'était là l'insecte à qui elle avait parlé) se balançait sur une petite branche, juste au-dessus de sa tête, et l'éventait du battement de ses ailes.

It certainly was a *very* large Gnat: "about the size of a chicken," Alice thought. Still, she couldn't feel nervous with it, after they had been talking together so long.

"—then you don't like all insects?" the Gnat went on, as quietly as if nothing had happened.

"I like them when they can talk," Alice said. "None of them ever talk, where *I* come from."

"What sort of insects do you rejoice in, where *you* come from?" the Gnat inquired.

"I don't *rejoice* in insects at all," Alice explained, "because I'm rather afraid of them—at least the large kinds. But I can tell you the names of some of them."

"Of course they answer to their names?" the Gnat remarked carelessly.

"I never knew them do it."

"What's the use of their having names," the Gnat said, "if they won't answer to them?"

"No use to *them*," said Alice; "but it's useful to the people that name them, I suppose. If not, why do things have names at all?"

"I can't say," said the Gnat. "In the wood down there, they've got no names—however, go on with your list of insects: you are wasting time."

"Well, there's the Horse-fly," Alice began, counting off the names on her fingers.

"All right," said the Gnat: "half-way up that bush, you'll see a Rocking-horse-fly, if you look. It's made entirely of wood, and gets about by swinging itself from branch to branch."

"What does it live on?" Alice asked, with great curiosity.

"Sap and sawdust," said the Gnat. "Go on with the list."

Alice looked at the Rocking-horse-fly with great interest, and made up her mind that it must have been just repainted, it looked so bright and sticky; and then she went on.

"And there's the Dragon-fly."

"Look on the branch above your head," said the Gnat, "and there you'll find a Snap-dragon-fly. Its body is made

C'était, sans nul doute, un très, très gros moucheron :
« A peu près de la taille d'un poulet », pensa la fillette.
Pourtant, après la longue conversation qu'ils avaient eue
tous deux, elle ne parvenait pas à avoir peur de lui.

« ... alors, vous n'aimez pas tous les insectes ? » reprit
le Moucheron, aussi tranquillement que si rien ne s'était
passé.

« Je les aime quand ils savent parler, répondit Alice.
Dans le pays d'où, moi, je viens, les insectes ne parlent pas. »

« Et quelle sorte d'insectes, dans le pays d'où, vous,
vous venez, avez-vous eu le bonheur de connaître ? »

« Le fait de connaître des insectes ne me procure aucun
bonheur, expliqua la fillette. Ils me feraient plutôt peur...
les gros, tout au moins. Mais je peux vous dire les noms
de quelques-uns d'entre eux. »

« Bien entendu, ils répondent à leurs noms ? » demanda
négligemment le Moucheron.

« Je n'ai jamais entendu dire qu'ils faisaient cela. »

« A quoi leur sert d'avoir des noms, demanda le Moucheron, s'ils ne répondent pas à ces noms ? »

« A eux, ça ne leur sert à rien, dit Alice ; mais c'est utile,
je le suppose, aux gens qui les nomment. Sinon, pourquoi
les choses auraient-elles des noms ? »

« Je n'en sais rien, répondit le Moucheron. Là-bas, dans
la forêt, elles n'en ont pas... Quoi qu'il en soit, vous êtes
en train de nous faire perdre notre temps ; donnez-moi donc
votre liste d'insectes. »

« Eh bien, il y a le Taon », commença de dire, en comp-
tant les noms sur ses doigts, Alice.

« Parfait, dit le Moucheron. Tournez les yeux vers ce
buisson ; vous y verrez, si vous regardez bien, un *Mirli-taon*.
Il est fait de roseau et de baudruche, et il est affligé d'une
voix nasillarde et ridicule. »

« De quoi se nourrit-il ? » s'enquit Alice avec beaucoup
de curiosité.

« De rébus et de vers mi-sots [1] répondit le Moucheron.
Poursuivez la lecture de votre liste. »

Alice examina le Mirli-taon avec grand intérêt et se
persuada que l'on venait de le repeindre, tant il paraissait
brillant et rutilant ; puis elle reprit :

« Ensuite il y a la Libellule ou Demoiselle. »

« Tournez les yeux vers la branche qui se trouve au-
dessus de votre tête, dit le Moucheron : vous y verrez un

1. Communément appelés : vers de *mirli-taon*. (N.d.T.)

of plum-pudding, its wings of holly-leaves, and its head is a raisin burning in brandy."

"And what does it live on ?" Alice asked, as before.

"Frumenty and mince-pie," the Gnat replied; "and it makes its nest in a Christmas-box."

"And then there's the Butterfly," Alice went on, after she had taken a good look at the insect with its head on fire, and had thought to herself, "I wonder if that's the reason insects are so fond of flying into candles—because they want to turn into Snap-dragon-flies!"

"Crawling at your feet," said the Gnat (Alice drew her feet back in some alarm), "you may observe a Bread-and-butter-fly. Its wings are thin slices of bread-and-butter, its body is a crust, and its head is a lump of sugar."

"And what does *it* live on ?"

"Weak tea with cream in it."

A new difficulty came into Alice's head. "Supposing it couldn't find any ?" she suggested.

"Then it would die, of course."

"But that must happen very often," Alice remarked thoughtfully.

"It always happens," said the Gnat.

After this, Alice was silent for a minute or two, pondering. The Gnat amused itself meanwhile by humming round and round her head: at last it settled again and remarked, "I suppose you don't want to lose your name ?"

"No, indeed," Alice said, a little anxiously.

"And yet I don't know," the Gnat went on in a careless tone: "only think how convenient it would be if you could manage to go home without it! For instance, if the governess wanted to call you to your lessons, she would call out, 'Come here——,' and there she would have to leave off, because there wouldn't be any name for her to call, and of course you wouldn't have to go, you know."

Damoiseau. Sa chevelure le fait ressembler à une jeune dame et ses ailes à un oiseau. »

« Et de quoi se nourrit-il ? » s'enquit Alice, comme elle l'avait fait pour l'insecte précédemment mentionné.

« De brioche et de massepain, répondit le Moucheron. Et il nidifie dans les tourelles des châteaux. »

« Ensuite il y a le Papillon, dit encore Alice après avoir bien examiné l'insecte chevelu tout en murmurant à part soi : Je me demande si c'est pour cela que tant de Demoiselles rêvent d'épouser un Damoiseau : parce qu'elles aiment la brioche et la vie de château. »

« En train de ramper à vos pieds, dit le Moucheron (Alice recula ses pieds, passablement effrayée), vous pouvez observer un « *Papapillon* » [1] et un « *Grand-Papapillon* » [2]. Le « *Papapillon* » est un Papillon père de famille, tandis que le « *Grand-Papapillon* » est un « *Papapillon* » très âgé. »

« Et de quoi se nourrissent-ils ? »

« De barbillons, de carpillons et de tortillons. »

Une nouvelle objection vint à l'esprit d'Alice : « Et s'ils n'en trouvent pas ? » demanda-t-elle.

« En ce cas, ils succombent, évidemment. »

« Mais cela doit arriver souvent », fit observer Alice, pensive.

« Cela arrive toujours », répondit le Moucheron.

Là-dessus, Alice se tint coite durant une minute ou deux, réfléchissant. Le moucheron, cependant, s'amusait à tourner en bourdonnant autour de sa tête. Finalement, il se posa de nouveau sur la branche et demanda : « Je suppose que vous ne voudriez pas perdre votre nom ? »

« Non, sûrement pas », répondit, quelque peu inquiète, Alice.

« Pourtant, je me demande si cela ne serait pas souhaitable, reprit le Moucheron d'un ton de voix désinvolte : songez seulement comme ce serait commode si vous pouviez faire en sorte de rentrer chez vous débarrassée de votre nom! Par exemple, si votre gouvernante voulait vous appeler pour vous faire réciter vos leçons, elle crierait : « Venez... », puis elle resterait coite parce qu'elle n'aurait aucun nom à articuler, et, naturellement, vous n'auriez pas à vous déranger puisque vous seriez censée ne pas savoir à qui s'adresserait son « venez », voyez-vous bien. »

---

1. 2. Il est fait mention de ces deux curieux insectes dans un poème de notre regretté ami Jean Arp : *Bestiaire sans prénom* (*Jours effeuillés, Gallimard*, 1966). (N.d.T.)

"That would never do, I'm sure," said Alice: "the
governess would never think of excusing me lessons for
that. If she couldn't remember my name, she'd call me
'Miss!' as the servants do."

'Well, if she said 'Miss.' and didn't say anything more,"
the Gnat remarked, "of course you'd miss your lessons.
That's a joke. I wish *you* had made it."

"Why do you wish *I* had made it?" Alice asked. "It's a
very bad one."

But the Gnat only sighed deeply, while two large tears
came rolling down its cheeks.

"You shouldn't make jokes," Alice said, "if it makes
you so unhappy."

Then came another of those melancholy little sighs, and
this time the poor Gnat really seemed to have sighed itself
away, for, when Alice looked up, there was nothing whatever to be seen on the twig, and, as she was getting quite
chilly with sitting still so long, she got up and walked on.

She very soon came to an open field, with a wood on
the other side of it: it looked much darker than the last
wood, and Alice felt a *little* timid about going into it.
However, on second thoughts, she made up her mind to
go on: "for I certainly won't go *back*," she thought to
herself, and this was the only way to the Eighth Square.

"This must be the wood," she said thoughtfully to herself,
"where things have no names. I wonder what'll become of
my name when I go in? I shouldn't like to lose it at all—
because they'd have to give me another, and it would be
almost certain to be an ugly one. But then the fun would
be, trying to find the creature that had got my old name!
That's just like the advertisements, you know, when
people lose dogs—'answers to the name of "Dash": had
on a brass collar'—just fancy calling everything you met

« Cela ne se passerait pas ainsi, j'en suis sûre, dit Alice;
ma gouvernante ne me dispenserait pas de mes leçons pour
autant. Si elle ne parvenait pas à se remémorer mon nom,
elle me crierait : « ... vous, là-bas, voulez-vous répondre,
Mademoiselle! »

« Eh bien, si elle vous demandait : « Voulez-vous
répondre Mademoiselle », sans rien ajouter d'autre, repartit
le Moucheron, vous lui répondriez purement et simplement :
« Mademoiselle » et vous n'auriez donc pas à réciter vos
leçons. C'est un jeu de mots; je voudrais que vous l'eussiez
fait vous-même. »

« Pourquoi donc voudriez-vous que je l'eusse fait moi-
même ? s'enquit Alice. C'est un très mauvais jeu de mots. »

Mais le Moucheron ne fit rien que pousser un profond
soupir, tandis que deux grosses larmes lui roulaient sur les
joues.

« Vous ne devriez pas faire de jeux de mots, lui dit Alice,
puisque cela vous rend si malheureux. »

Derechef on entendit un faible soupir mélancolique, et,
cette fois, l'on put croire que le pauvre Moucheron s'était
évanoui dans les airs avec son soupir, car, lorsque Alice
leva les yeux, il n'y avait plus rien de visible sur la branche.
Comme la fillette commençait à se sentir transie d'être
restée si longtemps assise sans bouger, elle se leva et se
remit en route.

Bientôt elle arriva devant un espace découvert, de l'autre
côté duquel l'on voyait une forêt. Elle avait l'air beaucoup
plus sombre que le bois où elle s'était promenée précédemment, et Alice éprouva une *légère* appréhension à l'idée de
devoir y pénétrer. Néanmoins, réflexion faite, elle décida
de continuer d'avancer : « Car, pensa-t-elle, je ne saurais
certes pas revenir *en arrière*. » Du reste, c'était la seule
route qui menât à la huitième case.

« Ce doit être, se dit-elle, pensive, la forêt où les choses
n'ont pas de noms. Je me demande ce qu'il adviendra de
mon nom, à moi, lorsque j'y serai entrée... Je n'aimerais
pas du tout le perdre, car l'on serait alors obligé de m'en
donner un autre, qui aurait toutes chances d'être laid. Mais,
d'un autre côté, ce qui serait drôle, ce serait d'essayer de
trouver la créature qui aurait pris mon ancien nom! Cela
ferait penser à ces annonces que mettent dans les jour-
naux les personnes qui perdent leur chien : « *Répond
au nom d'Azor : portait un collier de cuivre* »... Vous
voyez-vous appelant tous les objets que vous rencontreriez
« Alice », jusqu'à ce que l'un d'eux réponde! Du reste,

'Alice,' till one of them answered! Only they wouldn't answer at all, if they were wise."

She was rambling on in this way when she reached the wood: it looked very cool and shady. "Well, at any rate it's a great comfort," she said as she stepped under the trees, "after being so hot, to get into the—into the—into *what?*" she went on, rather surprised at not being able to think of the word. "I mean to get under the—under the—under *this*, you know!" putting her hand on the trunk of the tree. "What *does* it call itself? I do believe it's got no name—why, to be sure it hasn't!"

She stood silent for a minute, thinking: then she suddenly began again. "Then it really *has* happened, after all! And now, who am I? I *will* remember, if I can! I'm determined to do it!" But being determined didn't help her much, and all she could say, after a great deal of puzzling, was, "L, I *know* it begins with L!"

Just then a Fawn came wandering by: it looked at Alice with its large gentle eyes, but didn't seem at all frightened. "Here then! Here then!" Alice said, as she held out her hand and tried to stroke it; but it only started back a little, and then stood looking at her again.

"What do you call yourself?" the Fawn said at last. Such a soft sweet voice it had!

"I wish I knew!" thought poor Alice. She answered, rather sadly, "Nothing, just now."

"Think again," it said: "that won't do."

Alice thought, but nothing came of it. "Please, would you tell me what *you* call yourself?" she said timidly. "I think that might help a little."

"I'll tell you, if you'll come a little further on," the Fawn said. "I can't remember here."

So they walked on together through the wood, Alice with her arms clasped lovingly round the soft neck of the Fawn, till they came out into another open field, and here the Fawn gave a sudden bound into the air, and shook itself free from Alice's arms. "I'm a Fawn!" it cried out

s'ils étaient doués de quelque sagesse, ils ne répondraient pas. »

Elle était en train de laisser son imagination divaguer sur ce thème lorsqu'elle parvint à l'orée de la forêt, qui semblait être ombreuse et fraîche. « En tout cas, ma foi, c'est bien agréable, dit-elle en cheminant sous les arbres, après avoir eu si chaud, de pénétrer dans le... dans la... dans *quoi* ? poursuivit-elle, quelque peu surprise de ne pouvoir trouver le mot. Je veux dire, de se trouver sous le... sous la... sous *ceci*, voyez-vous bien! Posant la main sur le tronc de l'arbre : Comment donc cela se nomme-t-il ? Je crois que ça n'a pas de nom... C'est, ma foi, bien sûr, que ça n'en a pas! »

Elle se tint coite, à réfléchir, une minute durant; puis, tout à coup, elle s'exclama : « Ainsi, ça a bel et bien fini par arriver! Et maintenant, qui suis-je ? Je veux absolument m'en souvenir, si je le puis! Je suis déterminée à en avoir le cœur net! » Mais la détermination, en l'occurrence, ne servait pas à grand'chose, et tout ce qu'elle put trouver à dire, après s'être bien torturé les méninges, ce fut : « L, je suis sûre et certaine que ça commence par une L! »

A ce moment précis, un Faon vint flâner tout près d'elle : il regardait Alice de ses grands yeux tendres, sans avoir l'air effrayé le moins du monde. « Viens! Viens! » lui dit Alice en tendant la main et en essayant de le caresser; mais il ne fit que reculer un peu, puis s'arrêta pour la regarder derechef.

« Qui êtes-vous ? » finit par demander le Faon. Quelle douce voix il avait!

« Je voudrais bien le savoir! » pensa la pauvre Alice. Elle répondit, non sans quelque tristesse : « Pour l'instant, rien du tout. »

« Réfléchissez encore, dit le Faon; ce que vous venez d'affirmer n'est pas admissible. »

Alice réfléchit, mais sans résultat. « Pourrais-tu, je te prie, me dire qui tu es toi-même ? demanda-t-elle timidement. De le savoir, je crois que cela pourrait m'aider un peu. »

« Je vous le dirai si vous voulez bien que nous fassions ensemble quelques pas, répondit le Faon. Ici, je ne saurais m'en souvenir. »

Ils cheminèrent donc de conserve à travers la forêt. La fillette entourait affectueusement de ses bras le cou du Faon au doux pelage. Ils arrivèrent ainsi sur un autre terrain découvert, et là, brusquement, le Faon fit un bond qui l'arracha des bras de sa compagne. « Je suis un Faon! »

in a voice of delight. "And, dear me, you're a human
child!" A sudden look of alarm came into its beautiful
brown eyes, and in another moment it had darted away
at full speed.

Alice stood looking after it, almost ready to cry with
vexation at having lost her dear little fellow-traveller
so suddenly. "However, I know my name now," she said:
"that's *some* comfort. Alice—Alice—I won't forget it again.
And now, which of these finger-posts ought I to follow,
I wonder?"

It was not a difficult question to answer, as there was
only one road through the wood, and the two finger-posts
both pointed along it. "I'll settle it," Alice said to herself,
"when the road divides and they point different ways."

But this did not seem likely to happen. She went on
and on, a long way, but wherever the road divided there
were sure to be two finger-posts pointing the same way,
one marked, "TO TWEEDLEDUM'S HOUSE," and the other,
"TO THE HOUSE OF TWEEDLEDEE."

"I do believe," said Alice at last, "that they live in the
same house! I wonder I never thought of that before—But
I can't stay there long. I'll just call and say, 'How d'ye do?'
and ask them the way out of the wood. If I could only get
to the Eighth Square before it gets dark!" So she wan-
dered on, talking to herself as she went, till, on turning a
sharp corner, she came upon two fat little men, so suddenly that she could not help starting back, but in another
moment she recovered herself, feeling sure that they
must be—

s'écria-t-il d'un ton de voix ravi. Et, malheur, ajouta-t-il, vous, vous êtes un Faon d'homme! Une soudaine expression de crainte passa dans ses beaux yeux bruns et, un instant plus tard, il fuyait en bondissant de toute la détente de ses pattes.

Alice, les larmes aux yeux de dépit d'avoir perdu si vite son cher petit compagnon de voyage, le regarda s'enfuir. « Du moins, je sais mon nom, désormais, dit-elle, c'est toujours une consolation. Alice... Alice... Je ne l'oublierai plus. Et maintenant, je me le demande, auquel de ces deux poteaux indicateurs dois-je me fier ? »

Il n'était pas très difficile de répondre à cette question, car il n'y avait qu'une seule route qui s'enfonçait à travers bois, et les poteaux indicateurs désignaient tous deux la même direction. « J'en déciderai, se dit Alice, lorsque la route bifurquera et que les poteaux indiqueront deux directions différentes. »

Ceci semblait avoir peu de chances de se produire. Alice marcha longtemps, longtemps; mais, chaque fois que la route bifurquait, il y avait immanquablement deux poteaux indicateurs montrant la même direction. Sur l'un on lisait : « RÉSIDENCE TWIDEULDEUME » et sur l'autre : « TWIDEUL-DIE : RÉSIDENCE ».

« Je crois bien, finit par dire Alice, qu'ils habitent dans une seule et même maison! Comment n'y avais-je pas pensé plus tôt... Mais il ne faut pas que je m'y attarde. Je me bornerai à aller les voir pour leur dire : « Comment allez-vous ? » et leur demander le chemin par où l'on sort de la forêt. Si seulement je pouvais arriver à la huitième case avant la tombée de la nuit! » Elle poursuivit donc sa déambulation, tout en parlant à part soi, chemin faisant, jusqu'à ce que, à la sortie d'un tournant brusque, elle tombât sur deux gros petits bonshommes, de manière si inattendue qu'elle ne put s'empêcher de marquer un mouvement de recul. Mais, un instant plus tard, elle avait recouvré tout son sang-froid en comprenant que les deux petits bonshommes ne pouvaient être que...

CHAPTER IV

TWEEDLEDUM AND TWEEDLEDEE

They were standing under a tree, each with an arm round the other's neck, and Alice knew which was which in a moment, because one of them had "DUM" embroidered on his collar, and the other "DEE." "I suppose they've each got 'TWEEDLE' round at the back of the collar," she said to herself.

They stood so still that she quite forgot they were alive, and she was just going round to see if the word "TWEEDLE" was written at the back of each collar, when she was startled by a voice coming from the one marked "DUM."

"If you think we're wax-works," he said, "you ought to pay, you know. Wax-works weren't made to be looked at for nothing. Nohow!"

"Contrariwise," added the one marked "DEE," "if you think we're alive, you ought to speak."

"I'm sure I'm very sorry," was all Alice could say; for the words of the old song kept ringing through her head like the ticking of a clock, and she could hardly help saying them out loud:

> Tweedledum and Tweedledee
>   Agreed to have a battle;
> For Tweedledum said Tweedledee
>   Had spoiled his nice new rattle.

> Just then flew down a monstrous crow,
>   As black as a tar-barrel;

CHAPITRE IV

TWIDEULDEUME ET TWILDEULDIE

Ils étaient debout sous un arbre; chacun d'eux avait le bras passé autour du cou de l'autre, et Alice sut les identifier immédiatement, car ils avaient, l'un le mot « DEUME » et l'autre le mot « DIE » brodés sur le devant de leur col de chemise. « Je suppose que, sur le derrière de leur col, ils ont tous deux le mot « TWIDEUL »»», se dit-elle.

Ils observaient une immobilité si complète, qu'elle oublia tout à fait qu'ils étaient vivants, et elle s'apprêtait à aller regarder la partie postérieure de leur col pour savoir si le mot « TWIDEUL » y était effectivement inscrit, lorsqu'elle sursauta en entendant retentir une voix en provenance de celui qui était marqué « DEUME ».

« Si vous nous prenez pour des figures de cire, vous devriez, disait-il, payer pour avoir le droit de nous contempler, voyez-vous bien. Les figures de cire n'ont pas été faites pour qu'on les regarde sans bourse délier. En aucune façon. »

« Si, tout au contraire, ajouta celui qui était marqué « DIE », vous estimez que nous sommes vivants, vous devriez nous parler. »

« Je vous fais toutes mes excuses »; c'est tout ce que sut dire Alice; car les paroles de la vieille chanson résonnaient sans cesse dans sa tête, comme le tic-tac d'une horloge, et elle avait peine à s'empêcher de les réciter à haute voix :

« *Twideuldeume avec Twideuldie*
Tenait à se battre en duel;
Twideuldeume, en effet, disait que Twideuldie
Lui avait abîmé sa nouvelle crécelle.

C'est alors qu'un sinistre et monstrueux corbeau,
Sur eux fondant du haut du ciel,

Which frightened both the heroes so,
They quite forgot their quarrel.

"I know what you're thinking about," said Tweedledum: "but it isn't so, nohow."

"Contrariwise," continued Tweedledee, "if it was so, it might be; and if it were so, it would be: but as it isn't, it ain't. That's logic."

"I was thinking," Alice said very politely, "which is the best way out of this wood: it's getting so dark. Would you tell me, please ?"

But the fat little men only looked at each other and grinned.

They looked so exactly like a couple of great school-boys, that Alice couldn't help pointing her finger at Tweedledum, and saying, "First Boy!"

"Nohow!" Tweedledum cried out briskly, and instantly shut his mouth up again with a snap.

"Next Boy!" said Alice, passing on to Tweedledee, though she felt quite certain he would only shout out, "Contrariwise!" and so he did.

"You've begun wrong!" cried Tweedledum. "The first thing in a visit is to say 'How d'ye do ?' and shake hands!" And here the two brothers gave each other a hug, and then they held out the two hands that were free, to shake hands with her.

Alice did not like shaking hands with either of them first, for fear of hurting the other one's feelings; so, as the best way out of the difficulty, she took hold of both hands at once: the next moment they were dancing round in a ring. This seemed quite natural (she remembered after-wards), and she was not even surprised to hear music playing: it seemed to come from the tree under which they were dancing, and it was done (as well as she could make it out) by the branches rubbing one across the other, like fiddles and fiddlesticks.

"But it certainly *was* funny," (Alice said afterwards, when she was telling her sister the history of all this), "to find

> *Tant effraya nos deux héros,*
> *Qu'ils durent, sur-le-champ, oublier leur querelle.* »

« Je sais à quoi vous pensez, dit Twideuldeume; mais cela n'est vrai en aucune façon. »

« Si, tout au contraire, c'était vrai, poursuivit Twideuldie, il se pourrait que ce ne fût pas faux; et si cela n'était pas faux, ça devrait être vrai; mais comme ce n'est pas vrai, en bonne logique, c'est faux. »

« J'étais en train de me demander, dit très poliment Alice, quel serait le meilleur chemin à prendre pour sortir de cette forêt; il commence à faire si sombre! Voudriez-vous me l'indiquer, s'il vous plaît ? »

Mais les gros petits bonshommes ne firent rien que se regarder en ricanant.

Ils ressemblaient tellement à deux grands écoliers qu'Alice ne put s'empêcher de montrer du doigt Twideuldeume en ordonnant : « Vous, là, le premier, répondez lorsqu'on vous interroge! »

« En aucune façon! » s'écria avec véhémence Twideuldeume, dont aussitôt la bouche se referma avec un bruit sec.

« Espérons que nous allons avoir plus de chance avec le suivant! » dit Alice en s'adressant cette fois à Twideuldie, mais avec la certitude qu'il se contenterait de crier : « Tout au contraire », ce qui ne manqua pas d'arriver.

« Vous vous y êtes mal prise! s'écria Twideuldeume. La première chose à faire lorsque l'on va voir quelqu'un, c'est de demander : « Comment allez-vous ? » en lui serrant la main! » Et, là-dessus, les deux frères se donnèrent mutuellement l'accolade tandis que chacun d'eux, afin de lui serrer la sienne, tendait à la fillette son unique main libre.

Alice ne pouvait se résoudre à serrer en premier la main de l'un des frères, de crainte de froisser l'autre. Pour se tirer d'embarras, elle saisit les deux mains en même temps; l'instant d'après, tous trois étaient en train de danser une ronde. Cela (elle s'en souvint par la suite) lui parut tout naturel, et elle ne fut même pas surprise d'entendre jouer de la musique; cette musique émanait, semblait-il, de l'arbre sous lequel ils dansaient, et elle était produite (pour autant qu'elle pût s'en rendre compte) par les branches se frottant les unes contre les autres, comme violons et archets.

« Mais ce que j'ai trouvé vraiment drôle (dit Alice à sa sœur lorsque par la suite elle lui raconta ses aventures) ce

myself singing 'Here we go round the mulberry bush.'
I don't know when I began it, but somehow I felt as if I'd
been singing it a long long time!"

The other two dancers were fat, and very soon out of
breath. "Four times round is enough for one dance,"
Tweedledum panted out, and they left off dancing as
suddenly as they had begun: the music stopped at the same
moment.

Then they let go of Alice's hands, and stood looking at
her for a minute: there was a rather awkward pause, as
Alice didn't know how to begin a conversation with people
she had just been dancing with. "It would never do to say,
'How d'ye do?' *now*," she said to herself: "we seem to
have got beyond that, somehow!"

"I hope you're not much tired?" she said at last.

"Nohow. And thank you *very* much for asking," said
Tweedledum.

"So *much* obliged!" added Tweedledee. "You like
poetry?"

"Ye-es, pretty well—*some* poetry," Alice said doubtfully, "Would you tell me which road leads out of the
wood?"

"What shall I repeat to her?" said Tweedledee, looking
round at Tweedledum with great solemn eyes, and not
noticing Alice's question.

" 'The Walrus and the Carpenter' is the longest," Tweedledum replied, giving his brother an affectionate hug.

Tweedledee began instantly:

> "*The sun was shining——*"

Here Alice ventured to interrupt him. "If it's *very* long,"
she said, as politely as she could, "would you please tell me
first which road——"

Tweedledee smiled gently, and began again:

> "*The sun was shining on the sea,*
> *Shining with all his might:*
> *He did his very best to make*

fut certes de me rendre compte que j'étais en train de chanter « *Dansons la capucine...* » Je ne sais à quel moment je
m'y suis mise, mais, en tout cas, j'ai eu l'impression que je
chantais cela depuis très, très longtemps. »

Les deux autres danseurs étaient gros, et bientôt ils furent
à bout de souffle. « Quatre petits tours, c'est assez pour
une danse », articula Twideuldeume, haletant; et ils s'arrêtèrent aussi soudainement qu'ils avaient commencé : la
musique, au même instant, cessa de se faire entendre.

Ils lâchèrent alors les mains d'Alice, et la contemplèrent
une minute durant : il y eut un silence assez embarrassé,
Alice ne sachant trop comment engager la conversation
avec des gens qu'elle ne connaissait que pour avoir dansé
la ronde avec eux. « Il ne serait guère indiqué *maintenant*
de leur demander : « Comment allez-vous ? » dit-elle à part
soi : il semble, en tout état de cause, que nous n'en soyons
plus là! »

« J'espère que vous n'êtes pas fatigués ? » leur demanda-
t-elle enfin.

« En aucune façon. Et mille fois merci de nous l'avoir
demandé », répondit Twideuldeume.

« Très, très obligés! ajouta Twideuldie. Aimez-vous la
poésie ? »

« Ou... oui, assez... du moins un certain genre de poésie,
répondit Alice sans conviction. Voudriez-vous me dire quel
chemin il me faut prendre pour sortir de la forêt ? »

« Que vais-je lui réciter ? » demanda Twideuldie en
tournant vers Twideuldeume de grands yeux au regard
empreint de solennité, et sans prêter attention à la question d'Alice.

« *Le Morse et le Charpentier*, c'est la plus longue »,
répondit Twideuldeume en donnant à son frère une affec-
tueuse accolade.

Twideuldie se mit à déclamer sans plus attendre :

> « *Le soleil, sur la mer, brillait...* »

A ce moment, Alice prit sur elle de l'interrompre : « Si
votre poésie doit être vraiment très longue, dit-elle aussi
courtoisement que possible, pourriez-vous tout d'abord
avoir l'obligeance de me dire quel chemin... »

Twideuldie arbora son plus aimable sourire et reprit :

> « *Le soleil, sur la mer, brillait;*
>   *Il brillait de tout son éclat;*
>   *Il s'évertuait à calmer*

The billows smooth and bright—
And this was odd, because it was
The middle of the night.

"The moon was shining sulkily,
Because she thought the sun
Had got no business to be there
After the day was done—
'It's very rude of him,' she said,
'To come and spoil the fun!'

"The sea was wet as wet could be,
The sands were dry as dry.
You could not see a cloud, because
No cloud was in the sky:
No birds were flying overhead—
There were no birds to fly.

"The Walrus and the Carpenter
Were walking close at hand;
They wept like anything to see
Such quantities of sand:
'If this were only cleared away,'
They said, 'it would be grand?'

" 'If seven maids with seven mops
Swept it for half a year,
Do you suppose', the Walrus said,
'That they could get it clear?'
I doubt it,' said the Carpenter,
And shed a bitter tear.

" 'O Oysters, come and walk with us!'
The Walrus did beseech.
'A pleasant walk, a pleasant talk,
Along the briny beach:
We cannot do with more than four,
To give a hand to each.'

"The eldest Oyster looked at him,
But never a word he said:
The eldest Oyster winked his eye,
And shook his heavy head—
Meaning to say he did not choose
To leave the oyster-bed.

   Et faire étinceler les flots...
Et c'était, voyez-vous, très bizarre, parce que
   C'était au milieu de la nuit.

   La lune luisait, l'air maussade,
   Et, trouvant que ça n'était pas
   Au soleil de se trouver là
   Quand la journée était finie :
« C'est, de sa part, disait-elle, fort impoli,
De, parmi nous, venir jouer les trouble-fête ! »

La mer était mouillée, oui, mouillée au possible;
De la plage le sable, sec, sec au possible;
Vous n'auriez pas pu voir un nuage, parce que
Dans le ciel il n'y avait pas un seul nuage;
Nul oiseau n'eût volé au-dessus de vos têtes...
Parce qu'il n'y avait nul oiseau à voler.

   Or, le Morse et le Charpentier
   Marchaient l'un à côté de l'autre;
Tous deux pleuraient comme je ne sais quoi de voir
Une si accablante quantité de sable :
« Si seulement c'était une fois déblayé,
Disaient-ils, certe, alors, ce serait formidable ! »

« Si sept femmes de chambres, de sept balais armées,
Le balayaient durant, tout entière, une année,
Supposes-tu, s'enquit ingénument le Morse,
Qu'elles viendraient à bout de ce tas de poussière ? »
« J'en doute », répondit, sans plus, le Charpentier,
Tout en laissant couler quelques larmes amères.

« O Huîtres, avec nous venez vous promener !
Se mit à proposer — trop aimable ! — le Morse :
Ensemble faisons une causette agréable
Tout le long, tout le long de la plage salée.
Nous ne pouvons, hélas ! en emmener que quatre,
Car à chacune il faut que nous donnions la main. »

La plus vieille des Huîtres regarda le Morse,
   Mais sans proférer un seul mot;
La plus vieille des Huîtres leur cligna de l'œil
   En hochant lourdement la tête,
Par là signifiant qu'elle, elle préférait
Prudemment demeurer au sein du parc à huîtres.

"But four young Oysters hurried up,
    All eager for the treat:
Their coats were brushed, their faces washed,
    Their shoes were clean and neat—
And this was odd, because, you know,
    They hadn't any feet.

"Four other Oysters followed them,
    And yet another four;
And thick and fast they came at last,
    And more, and more, and more—
All hopping through the frothy waves,
    And scrambling to the shore.

"The Walrus and the Carpenter
    Walked on a mile or so,
And then they rested on a rock
    Conveniently low:
And all the little Oysters stood
    And waited in a row.

"'The time has come,' the Walrus said,
    'To talk of many things:
Of shoes—and ships—and sealing-wax—
    Of cabbages—and kings—
And why the sea is boiling hot—
    And whether pigs have wings.'

" 'But, wait a bit,' the Oysters cried,
    'Before we have our chat;
For some of us are out of breath,
    And all of us are fat!'
'No hurry!' said the Carpenter.
    They thanked him much for that.

" 'A loaf of bread,' the Walrus said,
    'Is what we chiefly need:
Pepper and vinegar besides
    Are very good indeed—
Now, if you're ready, Oysters dear,
    We can begin to feed.'

" 'But not on us!' the Oysters cried,
    Turning a little blue.
'After such kindness, that would be

Mais quatre jeunes, désireuses
De se divertir, accoururent,
Le visage lavé, la veste bien brossée,
Les souliers propres et cirés,
Et c'était, voyez-vous, très bizarre, parce que
Ces huîtres n'avaient pas de pieds.

Quatre autres huîtres les suivirent,
Puis quatre autres huîtres encore;
Et en foule bientôt les huîtres accoururent,
D'autres encore, encore, et encore, encor d'autres,
Sautillant à travers l'écume de la vague
Et se bousculant pour atteindre le rivage.

Donc, le Morse et le Charpentier
Parcoururent à pied une lieue environ,
Puis s'assirent sur un rocher
Assez bas pour qu'on pût y poser son derrière;
Et toutes les petites huîtres s'arrêtèrent
Devant ledit rocher et se mirent en rang.

« Le moment, articula le Morse, est venu
De parler de nombre de choses :
De souliers... de bateaux... de cire à cacheter...
De choux... et puis... de rois...
Et de dire pourquoi les vagues sont bouillantes...
Et s'il est bien exact que les porcs aient des ailes. »

« Eh! attendez un peu, s'écrièrent les Huîtres,
Avant que d'engager la conversation,
Car plusieurs d'entre nous semblent tout essoufflées,
Et nous sommes si grasses! »
« Rien ne presse », leur répondit le Charpentier.
On le remercia beaucoup de sa bonté.

« Une miche de pain, fit observer le Morse,
Voilà ce que d'abord il nous faut déballer;
Du poivre et du vinaigre ensuite
Ne sont point, certe, à dédaigner;
Maintenant, si vous êtes prêtes, chères Huîtres,
Nous allons pouvoir commencer à déjeuner. »

« Mais pas à nos dépens! protestèrent les Huîtres
En blémissant sous leur écaille.
Après tant de gentillesse, cela serait

A dismal thing to do!'
'The night is fine,' the Walrus said.
'Do you admire the view?

" 'It was so kind of you to come!
And you are very nice!'
The Carpenter said nothing but
'Cut us another slice:
I wish you were not quite so deaf—
I've had to ask you twice!'

" 'It seems a shame,' the Walrus said,
'To play them such a trick,
After we've brought them out so far,
And made them trot so quick!'
The Carpenter said nothing but
'The butter's spread too thick!'

" 'I weep for you,' the Walrus said:
'I deeply sympathise.'
With sobs and tears he sorted out
Those of the largest size,
Holding his pocket-handkerchief
Before his streaming eyes.

" 'O Oysters,' said the Carpenter,
'You've had a pleasant run!
Shall we be trotting home again?'
But answer came there none—
And this was scarcely odd, because
They'd eaten every one."

"I like the Walrus best," said Alice: "because you see he was a *little* sorry for the poor oysters."

"He ate more than the Carpenter, though," said Tweed-ledee. "You see he held his handkerchief in front, so that the Carpenter couldn't count how many he took: contrari-wise."

"That was mean!" Alice said indignantly. "Then I like

>   *Une noirceur abominable!* »
> « *La nuit est, répondit le Morse, radieuse;*
>   *Le paysage est admirable.*

> « *C'est fort gentil à vous, Huîtres, d'être venues!*
>   *Et vous êtes exquises!* »
>   *Le Charpentier dit seulement :*
> « *De ce pain que voici coupe-nous d'autres tranches,*
>   *Et tâche d'être un peu moins sourd;*
> *J'ai été obligé de le dire deux fois!* »

> « *C'est une grande honte, s'indigna le Morse,*
>   *Que de leur jouer pareil tour,*
> *Après avoir mené ces pauvrettes si loin*
> *Et surtout les avoir fait galoper si vite!* »
>   *Le Charpentier dit simplement :*
>   « *Tu as mis encor trop de beurre!* »

> « *Je pleure quand je songe à votre triste sort,*
> *Dit le Morse, j'y compatis de tout mon cœur.* »
> *Secoué de sanglots et versant mainte larme,*
> *Il se saisit alors des huîtres les plus grosses,*
> *En ayant soin pourtant de tenir son mouchoir*
>   *Devant ses yeux tout ruisselants.*

> « *O Huîtres, dit le Charpentier,*
> *Vous avez fait une agréable promenade!*
> *Allons-nous maintenant trotter vers la maison ?* »
> *De réponse des huîtres, il n'y en eut pas,*
> *Et ceci n'a rien de très bizarre, parce que*
> *Nos deux beaux compagnons les avaient dévorées* [1]. »

« Je préfère, dit Alice, le Morse, parce que, voyez-vous bien, lui, au moins, il a ressenti un peu de pitié pour les pauvres huîtres. »

« Ça ne l'a pas empêché d'en manger plus que n'en a mangé le Charpentier, dit Twideuldie. Il tenait son mouchoir devant lui, voyez-vous bien, pour que le Charpentier ne puisse compter combien il en prenait : tout au contraire. »

« Comme c'est vilain! s'exclama, indignée, Alice. Dans

---

1. Notre ami André Bay a inséré nos successives versions françaises de ce poème dans les diverses éditions de sa traduction de *Through the Looking-glass and what Alice found there*.

H. P.

the Carpenter best—if he didn't eat so many as the Walrus."

"But he ate as many as he could get," said Tweedledum.

This was a puzzler. After a pause, Alice began, "Well! They were *both* very unpleasant characters—" Here she checked herself in some alarm, at hearing something that sounded to her like the puffing of a large steam-engine in the wood near them, though she feared it was more likely to be a wild beast. "Are there any lions or tigers about here ?" she asked timidly.

"It's only the Red King snoring," said Tweedledee.

"Come and look at him!" the brothers cried, and they each took one of Alice's hands, and led her up to where the King was sleeping.

"Isn't he a *lovely* sight ?" said Tweedledum.

Alice couldn't say honestly that he was. He had a tall red night-cap on, with a tassel, and he was lying crumpled up into a sort of untidy heap, and snoring loud—"fit to snore his head off!" as Tweedledum remarked.

"I'm afraid he'll catch cold with lying on the damp grass," said Alice, who was a very thoughtful little girl.

"He's dreaming now," said Tweedledee: "and what do you think he's dreaming about ?"

Alice said, "Nobody can guess that."

"Why, about *you!*" Tweedledee exclaimed, clapping his hands triumphantly. "And if he left off dreaming about you, where do you suppose you'd be ?"

"Where I am now, of course," said Alice.

"Not you!" Tweedledee retorted contemptuously. "You'd be nowhere. Why, you're only a sort of thing in his dream!"

"If that there King was to wake," added Tweedledum, "you'd go out—bang!—just like a candle!"

"I shouldn't!" Alice exclaimed indignantly. "Besides, if *I'm* only a sort of thing in his dream, what are *you*, I should like to know ?"

"Ditto," said Tweedledum.

ce cas, je préfère le Charpentier, puisqu'il en a mangé moins que n'en a mangé le Morse. »

« Mais il en a mangé autant qu'il en a pu prendre », dit Twideuldeume.

Voilà qui était fort embarrassant. Après un moment de réflexion, Alice commença de dire : « Eh bien! *l'un et l'autre* étaient des individus bien antipathiques... » Là elle s'interrompit tout net, quelque peu inquiète d'entendre un bruit qui ressemblait au halètement, dans la forêt prochaine, d'une grosse locomotive, et qui, elle le craignait, avait toutes chances d'être produit plutôt par une bête sauvage. « Y a-t-il par ici des lions ou des tigres ? » demanda-t-elle, assez peu fière.

« Ce n'est que le Roi Rouge qui ronfle », répondit Twideuldie.

« Venez donc le voir! » s'écrièrent les deux frères en prenant, chacun par une main, Alice, pour la mener là où le Roi dormait.

« N'est-il pas *adorable ?* » demanda Twideuldeume.

En toute honnêteté, Alice ne pouvait dire qu'elle trouvât qu'il le fût. Il avait, sur la tête, un grand bonnet de nuit rouge orné d'un gland et il gisait ratatiné en une sorte de tas malpropre. En outre il ronflait bruyamment : « A s'en faire sauter le cabochon! » comme le fit remarquer Twideuldeume.

« J'ai peur qu'il ne prenne froid, à rester ainsi couché sur l'herbe humide », dit Alice, qui était une petite fille très prévenante.

« Il est présentement en train de rêver, dit Twideuldie; et de qui croyez-vous qu'il rêve ? »

« Nul ne peut deviner cela », répondit Alice.

« Allons donc! il rêve de *vous*! s'exclama Twideuldeume en battant des mains d'un air triomphant. Et s'il cessait de rêver de vous, où croyez-vous donc que vous seriez ? »

« Où je me trouve à présent, bien entendu », dit Alice.

« Jamais de la vie! répliqua, d'un air de profond mépris, Twideuldie. Vous ne seriez nulle part. Vous n'êtes qu'une espèce d'objet figurant dans son rêve! »

« Si le Roi ici présent venait à se réveiller, ajouta Twideuldeume, vous vous trouveriez soufflée — pfutt! — tout comme une chandelle! »

« Ce n'est pas vrai! s'exclama avec indignation Alice. Du reste, si, *moi*, je ne suis qu'une espèce d'objet figurant dans son rêve, j'aimerais savoir ce que *vous*, vous êtes. »

« Dito », fit Twideuldeume.

"Ditto, ditto!" cried Tweedledee.

He shouted this so loud that Alice couldn't help saying, "Hush! You'll be waking him, I'm afraid, if you make so much noise."

"Well, it's no use *your* talking about waking him," said Tweedledum, "when you're only one of the things in his dream. You know very well you're not real."

"I *am* real!" said Alice, and began to cry.

"You won't make yourself a bit realer by crying," Tweedledee remarked: "there's nothing to cry about."

"If I wasn't real," Alice said—half-laughing through her tears, it all seemed so ridiculous—"I shouldn't be able to cry."

"I hope you don't suppose those are real tears ?" Tweedledum interrupted in a tone of great contempt.

"I know they're talking nonsense," Alice thought to herself: "and it's foolish to cry about it." So she brushed away her tears, and went on as cheerfully as she could, "At any rate I'd better be getting out of the wood, for really it's coming on very dark. Do you think it's going to rain ?"

Tweedledum spread a large umbrella over himself and his brother, and looked up into it. "No, I don't think it is," he said: "at least—not under *here*. Nohow."

"But it may rain *outside* ?"

"It may—if it chooses," said Tweedledee: "we've no objection. Contrariwise."

"Selfish things!" thought Alice, and she was just going to say, "Good night," and leave them, when Tweedledum sprang out from under the umbrella, and seized her by the wrist.

"Do you see *that* ?" he said, in a voice choking with passion, and his eyes grew large and yellow all in a moment, as he pointed with a trembling finger at a small white thing lying under the tree.

"It's only a rattle," Alice said, after a careful examination of the little white thing. "Not a rattle-*snake*, you know," she added hastily, thinking that he was frightened; "only an old rattle—quite old and broken."

« Dito, dito! » répéta Twideuldie.

Il cria cela si fort qu'Alice ne put s'empêcher de dire :
« Chut! Vous allez le réveiller, je le crains, si vous faites
tant de bruit. »

« Allons donc, comment pouvez-vous parler de le réveiller, repartit Twideuldeume, alors que vous n'êtes qu'un des
objets figurant dans son rêve. Vous savez fort bien que vous
n'êtes pas réelle. »

« Bien sûr que si, que je suis réelle! » protesta Alice en
se mettant à pleurer.

« Ce n'est pas en pleurant que vous vous rendrez plus
réelle, fit remarquer Twideuldie; et il n'y a pas là de quoi
pleurer. »

« Si je n'étais pas réelle, dit Alice — en riant à demi à
travers ses larmes, tant tout cela lui semblait ridicule — je
ne serais pas capable de pleurer. »

« J'espère que vous ne prenez pas ce qui coule de vos
yeux pour de vraies larmes ? » demanda Twideuldeume
sur le ton du plus parfait mépris.

« Je sais que ce qu'ils disent est inepte, pensa, en son for
intérieur, Alice, et je suis bien sotte de pleurer pour cela. »
Elle essuya donc ses larmes et poursuivit aussi gaiement
qu'elle le put : « En tout cas, je ferais mieux de sortir de
cette forêt, car, vraiment, il commence à y faire très sombre.
Croyez-vous qu'il va pleuvoir ? »

Twideuldeume ouvrit, au-dessus de sa propre tête et de
celle de son frère, un grand parapluie, et leva les yeux vers
le dôme formé par l'ustensile : « Non, je ne le crois pas,
dit-il; du moins, pas là-dessous. En aucune façon. »

« Mais il peut pleuvoir *à l'extérieur* de votre abri ? »

« Il peut pleuvoir... s'il veut pleuvoir, déclara Twideuldie;
nous n'y voyons aucun inconvénient. Tout au contraire. »

« Les affreux égoïstes! » pensa Alice, et elle s'apprêtait
à leur dire « Bonsoir » et à prendre congé d'eux, lorsque
Twideuldeume bondit de dessous le parapluie et lui saisit
le poignet.

« Voyez-vous *cela ?* » demanda-t-il d'une voix que la
colère étranglait. Ses yeux jaunirent et se dilatèrent instantanément, tandis que d'un index tremblotant il désignait
un petit objet blanc qui reposait au pied de l'arbre.

« Ce n'est qu'une crécelle », répondit Alice après avoir
minutieusement examiné le petit objet blanc. Non pas une
crécerelle, se hâta-t-elle d'ajouter, craignant que le nom de
ce petit rapace ne fît peur à Twideuldeume, mais seulement
une crécelle — une crécelle toute vieille et toute détériorée. »

"I knew it was!" cried Tweedledum, beginning to stamp about wildly and tear his hair. "It's spoilt, of course!" Here he looked at Tweedledee, who immediately sat down on the ground, and tried to hide himself under the umbrella.

Alice laid her hand upon his arm, and said in a soothing tone, "You needn't be so angry about an old rattle."

"But it isn't old!" Tweedledum cried, in a greater fury than ever. "It's new, I tell you—I bought it yesterday—my nice *new* RATTLE!" and his voice rose to a perfect scream.

All this time Tweedledee was trying his best to fold up the umbrella, with himself in it: which was such an extraordinary thing to do, that it quite took off Alice's attention from the angry brother. But he couldn't quite succeed, and it ended in his rolling over, bundled up in the umbrella, with only his head out: and there he lay, opening and shutting his mouth and his large eyes—"looking more like a fish than anything else," Alice thought.

"Of course you agree to have a battle?" Tweedledum said in a calmer tone.

"I suppose so," the other sulkily replied, as he crawled out of the umbrella: "only *she* must help us to dress up, you know."

So the two brothers went off hand-in-hand into the wood, and returned in a minute with their arms full of things—such as bolsters, blankets, hearth-rugs, table-cloths, dish-covers, and coal-scuttles. "I hope you're a good hand at pinning and tying strings?" Tweedledum remarked. "Every one of these things has to go on, somehow or other."

Alice said afterwards she had never seen such a fuss made about anything in all her life—the way those two bustled about—and the quantity of things they put on—and the trouble they gave her in tying strings and fastening buttons—"Really they'll be more like bundles of old clothes than anything else, by the time they're ready!" she said to herself, as she arranged a bolster round the neck

« Je le savais! Je le savais! s'écria Twideuldeume en se mettant à trépigner et à s'arracher les cheveux. Elle est cassée, évidemment! » Sur quoi il foudroya du regard Twideuldie, qui aussitôt s'assit par terre en essayant de se dissimuler derrière le parapluie.

Alice lui mit la main sur le bras et, d'un ton conciliant, lui dit : « Vous n'avez pas besoin de vous mettre dans une telle colère pour une vieille crécelle. »

« Mais elle n'est pas vieille, cria Twideuldeume, plus furieux que jamais. Elle est toute neuve, vous dis-je... Je l'avais achetée hier... ma belle *crécelle* NEUVE! » et sa voix s'éleva jusqu'aux sommets de l'aigu.

Durant ce temps, Twideuldie faisait tous ses efforts pour refermer le parapluie en se mettant dedans : c'était là un tour de force si extraordinaire que l'attention d'Alice s'en trouva détournée de l'irascible frère. Mais il ne put mener tout à fait à bien sa tentative et il finit par rouler sur le sol, empaqueté dans l'étoffe du parapluie d'où, seule, sa tête dépassait; et il demeura couché par terre, ouvrant et fermant alternativement la bouche et les yeux, « semblable à un poisson plus qu'à toute autre chose », pensa Alice.

« Naturellement vous êtes d'accord pour une rencontre ? » demanda, d'un ton de voix plus calme, Twideuldeume.

« Je suppose que oui, répondit, l'air boudeur, son adversaire, en s'extrayant, à quatre pattes, du parapluie; seulement, il faut que celle-ci nous aide à nous habiller, voyez-vous bien. »

Se tenant par la main, les deux frères pénétrèrent dans la forêt pour en ressortir une minute plus tard, les bras chargés de toutes sortes d'objets, tels que traversins, couvertures, carpettes, nappes, couvre-plats et seaux à charbon. « J'espère, observa Twideuldeume, que vous savez comment vous y prendre pour fixer des épingles et faire des nœuds ? Il faut que tout cet équipement s'ajuste à nous, d'une manière ou d'une autre. »

Alice, par la suite, déclara qu'elle n'avait, de sa vie, vu faire autant d'embarras pour quoi que ce fût. Il eût fallu voir la façon dont ces deux-là s'agitèrent, la quantité d'accessoires dont ils s'affublèrent, et le mal qu'ils donnèrent à la fillette en lui faisant nouer leurs ficelles et boutonner leurs boutons... « Vrai, lorsqu'ils seront prêts, ils ressembleront à des ballots de vieux habits plus qu'à toute autre chose! » dit-elle à part soi, en assujettissant un traver-

of Tweedledee, "to keep his head from being cut off," as he said.

"You know," he added very gravely, "it's one of the most serious things that can possibly happen to one in a battle—to get one's head cut off."

Alice laughed loud, but she managed to turn it into a cough, for fear of hurting his feelings.

"Do I look very pale?" said Tweedledum, coming up to have his helmet tied on. (He *called* it a helmet, though it certainly looked much more like a saucepan.)

"Well—yes—a *little*," Alice replied gently.

"I'm very brave generally," he went on in a low voice: "only to-day I happen to have a headache."

"And *I've* got a toothache!" said Tweedledee, who had overheard the remark. "I'm far worse than you!"

"Then you'd better not fight to-day," said Alice, thinking it a good opportunity to make peace.

"We *must* have a bit of a fight, but I don't care about going on long," said Tweedledum. "What's the time now?"

Tweedledee looked at his watch, and said "Half-past four."

"Let's fight till six, and then have dinner," said Tweedledum.

"Very well," the other said, rather sadly: "and *she* can watch us—only you'd better not come *very* close," he added: "I generally hit everything I can see—when I get really excited."

"And *I* hit everything within reach," cried Tweedledum, "whether I can see it or not!"

Alice laughed. "You must hit the *trees* pretty often, I should think," she said.

Tweedledum looked round him with a satisfied smile. "I don't suppose," he said, "there'll be a tree left standing, for ever so far round, by the time we've finished!"

"And all about a rattle!" said Alice, still hoping to

sin autour du cou de Twideuldie, « pour lui éviter d'avoir, comme il disait, la tête tranchée. »

« Voyez-vous bien, ajouta-t-il très sérieusement, avoir la tête tranchée, c'est l'un des pires ennuis qui vous puissent échoir au cours d'une bataille. »

Alice se mit à rire bruyamment, mais s'arrangea pour transformer son rire en toux, de peur de froisser son interlocuteur.

« Ne suis-je pas très pâle ? » demanda Twideuldeume, en s'approchant pour qu'elle lui mît son casque (il *appelait* cela un casque, bien que c'eût plutôt l'air d'être une casserole).

« Ma foi... oui... un *petit peu* », répondit avec gentillesse Alice.

« Je suis, en général, très courageux, poursuivit-il à voix basse; seulement, aujourd'hui, il se trouve que j'ai la migraine. »

« Et moi, j'ai mal aux dents! s'exclama Twideuldie, qui avait surpris la déclaration de son adversaire. Je suis en bien pire condition que toi! »

« En ce cas vous feriez mieux de n'en pas découdre aujourd'hui », dit Alice, pensant qu'il y avait là un bon prétexte pour les amener à faire la paix.

« Il faut absolument que nous nous battions un peu, mais je ne tiens pas à ce que cela dure longtemps, dit Twideuldeume. Quelle heure est-il ? »

Twideuldie consulta sa montre et répondit : « Quatre heures et demie. »

« Combattons jusqu'à six heures; ensuite, allons dîner », proposa Twideuldeume.

« Entendu, répondit l'autre, assez tristement; et elle, elle sera notre spectatrice... Mais vous ferez bien de ne pas *trop* vous approcher, ajouta-t-il à l'intention d'Alice : en général, lorsque je suis vraiment surexcité, je tape sur tout ce que je vois. »

« Moi, je tape sur tout ce qui se trouve à portée de mon bras, et même sur ce que je ne vois pas », s'écria Twideuldeume.

Alice se mit à rire : « Vous devez taper assez souvent sur les *arbres*, je suppose », dit-elle.

Twideuldeume promena son regard autour de lui avec un sourire satisfait : « Je ne crois pas, déclara-t-il, qu'un seul arbre du voisinage restera debout lorsque nous en aurons terminé. »

« Et tout cela pour une crécelle! » s'exclama Alice, qui

make them a *little* ashamed of fighting for such a trifle.

"I shouldn't have minded it so much," said Tweedledum, "if it hadn't been a new one."

"I wish the monstrous crow would come!" thought Alice.

"There's only one sword, you know," Tweedledum said to his brother: "but you can have the umbrella—it's quite as sharp. Only we must begin quick. It's getting as dark as it can."

"And darker," said Tweedledee.

It was getting dark so suddenly that Alice thought there must be a thunderstorm coming on. "What a thick black cloud that is!" she said. "And how fast it comes! Why, I do believe it's got wings!"

"It's the crow!" Tweedledum cried out in a shrill voice of alarm: and the two brothers took to their heels and were out of sight in a moment.

Alice ran a little way into the wood, and stopped under a large tree. "It can never get at me *here*," she thought: "it's far too large to squeeze itself in among the trees. But I wish it wouldn't flap its wings so—it makes quite a hurricane in the wood—here's somebody's shawl being blown away!"

espérait encore leur faire un tout petit peu honte de la futi-
lité du motif de leur combat.

« Je n'eusse pas pris l'affaire tant à cœur, dit Twideuldeume, si cette crécelle n'eût été neuve. »

« Je souhaite que vienne le monstrueux corbeau! » pensait Alice.

« Il n'y a qu'une seule épée, vois-tu bien, dit Twideuldeume à son frère : mais toi, tu peux prendre le parapluie...
il est tout aussi pointu que l'épée. Hâtons-nous seulement
de commencer. Il se met à faire sombre au delà du possible. »

« Et plus sombre encore que cela », renchérit Twideuldie.

Une nuit si soudaine tombait, qu'Alice crut qu'il se pré-
parait un orage. « Le gros nuage noir que voilà! s'exclama-
t-elle. Et comme il approche vite! Ma parole, on dirait
qu'il a des ailes! »

« C'est le corbeau », s'écria Twideuldeume d'une voix
aiguë et terrifiée; là-dessus, les deux frères prirent leurs
jambes à leur cou et ils eurent disparu en un clin d'œil.

Alice, en courant, s'engagea quelque peu dans l'épaisseur de la forêt, puis elle s'arrêta sous un grand arbre. « Ce
corbeau jamais ne pourra m'atteindre *ici*, pensa-t-elle; il est
bien trop volumineux pour pouvoir se frayer un passage
entre les arbres. Mais je voudrais bien qu'il ne battît pas
des ailes avec tant de violence... cela fait, dans la forêt,
comme un vrai ouragan... Tiens! Voici le châle de quelqu'un,
qui vient d'être emporté par le vent! »

WOOL AND WATER

She caught the shawl as she spoke, and looked about for the owner: in another moment the White Queen came running wildly through the wood, with both arms stretched out wide, as if she were flying, and Alice very civilly went to meet her with the shawl.

"I'm very glad I happened to be in the way," Alice said, as she helped her to put on her shawl again.

The White Queen only looked at her in a helpless frightened sort of way, and kept repeating something in a whisper to herself that sounded like, "Bread-and-butter, bread-and-butter," and Alice felt that if there was to be any conversation at all, she must manage it herself. So she began rather timidly: "Am I addressing the White Queen?"

"Well, yes, if you call that a-dressing," the Queen said. "It isn't *my* notion of the thing, at all."

Alice thought it would never do to have an argument at the very beginning of their conversation, so she smiled and said, "If your Majesty will only tell me the right way to begin, I'll do it as well as I can."

"But I don't want it done at all!" groaned the poor Queen. "I've been a-dressing myself for the last two hours."

It would have been all the better, as it seemed to Alice, if only she had got some one else to dress her, she was so

CHAPITRE V

LAINE ET EAU

Tout en parlant, elle attrapa le châle et, du regard, chercha sa propriétaire. Un instant plus tard la Reine Blanche arrivait à travers bois en courant comme une dératée, les deux bras largement déployés, pareille à une oie qui tente de prendre son envol. Alice, de façon fort civile, se porta à sa rencontre pour lui rendre son bien.

« Je suis contente de m'être trouvée là au moment opportun », dit la fillette en l'aidant à remettre son châle.

La Reine Blanche ne fit rien que la regarder d'un air désemparé et apeuré, tout en répétant à voix basse quelque chose qui pouvait être : « Tartine de beurre, tartine de beurre », et Alice comprit que s'il devait y avoir une conversation entre la Reine et elle, il lui faudrait en faire seule les frais. Elle se hasarda donc, assez timidement, à s'enquérir :

« *De parler à la Reine ai-je l'honneur insigne ?* »

« Avez-vous dit : « *Hein, Cygne ?* » repartit la souveraine. Sachez que je ne vous permets pas de me donner des noms d'oiseau ! »

Alice pensa qu'il serait inopportun d'engager une discussion avec la Reine dès le début de leur entretien; elle poursuivit donc avec le sourire : « Si Votre Majesté veut bien me dire ce qu'elle attend de moi, je ferai de mon mieux pour lui donner satisfaction. »

« Mais je n'attends rien, gémit la pauvre Reine, de vous ni de quiconque. Et, en ce qui me concerne, je crois m'être abstenue de vous faire *cygne* ou *signe!* »

C'eût été tout profit, sembla-t-il à Alice, tant était négligée la mise de son interlocutrice, si elle lui eût fait signe de

dreadfully untidy. "Every single thing's crooked," Alice thought to herself, "and she's all over pins!—May I put your shawl straight for you?" she added aloud.

"I don't know what's the matter with it!" the Queen said, in a melancholy voice. "It's out of temper, I think. I've pinned it here, and I've pinned it there, but there's no pleasing it!"

"It *can't* go straight, you know, if you pin it all on one side," Alice said, as she gently put it right for her; "and, dear me, what a state your hair is in!"

"The hair-brush has got entangled in it!" the Queen said with a sigh. "And I lost the comb yesterday."
Alice carefully released the brush, and did her best to get the hair into order. "Come, you look rather better now!" she said, after altering most of the pins. "But really you should have a lady's-maid!"

"I'm sure I'll take you with pleasure!" the Queen said. "Twopence a week, and jam every other day."

Alice couldn't help laughing, as she said, "I don't want you to hire *me*—and I don't care for jam."

"It's very good jam," said the Queen.
"Well, I don't want any *to-day*, at any rate."

"You couldn't have it if you *did* want it," the Queen said. "The rule is, jam to-morrow and jam yesterday—but never jam to-day."

"It *must* come sometimes to 'jam to-day,'" Alice objected.

"No, it can't," said the Queen. "It's jam every *other* day: to-day isn't any *other* day, you know."

"I don't understand you," said Alice. "It's dreadfully confusing!"
"That's the effect of living backwards," the Queen said kindly: "it always makes one a little giddy at first——"

"Living backwards!" Alice repeated in great astonishment. "I never heard of such a thing!"

venir l'habiller. « Tous ses vêtements sont mis en dépit du bon sens, dit à part soi la fillette, et elle est tout hérissée d'épingles! — Puis-je me permettre de remettre droit votre châle? » ajouta-t-elle à haute voix.

« Je me demande ce qui peut bien clocher en ce qui le concerne! dit, d'une voix mélancolique, la Reine. Il est de mauvaise humeur, je suppose. Je lui ai mis une épingle ici, je lui en ai mis une là, mais il n'y a pas moyen de le contenter! »

« Il ne saurait rester d'aplomb, voyez-vous bien, si vous mettez les deux épingles du même côté, fit observer Alice en le lui remettant droit sans s'énerver; et, Seigneur, dans quel état sont vos cheveux! »

« Ma brosse s'est entortillée dedans! dit la Reine en poussant un soupir. Et j'ai perdu mon peigne, hier. »

Alice dégagea la brosse avec précaution, et fit de son mieux pour réparer le désordre de la royale chevelure. « Allons! vous avez meilleure mine à présent! dit-elle après avoir changé de place la plupart des épingles. Mais, vraiment, vous devriez prendre une femme de chambre. »

« Je vous prendrais, certes, à mon service, avec le plus grand plaisir, déclara la Reine. Quatre sous par semaine, et confiture tous les autres jours. »

Alice ne put s'empêcher de rire, tandis qu'elle répondait : « Je ne désire pas entrer à votre service et je n'aime guère la confiture. »

« C'est de très bonne confiture », insista la Reine.

« En tout cas, *aujourd'hui*, je n'en veux pas. A aucun prix. »

« Vous n'en auriez pas, même si vous en vouliez *à tout prix*, répliqua la Reine. La règle en ceci est formelle : confiture demain et confiture hier — mais jamais confiture aujourd'hui. »

« On doit bien quelquefois arriver à confiture aujourd'hui », objecta Alice.

« Non, ça n'est pas possible, dit la Reine. C'est confiture tous les *autres* jours. Aujourd'hui, cela n'est pas l'un des *autres* jours, voyez-vous bien. »

« Je ne vous comprends pas, avoua Alice. Tout cela m'embrouille terriblement les idées! »

« C'est ce qui arrive lorsque l'on vit à l'envers, fit observer la Reine d'un air bienveillant : au début ça vous donne un peu le tournis... »

« Lorsque l'on vit à l'envers! répéta Alice, fort étonnée; je n'avais jamais entendu parler d'une telle chose! »

"—but there's one great advantage in it, that one's memory works both ways."

"I'm sure *mine* only works one way," Alice remarked. "I can't remember things before they happen."

"It's a poor sort of memory that only works backwards," the Queen remarked.

"What sort of things do *you* remember best?" Alice ventured to ask.

"Oh, things that happened the week after next," the Queen replied in a careless tone. "For instance, now," she went on, sticking a large piece of plaster on her finger as she spoke, "there's the King's Messenger. He's in prison now, being punished: and the trial doesn't even begin till next Wednesday: and of course the crime comes last of all."

"Suppose he never commits the crime?" said Alice.

"That would be all the better, wouldn't it?" the Queen said, as she bound the plaster round her finger with a bit of ribbon.

Alice felt there was no denying *that*. "Of course it would be all the better," she said: "but it wouldn't be all the better his being punished."

"You're wrong *there*, at any rate," said the Queen: "were *you* ever punished?"

"Only for faults," said Alice.

"And you were all the better for it, I know!" the Queen said triumphantly.

"Yes, but then I *had* done the things I was punished for," said Alice: "that makes all the difference."

"But if you *hadn't* done them," the Queen said, "that would have been better still; better, and better, and better!" Her voice went higher with each "better," till it got quite to a squeak ar last.

Alice was just beginning to say, "There's a mistake somewhere——," when the Queen began screaming, so loud that she had to leave the sentence unfinished. "Oh, oh, oh!" shouted the Queen, shaking her hand about as if she wanted to shake it off. "My finger's bleeding! Oh, oh, oh, oh!"

« ... mais cela présente un grand avantage, c'est que la mémoire s'exerce dans les deux sens. »

« Je suis sûre que ma mémoire, à moi, ne s'exerce que dans un seul sens, fit remarquer Alice. Je ne suis pas capable de me rappeler les événements avant qu'ils n'arrivent. »

« C'est une bien misérable mémoire que celle qui ne s'exerce qu'à reculons », fit remarquer la Reine.

« Et vous, de quelle sorte d'événements vous souvenez-vous le mieux ? » osa demander Alice.

« Oh! des événements qui se sont produits d'aujourd'hui en quinze, répondit, d'un ton désinvolte, la Reine. Par exemple, en ce moment, poursuivit-elle, tout en appliquant un grand morceau de taffetas gommé sur son doigt, il y a l'affaire du Messager du Roi. Il est actuellement en prison, sous le coup d'une condamnation; et le procès ne doit pas commencer avant mercredi prochain; quant au crime, bien sûr, il n'interviendra qu'après tout le reste. »

« Et s'il se trouvait qu'il ne commît jamais son crime ? » dit Alice.

« Alors cela n'en irait que mieux, n'est-il pas vrai ? » répondit la Reine, en assujettissant le taffetas gommé autour de son doigt à l'aide d'un bout de ruban.

Alice comprit qu'il n'y avait pas moyen de nier le fait. « Bien sûr, cela n'en irait que mieux, admit-elle, mais ce qui n'en irait pas que mieux, c'est qu'un innocent soit puni. »

« *Là*, en tout cas, vous êtes dans l'erreur, dit la Reine. Vous est-il jamais arrivé d'être vous-même punie. »

« Oui, mais uniquement pour des fautes que j'avais commises », répondit la fillette.

« Et je sais que vous ne vous en trouviez que mieux! » dit, d'un air triomphant, la Reine.

« Oui, mais alors j'avais vraiment commis les fautes pour lesquelles j'étais punie, dit Alice; c'est en cela que réside toute la différence. »

« Mais si vous n'aviez pas vraiment commis ces fautes, dit la Reine, c'eût été mieux encore; mieux encore, mieux encore, mieux encore! » Sa voix alla s'élevant à chaque « mieux encore », pour atteindre finalement aux sommets de l'aigu.

Alice était en train de commencer de dire : « Il y a, quelque part, une erreur... » lorsque la Reine se mit à pousser des cris si perçants et si retentissants, qu'elle ne put terminer sa phrase. « Oh, oh, oh! criait la souveraine en secouant la main comme si elle eût voulu se la détacher du bras. Mon doigt saigne! oh, oh, oh, oh! »

Her screams were so exactly like the whistle of a steam-engine, that Alice had to hold both her hands over her ears.

"What *is* the matter ?" she said, as soon as there was a chance of making herself heard. "Have you pricked your finger ?"

"I haven't pricked it *yet*," the Queen said, "but I soon shall—oh, oh, oh!"

"When do you expect to do it ?" Alice asked, feeling very much inclined to laugh.

"When I fasten my shawl again," the poor Queen groaned out: "the brooch will come undone directly. Oh, oh!" As she said the words the brooch flew open, and the Queen clutched wildly at it, and tried to clasp it again.

"Take care!" cried Alice. "You're holding it all crooked!" And she caught at the brooch; but it was too late: the pin had slipped, and the Queen had pricked her finger.

"That accounts for the bleeding, you see," she said to Alice with a smile. "Now you understand the way things happen here."

"But why don't you scream now ?" Alice asked, holding her hands ready to put over her ears again.

"Why, I've done all the screaming already," said the Queen. "What would be the good of having it all over again ?"

By this time it was getting light. "The crow must have flown away, I think," said Alice: "I'm so glad it's gone. I thought it was the night coming on."

"I wish *I* could manage to be glad!" the Queen said. "Only I never can remember the rule. You must be very happy, living in this wood, and being glad whenever you like!"

"Only it is so *very* lonely here!" Alice said in a melancholy voice; and at the thought of her loneliness two large tears came rolling down her cheeks.

"Oh, don't go on like that!" cried the poor Queen, wringing her hands in despair. "Consider what a great girl you are. Consider what a long way you've come to-day. Consider what o'clock it is. Consider anything, only don't cry!"

Alice could not help laughing at this, even in the midst

Ses cris ressemblaient si fort au sifflement d'une locomotive, qu'Alice dut se boucher les deux oreilles.

« Qu'avez-vous donc ? demanda-t-elle dès qu'elle crut
avoir une chance de se faire entendre. Vous êtes-vous
piqué le doigt ? »

« Je ne me le suis pas *encore* piqué, dit la Reine, mais je
vais me le piquer bientôt... oh, oh, oh! »

« Quand pensez-vous que cela va vous arriver ? »
demanda Alice, qui avait grande envie de rire.

« Lorsque j'attacherai de nouveau mon châle, gémit la
pauvre Reine; la broche tout de suite s'ouvrira. Oh, oh! »
Comme elle disait ces mots, la broche s'ouvrit brusquement
et la souveraine la saisit d'un geste frénétique pour essayer
de la refermer.

« Prenez garde! s'écria Alice. Vous la tenez tout de
travers! » A son tour elle saisit la broche; trop tard :
l'épingle lui avait échappé et la Reine s'était piqué le doigt.

« Ceci explique pourquoi tout à l'heure je saignais,
voyez-vous bien, dit-elle, souriante, à Alice. Désormais
vous comprendrez comment les choses se passent ici. »

« Mais pourquoi, *maintenant*, ne criez-vous pas ? »
demanda Alice, tout en se tenant prête à se boucher derechef les oreilles.

« Ma foi, j'ai déjà poussé tous les cris que j'avais à
pousser, répondit la Reine. A quoi cela servirait-il de tout
recommencer ? »

A présent il faisait jour de nouveau. « Le corbeau se
sera envolé, je suppose, dit Alice; je suis bien contente
qu'il soit parti. Un moment, j'ai cru que c'était la nuit qui
tombait. »

« Je voudrais bien, moi aussi, être contente! s'exclama
la Reine. Seulement je ne peux me rappeler la règle à
appliquer pour y parvenir. Vous devez être bien heureuse
de vivre dans cette forêt et d'être satisfaite chaque fois
qu'il vous plaît! »

« Hélas! je me sens si terriblement seule ici! » dit, d'un
ton de voix mélancolique, Alice; et, à l'idée de sa solitude,
deux grosses larmes lui roulèrent sur les joues. »

« Oh, cessez de pleurer, je vous en supplie! s'écria la
pauvre Reine en se tordant les mains de désespoir. Songez
que vous êtes une grande fille. Songez au long chemin que
vous avez aujourd'hui parcouru. Songez à l'heure qu'il est.
Songez à tout ce que vous voudrez, mais ne pleurez pas! »

En entendant cela, Alice, à travers ses larmes, ne put

of her tears. "Can *you* keep from crying by considering things ?" she asked.

"That's the way it's done," the Queen said with great decision: "nobody can do two things at once, you know. Let's consider your age to begin with—how old are you ?"

"I'm seven and a half exactly."

"You needn't say 'exactually,' " the Queen remarked: "I can believe it without that. Now I'll give *you* something to believe. I'm just one hundred and one, five months and a day."

"I can't believe *that* !" said Alice.

"Can't you ?" the Queen said in a pitying tone. "Try again: draw a long breath, and shut your eyes."

Alice laughed. "There's no use trying," she said: "one *can't* believe impossible things."

"I dare say you haven't had much practice," said the Queen. "When I was your age, I always did it for half an hour a day. Why, sometimes I've believed as many as six impossible things before breakfast. There goes the shawl again!"

The brooch had come undone as she spoke, and a sudden gust of wind blew her shawl accross a little brook. The Queen spread out her arms again, and went flying after it, and this time succeeded in catching it for herself. "I've got it!" she cried in a triumphant tone. "Now you shall see me pin it on again, all by myself!"

"Then I hope your finger is better now ?" Alice said very politely, as she crossed the little brook after the Queen.

. . . .

"Oh, much better!" cried the Queen, her voice rising into a squeak as she went on. "Much be-etter! Be-etter! Be-e-e-etter! Be-e-ehh!" The last word ended in a long bleat, so like a sheep that Alice quite started.

s'empêcher de rire. « Etes-vous capable de vous retenir de pleurer en pensant à certaines choses ? » demanda-t-elle.

« Certes, c'est ainsi que l'on procède, répondit, péremptoire, la Reine. Nul ne peut faire deux choses à la fois, savez-vous bien. Pour commencer, voyons votre âge... quel est-il ? »

« Sept ans et demi, *très exactement.* »

« Si vous avez sept ans et demi, fit observer la Reine, pourquoi donc dites-vous : « *Treize exactement* » ? Comment voulez-vous que l'on vous croie si vous vous contredisez ainsi vous-même dans le cours d'une seule phrase ? Et maintenant je vais vous confier, à vous, quelque chose que vous devrez croire. J'ai exactement cent un ans, cinq mois et un jour. »

« Je ne puis croire pareille chose! » s'exclama Alice.

« Vraiment, dit la Reine d'un ton de voix empreint de commisération. Essayez encore une fois : prenez une profonde inspiration et fermez les yeux. »

Alice se mit à rire : « Inutile d'essayer, répondit-elle; on ne saurait absolument pas croire à l'impossible. »

« Je prétends que vous ne vous y êtes pas suffisamment exercée, dit la Reine. Lorsque j'avais votre âge, je m'y appliquais régulièrement une demi-heure par jour. Eh bien, il m'est arrivé, avant d'avoir pris le petit déjeuner, de croire jusqu'à six choses impossibles. Voilà le châle qui s'en va de nouveau! »

Tandis qu'elle parlait, la broche s'était défaite, et une soudaine rafale de vent avait emporté son châle de l'autre côté d'un petit ruisseau. La Reine, derechef, étendit les bras, s'envolant littéralement à sa poursuite, et, cette fois, elle réussit à s'en saisir toute seule. « Je l'ai attrapé! s'écria-t-elle d'un ton de voix triomphant. Maintenant je vais le ré-épingler sur moi, toute seule, vous allez voir! »

« En ce cas j'espère que votre doigt va mieux, désormais ? » dit, très poliment, Alice, en traversant à la suite de la Reine le petit ruisseau.

. . . .

« Oh! beaucoup mieux, ma belle! s'écria la Reine dont la voix s'élevait dans l'aigu à mesure qu'elle parlait : beaucoup mieux, ma belle! Beaucoup mieux, ma belle! Mieux, ma belle! bé-é-le! » Le dernier mot s'acheva en un long bêlement, qui ressemblait tellement à celui d'une brebis qu'Alice sursauta.

She looked at the Queen, who seemed to have suddenly wrapped herself up in wool. Alice rubbed her eyes, and looked again. She couldn't make out what had happened at all. Was she in a shop? And was that really—was it really a *sheep* that was sitting on the other side of the counter? Rub as she would, she could make nothing more of it: she was in a little dark shop, leaning with her elbows on the counter, and opposite to her was an old Sheep, sitting in an arm-chair, knitting, and every now and then leaving off to look at her through a great pair of spectacles.

"What is it you want to buy?" the Sheep said at last, looking up for a moment from her knitting.

"I don't *quite* know yet," Alice said very gently. "I should like to look all round me first, if I might."

"You may look in front of you, and on both sides, if you like," said the Sheep; "but you can't look *all* round you—unless you've got eyes at the back of your head."

But these, as it happened, Alice had *not* got; so she contented herself with turning round, looking at the shelves as she came to them.

The shop seemed to be full of all manner of curious things—but the oddest part of it all was that, whenever she looked hard at any shelf, to make out exactly what it had on it, that particular shelf was always quite empty: though the others round it were crowded as full as they could hold.

"Things flow about so here!" she said at last in a plaintive tone, after she had spent a minute or so in vainly pursuing a large bright thing, that looked sometimes like a doll and sometimes like a work-box, and was always in the shelf next above the one she was looking at. "And this one is the most provoking of all—but I'll tell you what——" she added, as a sudden thought struck her. "I'll follow it up to the very top shelf of all. It'll puzzle it to go through the ceiling, I expect!"

But even this plan failed: the "thing" went through the ceiling as quietly as possible, as if it were quite used to it.

Elle regarda la Reine qui lui sembla s'être soudain emmitouflée de laine. Alice se frotta les yeux puis la regarda de nouveau. Elle ne parvenait pas le moins du monde à comprendre ce qui s'était passé. Etait-elle bien dans une boutique ? Et était-ce vraiment... était-ce vraiment une *brebis* qui se trouvait assise derrière le comptoir ? Elle eut beau se frotter et se re-frotter les yeux, elle ne put rien voir de plus : elle était dans une petite boutique sombre, les coudes sur le comptoir, et en face d'elle il y avait une vieille Brebis, assise, en train de tricoter, dans un fauteuil, et qui s'interrompait de temps à autre pour la regarder à travers d'énormes besicles.

« Pour vous, qu'est-ce que ça sera ? » demanda enfin la Brebis en levant les yeux de dessus son tricot.

« Je ne suis pas encore *tout à fait* décidée, dit suavement Alice. J'aimerais tout d'abord jeter un coup d'œil autour de moi, si vous le permettez. »

« Vous pouvez, si vous le désirez, jeter un coup d'œil en face de vous, un autre sur votre droite et un autre sur votre gauche, dit la Brebis; mais vous ne sauriez en jeter un *autour* de vous, à moins que vous n'ayez des yeux derrière la tête. »

Or il se trouvait que de tels yeux, Alice n'en possédait pas; aussi se contenta-t-elle de tournailler, et d'examiner les rayons à mesure qu'elle s'en approchait.

La boutique avait l'air d'être pleine de toute sorte de curieux objets... mais ce qu'il y avait de plus bizarre c'est que, chaque fois qu'elle fixait les yeux sur un quelconque rayon pour bien voir ce qu'il s'y trouvait, ce rayon-là précisément était tout à fait vide, alors que tous les rayons voisins étaient remplis à la limite de leur capacité.

« Les objets, ici, sont bien insaisissables! finit-elle par dire d'un ton de voix plaintif, après avoir poursuivi en vain, plus d'une minute durant, un gros objet brillant qui ressemblait tantôt à une poupée, tantôt à une boîte à ouvrage, et qui se trouvait toujours sur le rayon placé juste au-dessus de celui qu'elle était en train de regarder. Et celui-ci est le plus exaspérant de tous... mais voici ce que je vais faire... ajouta-t-elle, tandis qu'une idée soudaine lui venait à l'esprit. Je vais le poursuivre jusqu'au tout dernier rayon du haut. J'imagine qu'il sera bien embarrassé lorsqu'il s'agira de passer à travers le plafond! »

Mais ce projet, lui aussi, échoua : l' « objet » traversa le plafond le plus aisément du monde, comme s'il était rompu à ce tour de magie.

"Are you a child or a teetotum?" the Sheep said, as she took up another pair of needles. "You'll make me giddy soon, if you go on turning round like that." She was now working with fourteen pairs at once, and Alice couldn't help looking at her in great astonishment.

"How *can* she knit with so many?" the puzzled child thought to herself. "She gets more and more like a porcupine every minute!"

"Can you row?" the Sheep asked, handing her a pair of knitting-needles as she spoke.

"Yes, a little—but not on land—and not with needles ——" Alice was beginning to say, when suddenly the needles turned into oars in her hands, and she found they were in a little boat, gliding along between banks: so there was nothing for it but to do her best.

"Feather!" cried the Sheep, as she took up another pair of needles.

This didn't sound like a remark that needed any answer so Alice said nothing, but pulled away. There was something very queer about the water, she thought, as every now and then the oars got fast in it, and would hardly come out again.

"Feather! Feather!" the Sheep cried again, taking more needles. "You'll be catching a crab directly."

"A dear little crab!" thought Alice. "I should like that."

"Didn't you hear me say 'Feather'?" the Sheep cried angrily, taking up quite a bunch of needles.

"Indeed I did," said Alice: "you've said it very often —and very loud. Please, where *are* the crabs?"

"In the water, of course!" said the Sheep, sticking some of the needles into her hair, as her hands were full. "Feather, I say!"

"*Why* do you say 'Feather' so often?" Alice asked at last, rather vexed. "I'm not a bird!"

"You are," said the Sheep: "you're a little goose."

This offended Alice a little, so there was no more conversation for a minute or two, while the boat glided gently

« Etes-vous une enfant ou un toton ? s'enquit la Brebis
en prenant une autre paire d'aiguilles. Vous allez finir par
me donner le tournis, si vous continuez à tournoyer de la
sorte. » Elle travaillait maintenant avec quatorze paires
d'aiguilles à la fois, et Alice ne put s'empêcher de la regarder
avec une certaine stupeur.

« Comment diable peut-elle tricoter avec un si grand
nombre d'aiguilles ? se demanda la fillette, intriguée. Plus
elle va, plus elle ressemble à un porc-épic ! »

« Savez-vous ramer ? » s'enquit la Brebis, en lui tendant
une paire d'aiguilles à tricoter

« Oui, un peu... mais pas sur la terre ferme... et pas
avec des aiguilles... » commençait de dire Alice, quand
soudain les aiguilles dans ses mains se changèrent en avirons et elle s'aperçut que la Brebis et elle-même se trouvaient dans un petit esquif en train de glisser entre deux
rives; de sorte que tout ce qu'il lui restait à faire, c'était
de ramer de son mieux.

« Plumez! » cria la Brebis, en prenant une nouvelle
paire d'aiguilles.

Cette exclamation ne semblant pas appeler une réponse,
Alice se tint coite et continua de souquer. Elle avait cependant l'impression que l'eau offrait une consistance bizarre,
car de temps à autre les rames y restaient prises et n'en
ressortaient que très difficilement.

« Plumez! Plumez! cria de nouveau la Brebis en prenant
un autre jeu d'aiguilles. Si vous continuez comme cela,
vous n'allez pas tarder à attraper un crabe. »

« Un amour de petit crabe! se dit Alice. Comme je serais
contente! »

« Ne m'avez-vous pas entendu dire « Plumez » ? s'écria
la Brebis, furieuse, en prenant tout un paquet d'aiguilles. »

« Si fait, répondit Alice; vous l'avez dit très souvent et
à voix très haute. S'il vous plaît, où sont donc les crabes ? »

« Dans l'eau, naturellement, répondit la Brebis, en
fichant quelques-unes des aiguilles dans ses cheveux parce
qu'elle en avait déjà les mains pleines. Plumez, je vous le
répète! »

« Pourquoi donc dites-vous « Plumez » si souvent ?
demanda, passablement contrariée à la fin, Alice. Il n'y a pas
de volaille, que je sache, à bord de ce bateau! »

« Si fait, répliqua la Brebis : il y a vous, qui êtes une
petite oie. »

Cette apostrophe parut quelque peu blessante à Alice et,
pendant une minute ou deux, la conversation s'interrompit,

on, sometimes among beds of weeds (which made the oars stick fast in the water, worse than ever), and sometimes under trees, but always with the same tall riverbanks frowning over their heads.

"Oh, please! There are some scented rushes!" Alice cried in a sudden transport of delight. "There really are—and *such* beauties!"

"You needn't say 'please' to *me* about 'em," the Sheep said, without looking up from her knitting: "I didn't put 'em there, and I'm not going to take 'em away."

"No, but I meant—please, may we wait and pick some ?" Alice pleaded. "If you don't mind stopping the boat for a minute."

"How am *I* to stop it ?" said the Sheep. "If you leave off rowing, it'll stop of itself."

So the boat was left to drift down the stream as it would, till it glided gently in among the waving rushes. And then the little sleeves were carefully rolled up, and the little arms were plunged in elbow-deep, to get hold of the rushes a good long way down before breaking them off—and for a while Alice forgot all about the Sheep and the knitting, as she bent over the side of the boat, with just the ends of her tangled hair dipping into the water—while with bright eager eyes she caught at one bunch after another of the darling scented rushes.

"I only hope the boat won't tipple over!" she said to herself. "Oh, *what* a lovely one! Only I couldn't quite reach it." And it certainly *did* seem a little provoking ("almost as if it happened on purpose," she thought) that, though she managed to pick plenty of beautiful rushes as the boat glided by, there was always a more lovely one that she couldn't reach.

"The prettiest are always further!" she said at last, with a sigh at the obstinacy of the rushes in growing so far off, as, with flushed cheeks and dripping hair and hands, she scrambled back into her place, and began to arrange her new-found treasures.

What mattered it to her just then that the rushes had

tandis que l'esquif continuait de glisser indolemment, tantôt
parmi des bancs d'herbes aquatiques (à cause desquelles
les rames, plus que jamais, s'empêtraient sous les flots),
tantôt sous des arbres, mais toujours entre deux hautes
rives sourcilleuses qui s'escarpaient jusqu'au-dessus de
leurs têtes.

« Oh! s'il vous plaît! Il y a des joncs fleuris qui
embaument, s'écria Alice, soudain extasiée. Ce n'est pas
un rêve. Ils sont magnifiques! »

« Inutile de me dire « s'il vous plaît » à propos de joncs,
fit la Brebis sans lever les yeux de dessus son tricot. Ce
n'est pas moi qui les ai mis là où ils se trouvent et ce
n'est pas moi qui les en vais retirer. »

« Non, certes, mais je voulais dire : S'il vous plaît,
pourrait-on prendre le temps d'en cueillir quelques-uns ?
expliqua Alice. Consentiriez-vous à arrêter le bateau pendant une minute ? »

« Comment voulez-vous que, *moi*, je l'arrête ? dit la
Brebis. Si vous cessez de ramer, il s'arrêtera bien tout seul. »

Alice laissa donc l'esquif dériver au fil de l'eau jusqu'à
ce qu'il vînt suavement glisser parmi les joncs balancés aux
souffles du vent. Alors les petites manches furent soigneusement roulées et remontées, les petits bras plongèrent dans
l'eau jusqu'au coude afin de saisir les joncs le plus bas possible avant d'en casser la tige... et pendant un moment Alice
oublia tout à fait la Brebis et son tricot, tandis qu'elle se
penchait par-dessus le bordage, les yeux brillants de convoi-
tise, le bout de ses cheveux emmêlés trempant dans l'eau,
et qu'elle cueillait brassée après brassée les adorables
joncs parfumés.

« J'espère seulement que la barque ne va pas chavirer,
se dit-elle. Oh! celui-là, qu'il est beau! Hélas! je n'ai pu
l'atteindre. » Et il était, certes, quelque peu irritant (« comme
si c'était fait exprès », pensa-t-elle), de voir que, si elle
réussissait à cueillir sur le passage du bateau force joncs
magnifiques, il y en avait toujours un, plus beau que tous
les autres, qu'elle ne pouvait atteindre.

« Les plus jolis sont toujours trop loin! » finit-elle par
dire avec un soupir de regret en voyant que les joncs s'obsti-
naient à croître si loin d'elle. Puis, le sang aux joues et les
cheveux et les mains ruisselants d'eau, en s'aidant des
pieds et des mains, elle regagna à reculons sa banquette et
se mit à disposer avec art les trésors qu'elle venait de
trouver.

Que lui importait alors que, dès l'instant même où elle

begun to fade, and to lose all their scent and beauty, from the very moment that she picked them? Even real scented rushes, you know, last only a very little while—and these, being dream-rushes, melted away almost like snow, as they lay in heaps at her feet—but Alice hardly noticed this, there were so many other curious things to think about.

They hadn't gone much farther before the blade of one of the oars got fast in the water and *wouldn't* come out again (so Alice explained it afterwards), and the consequence was that the handle of it caught her under the chin, and, in spite of a series of little shrieks of, "Oh, oh, oh!" from poor Alice, it swept her straight off the seat, and down among the heap of rushes.

However, she wasn't a bit hurt, and was soon up again: the Sheep went on with her knitting all the while, just as if nothing had happened. "That was a nice crab you caught!" she remarked, as Alice got back into her place, very much relieved to find herself still in the boat.

"Was it? I didn't see it," said Alice, peeping cautiously over the side of the boat into the dark water. "I wish it hadn't let go—I should so like a little crab to take home with me!" But the Sheep only laughed scornfully, and went on with her knitting.

"Are there many crabs here?" said Alice.

"Crabs, and all sorts of things," said the Sheep: "plenty of choice, only make up your mind. Now, what *do* you want to buy?"

"To buy!" Alice echoed in a tone that was half astonished and half frightened—for the oars, and the boat, and the river, had vanished all in a moment, and she was back again in the little dark shop.

"I should like to buy an egg, please," she said timidly. "How do you sell them?"

"Fivepence farthing for one—twopence for two," the Sheep replied.

"Then two are cheaper than one?" Alice said in a surprised tone, taking out her purse.

"Only, you *must* eat them both, if you buy two," said the Sheep.

"Then I'll have *one*, please," said Alice, as she put the

les avait cueillis, les joncs eussent commencé à se faner
et à perdre de leur parfum et de leur beauté. Les vrais
joncs parfumés eux-mêmes, voyez-vous, ne durent qu'un
très court moment, et ceux-ci, amoncelés à ses pieds, étant
des joncs de rêve, fondaient comme neige au soleil; mais
Alice ne s'en aperçut guère, car elle avait à réfléchir à
maints autres incidents curieux.

La nacelle n'avait pas avancé beaucoup lorsque l'un des
avirons s'empêtra dans l'eau et n'en *voulut plus* ressortir
(c'est ainsi qu'Alice, par la suite, expliqua ce qu'il était
arrivé). En conséquence de ce fait, le manche de l'aviron
la frappa sous le menton et, malgré une série de petits
« Oh, oh, oh! » que la pauvre enfant se mit à pousser, elle
fut balayée de son siège et chut tout de son long sur le
monceau de joncs.

Néanmoins elle ne se fit pas le moindre mal, et se releva
presque aussitôt. Pendant tout ce temps, la Brebis avait
continué son tricot, comme si rien ne s'était passé. « C'était
un bien joli crabe que celui que vous aviez pris tout à
l'heure! » dit-elle tandis qu'Alice regagnait sa place, bien
contente de se trouver encore dans le bateau.

« Vraiment ? Je ne l'ai pas vu, répondit la fillette en
regardant avec circonspection, par-dessus le bordage, l'eau
sombre de la rivière. Je regrette de l'avoir laissé s'échapper...
J'aimerais tellement rapporter à la maison un petit crabe. »
Mais la Brebis ne répondit que par un rire méprisant et
continua de faire son tricot.

« Y a-t-il ici beaucoup de crabes ? » s'enquit Alice.

« Il y a ici des crabes et toutes sortes de choses, répondit
la Brebis : un très grand choix, mais il faudrait vous décider.
Allons, qu'avez-vous l'intention d'acheter ? »

« D'acheter ! », répéta Alice d'un ton de voix mi-surpris,
mi-apeuré, car les avirons, le bateau, la rivière, tout avait
instantanément disparu, et elle se trouvait de nouveau dans
la petite boutique sombre.

« J'aimerais acheter un œuf, s'il vous plaît, dit-elle,
intimidée : Combien les vendez-vous ? »

« Dix sous l'un; quatre sous les deux », répondit la
Brebis.

« Deux œufs coûtent donc moins cher qu'un seul ? »
demanda Alice, surprise, en tirant de sa poche son porte-
monnaie.

« Oui, mais si vous en achetez deux, vous êtes absolument obligée de les manger tous deux », répliqua la Brebis.

« Alors je n'en prendrai qu'un seul, s'il vous plaît »,

money down on the counter. For she thought to herself, "They mighn't be at all nice, you know."

The Sheep took the money, and put it away in a box: then she said, "I never put things into people's hands—that would never do—you must get it for yourself." And so saying, she went off to the other end of the shop, and set the egg upright on a shelf.

" I wonder *why* it would'nt do ? " thought Alice, as she groped her way among the tables and chairs, for the shop was very dark towards the end. "The egg seems to get farther away the more I walk towards it. Let me see, is this a chair ? Why, it's got branches, I declare! How very odd to find trees growing here! And actually here's a little brook! Well, this is the very queerest shop I ever saw!"

. . . .

So she went on, wondering more and more at every step, as everything turned into a tree the moment she came up to it, and she quite expected the egg to do the same.

dit Alice en déposant l'argent sur le comptoir. Car, en son
for intérieur, elle pensait : « Il est possible qu'ils ne soient
pas fameux, voyez-vous bien. »

La Brebis ramassa l'argent et le rangea dans une boîte ;
puis elle déclara : « Je ne mets jamais les articles dans les
mains des clients... cela serait inconvenant... Il vous faut
prendre l'œuf vous-même. » Ce disant, elle alla au fond de la
boutique et mit l'œuf debout sur l'un des rayons.

« Je me demande *pourquoi* cela serait inconvenant ? »
pensa Alice en se frayant, à tâtons, un chemin parmi les
tables et les chaises, car le fond de la boutique était sombre.
« L'œuf semble s'éloigner à mesure que je m'avance vers
lui. Voyons, est-ce là une chaise ? Mais, ma parole, elle a
des branches ! Comme c'est bizarre, de trouver ici des arbres !
Et voici bel et bien un petit ruisseau ! Vraiment, c'est la
boutique la plus singulière que j'aie vue, de ma vie. »

. . . .

Elle continua d'avancer, allant de surprise en surprise,
car tous les objets se transformaient en arbres au moment
où elle arrivait à leur hauteur, et elle était persuadée que
l'œuf allait en faire autant.

CHAPTER VI

HUMPTY DUMPTY

However, the egg only got larger and larger, and more and more human: when she had come within a few yards of it, she saw that it had eyes and a nose and mouth; and when she had come close to it, she saw clearly that it was HUMPTY DUMPTY himself. "It can't be anybody else!" she said to herself. "I'm as certain of it, as if his name were written all over his face!"

It might have been written a hundred times, easily, on that enormous face. Humpty Dumpty was sitting with his legs crossed, like a Turk, on the top of a high wall—such a narrow one that Alice quite wondered how he could keep his balance—and, as his eyes were steadily fixed in the opposite direction, and he didn't take the least notice of her, she thought he must be a stuffed figure.

"And how exactly like an egg he is!" she said aloud, standing with her hands ready to catch him, for she was every moment expecting him to fall.

"It's *very* provoking," Humpty Dumpty said after a long silence, looking away from Alice as he spoke, "to be called an egg—*very!*"

"I said you *looked* like an egg, Sir," Alice gently explained. "And some eggs are very pretty, you know," she added, hoping to turn her remark into a sort of compliment.

"Some people," said Humpty Dumpty, looking away from her as usual, "have no more sense than a baby!"

Alice didn't know what to say to this: it wasn't at all like conversation, she thought, as he never said anything

CHAPITRE VI

HEUMPTY DEUMPTY

Cependant l'œuf se contenta de grossir, grossir et de prendre de plus en plus figure humaine. Lorsque Alice ne fut plus qu'à quelques pas de lui, elle vit qu'il avait des yeux, un nez et une bouche; et lorsqu'elle en fut proche à le toucher, elle vit clairement que c'était Heumpty Deumpty en personne. « Il ne saurait s'agir de quelqu'un d'autre! dit-elle à part soi. J'en suis aussi certaine que s'il avait le nom écrit au milieu de la figure! »

On eût pu l'écrire facilement cent fois sur cette énorme face. Heumpty Deumpty était assis à la turque, les jambes croisées, sur le faîte d'un haut mur (et d'un mur si étroit qu'Alice se demanda comment le bonhomme y pouvait garder son équilibre). Parce qu'il lui tournait obstinément le dos et ne prêtait pas la moindre attention à la fillette, elle pensa qu'il s'agissait peut-être d'un spécimen naturalisé.

« Et comme il ressemble en tout point à un œuf! » dit-elle à haute voix, tout en tendant les mains pour le rattraper, car elle s'attendait à tout moment à le voir tomber.

« Il est *vraiment* exaspérant d'être traité d'œuf, déclara Heumpty Deumpty après un long silence et sans regarder Alice — *vraiment* exaspérant! »

« J'ai dit, monsieur, que vous *ressembliez* à un œuf, expliqua avec gentillesse Alice. Et il existe de très jolis œufs, voyez-vous bien », ajouta-t-elle, espérant faire ainsi de sa remarque une sorte de compliment.

« Il est des gens, reprit Heumpty Deumpty en continuant de détourner d'elle son regard, qui n'ont pas plus de bon sens qu'un nourrisson! »

Alice ne sut que répondre à de telles paroles; cela ne ressemblait pas du tout à une conversation, pensa-t-elle, étant donné qu'il ne lui disait jamais un mot, à *elle*; en fait, sa dernière remarque s'adressait de toute évidence à un

to *her;* in fact, his last remark was evidently addressed to
a tree—so she stood and softly repeated to herself:

> "*Humpty Dumpty sat on a wall:*
> *Humpty Dumpty had a great fall.*
> *All the King's horses and all the King's men*
> *Couldn't put Humpty Dumpty in his place again.*"

"That last line is much too long for the poetry," she
added, almost out loud, forgetting that Humpty Dumpty
would hear her.

"Don't stand chattering to yourself like that," Humpty
Dumpty said, looking at her for the first time, "but tell
me your name and your business."

"My *name* is Alice, but——"

"It's a stupid name enough!" Humpty Dumpty interrupted impatiently. "What does it mean?"

"*Must* a name mean something?" Alice asked doubtfully.

"Of course it must," Humpty Dumpty said with a short
laught: "*my* name means the shape I am—and a good
handsome shape it is, too. With a name like yours, you
might be any shape, almost."

"Why do you sit out here all alone?" said Alice, not
wishing to begin an argument.

"Why, because there's nobody with me!" cried Humpty
Dumpty. "Did you think I didn't know the answer to
that? Ask another."

"Don't you think you'd be safer down on the ground?"
Alice went on, not with any idea of making another riddle,
but simply in her good-natured anxiety for the queer creature. "That wall is so *very* narrow!"

"What tremendously easy riddles you ask!" Humpty
Dumpty growled out. "Of course I don't think so! Why,
if ever I *did* fall off—which there's no chance of—but *if* I
did——" Here he pursed up his lips, and looked so solemn
and grand that Alice could hardly help laughing. "*If* I did
fall," he went on, "*the King has promised me*—ah, you
may turn pale, if you like! You didn't think I was going
to say that, did you? *The King has promised me—with his
own mouth—to—to*——"

arbre. Elle resta donc plantée là, immobile, à se réciter
tout bas :

> « *Heumpty Deumpty, tombé du haut d'un mur,*
> *Heumpty Deumpty s'est cassé la figure.*
> *Ni les chevaux du Roi, ni les soldats du Roi,*
> *N'ont pu soulever Heumpty Deumpty pour le remettre droit.* »

« Le vers final est beaucoup trop long par rapport à
ceux du reste du poème », ajouta-t-elle presque à haute
voix, oubliant que Heumpty Deumpty allait l'entendre.

« Ne restez pas à marmonner entre vos dents comme
cela, dit, en la regardant pour la première fois, Heumpty
Deumpty; faites-moi plutôt connaître votre nom et le genre
d'affaire qui vous amène ici. »

« Mon *nom* est Alice, mais... »

« Que voilà donc un nom idiot! intervint avec impatience
Heumpty Deumpty. Qu'est-ce qu'il signifie ? »

« Est-il absolument nécessaire qu'un nom signifie
quelque chose ? » s'enquit, dubitative, Alice.

« Evidemment, que c'est nécessaire, répondit, avec un
bref rire, Heumpty Deumpty; mon nom, à moi, signifie
cette forme qui est la mienne, et qui est, du reste, une très
belle forme. Avec un nom comme le vôtre, vous pourriez
avoir à peu près n'importe quelle forme. »

« Pourquoi restez-vous perché tout seul sur ce mur ? »
s'enquit Alice, peu soucieuse d'engager une controverse.

« Ma foi, parce qu'il n'y a personne avec moi! s'écria
Heumpty Deumpty. Pensiez-vous que je ne connusse pas
la réponse à cette question-là ? Posez-en une autre. »

« Ne croyez-vous pas que sur le sol, vous seriez plus en
sécurité ? poursuivit Alice, sans avoir aucunement l'intention d'énoncer une devinette, mais seulement en raison de
l'inquiétude que son bon cœur lui faisait éprouver à l'égard
de l'étrange créature. Ce mur est très, très étroit! »

« Vous posez des devinettes extravagamment faciles!
grogna Heumpty Deumpty. Bien sûr que je ne le crois pas!
Ma foi, si jamais je venais à choir du haut de ce mur... ce
qui est impensable... mais enfin... admettons... A ces mots
il pinça les lèvres et prit un air si solennel et si pompeux
qu'Alice eut peine à s'empêcher de rire. Si donc je venais à
choir, poursuivit-il, *le Roi m'a promis* — ah! vous pouvez
pâlir si cela vous chante! Vous ne vous attendiez pas à ce
que je vous dise cela, n'est-ce pas ? — *Le Roi, de sa propre
bouche, m'a promis...* d'... d'... »

"To send all his horses and all his men," Alice interrupted, rather unwisely.

"Now I declare that's too bad!" Humpty Dumpty cried, breaking into a sudden passion. "You've been listening at doors—and behind trees—and down chimneys—or you couldn't have known it!"

"I haven't, indeed!" Alice said very gently. "It's in a book."

"Ah, well! They may write such things in a *book*," Humpty Dumpty said in a calmer tone. "That's what you call a History of England, that is. Now, take a good look at me! I'm one that has spoken to a King, *I* am: mayhap you'll never see such another: and to show you I'm not proud, you may shake hands with me!" And he grinned almost from ear to ear, as he leant forwards (and as nearly as possible fell off the wall in doing so) and offered Alice his hand. She watched him a little anxiously as she took it. "If he smiled much more, the ends of his mouth might meet behind," she thought: "and then I don't know what would happen to his head! I'm afraid it would come off!"

"Yes, all his horses and all his men," Dumpty Humpty went on. "They'd pick me up again in a minute, *they* would! However, this conversation is going on a little too fast: let's go back to the last remark but one."

"I'm afraid I can't quite remember it," Alice said very politely.

"In that case we may start afresh," said Humpty Dumpty, "and it's my turn to choose a subject——" ("He talks about it just as if it was a game!" thought Alice.) "So here's a question for you. How old did you say you were?"

Alice made a short calculation, and said, "Seven years and six months."

"Wrong!" Humpty Dumpty exclaimed triumphantly. "You never said a word like it."

"I thought you meant, 'How old *are* you?'" Alice explained.

"If I'd meant that, I'd have said it," said Humpty Dumpty.

« D'envoyer tous ses chevaux et tous ses soldats », lui souffla, assez inconsidérément, Alice.

« Ah! par exemple, voilà qui est un peu fort! s'écria, en proie à une rage soudaine, Heumpty Deumpty. Vous avez écouté aux portes... et de derrière les arbres... et par les tuyaux des cheminées... sinon vous n'auriez pu avoir connaissance de ça! »

« Je vous jure que non! répondit, très suavement, Alice. Je l'ai lu dans un livre. »

« Ah, oui! On peut écrire des choses de ce genre dans un *livre*, admit, d'un ton de voix plus serein, Heumpty Deumpty. C'est ce que l'on appelle une Histoire d'Angleterre, n'est-ce pas ? Maintenant, regardez-moi bien! Vous avez devant vous quelqu'un — moi-même, ici présent — qui a adressé la parole à un Roi : peut-être ne verrez-vous jamais un autre bénéficiaire du même privilège. Et pour vous montrer que je ne suis pas fier, je vous autorise à me serrer la main! » Là-dessus, il sourit presque jusqu'aux oreilles en se penchant en avant (tellement qu'il s'en fallut d'un rien pour que, ce faisant, il ne tombât du haut du mur) et il tendit la main à Alice. Elle la prit tout en observant avec quelque appréhension le petit bonhomme : « S'il souriait davantage, les coins de sa bouche pourraient bien se rejoindre par derrière, pensa-t-elle, et alors je me demande ce qu'il arriverait à sa tête! Elle tomberait, j'en ai grand'peur! »

« Oui, tous ses chevaux et tous ses soldats, poursuivit Heumpty Deumpty. Ils me relèveraient à l'instant même, pour sûr! Mais cette conversation va un peu trop bon train : revenons-en à l'avant-dernière remarque. »

« Je crains de ne m'en pas souvenir très bien », répondit poliment Alice.

« En ce cas nous pouvons repartir de zéro, dit Heumpty Deumpty. A mon tour de choisir un sujet... (« Il en parle comme s'il s'agissait d'un jeu! » pensa Alice). Voici donc la question à laquelle il vous faut répondre : « Quel âge avez-vous dit que vous aviez ? »

Alice fit un bref calcul et répondit : « Sept ans et six mois. »

« C'est faux! s'exclama, l'air triomphant, Heumpty Deumpty. Vous n'en avez jamais soufflé mot. »

« Je pensais que vous vouliez dire : Quel âge avez-vous ? » expliqua Alice.

« Si j'avais voulu dire cela, je l'aurais dit », répliqua Heumpty Deumpty.

Alice didn't want to begin another argument, so she said nothing.

"Seven years and six months!" Humpty Dumpty repeated thoughtfully. "An uncomfortable sort of age. Now if you'd asked *my* advice, I'd have said, 'Leave off at seven' —but it's too late now."

"I never ask advice about growing," Alice said indignantly.

"Too proud?" the other inquired.

Alice felt even more indignant at this suggestion. "I mean," she said, "that one can't help growing older."

"*One* can't, perhaps," said Humpty Dumpty, "but *two* can. With proper assistance, you might have left off at seven."

"What a beautiful belt you've got on!" Alice suddenly remarked. (They had had quite enough of the subject of age, she thought: and if they were really to take turns in choosing subjects, it was her turn now.) "At least," she corrected herself on second thoughts, "a beautiful cravat, I should have said—no, a belt, I mean—oh, I *beg* your pardon!" she added in dismay, for Humpty Dumpty looked thoroughly offended, and she began to wish she hadn't chosen that subject. "If only I knew," she thought to herself, "which was neck and which was waist!"

Evidently Humpty Dumpty was very angry, though he said nothing for a minute or two. When he *did* speak again, it was in a deep growl.

"It is a—*most—provoking*—thing," he said at last, "when a person doesn't know a cravat from a belt!"

"I know it's very ignorant of me," Alice replied, in so humble a tone that Humpty Dumpty relented.

"It's a cravat, child, and a beautiful one, as you say. It's a present from the White King and Queen. There now!"

"Is it really?" said Alice, quite pleased to find she *had* chosen a good subject, after all.

"They gave it me," Humpty Dumpty continued thoughtfully, as he crossed one knee over the other and clasped his hands round it, "—for an un-birthday present."

Désireuse de ne pas s'engager dans une nouvelle controverse, Alice se tint coite.

« Sept ans et six mois! » répéta pensivement Heumpty Deumpty. C'est un âge bien incommode. Certes, si vous m'aviez demandé, à moi, mon avis, je vous aurais dit : « Arrêtez-vous à sept ans... mais à présent, il est trop tard. »

« Je ne demande jamais l'avis de personne au sujet de ma croissance », déclara, l'air outré, Alice.

« Trop fière, sans doute ? » demanda l'autre.

Cette insinuation accrut encore l'indignation d'Alice. « J'entends, expliqua-t-elle, qu'un enfant ne peut pas s'empêcher de grandir. »

« *Un* enfant ne le peut sans doute pas, répondit Heumpty Deumpty; mais *deux* enfants le peuvent, à coup sûr. Convenablement aidée, vous eussiez pu vous arrêter à sept ans. »

« Quelle belle ceinture vous portez! » remarqua tout à coup Alice. (Ils avaient suffisamment parlé sur le thème de l'âge, estimait-elle; et s'ils devaient vraiment choisir leurs sujets de conversation à tour de rôle, c'était maintenant son tour, à elle, de le faire.) « Du moins, rectifia-t-elle après réflexion, quelle belle cravate, eussé-je dû dire... non, ceinture, plutôt... oh! je vous demande bien pardon! s'exclamat-elle, consternée, car Heumpty Deumpty avait l'air profondément vexé, et elle commençait à regretter d'avoir abordé un tel sujet. Si seulement je savais, pensa-t-elle en son for intérieur, ce qui est cou et ce qui est taille! »

Heumpty Deumpty était manifestement furieux, encore qu'il ne soufflât mot durant une ou deux minutes. Lorsqu'il voulut reprendre la parole, on n'entendit tout d'abord sortir de son gosier qu'une sorte de gargouillement.

« Il est... *exaspérant*, finit-il par articuler, de devoir constater que certaines gens sont incapables de distinguer une cravate d'une ceinture! »

« Je sais que je me suis montrée bien ignorante », répondit Alice, d'un ton si empreint d'humilité que Heumpty Deumpty se radoucit.

« C'est une cravate, mon enfant, et une belle cravate, comme vous l'avez du reste constaté. C'est un cadeau du Roi Blanc et de la Reine Blanche. Que dites-vous de cela ? »

« Est-ce possible ? » se récria Alice, ravie de voir qu'elle avait, en fin de compte, choisi un bon sujet de conversation.

« Ils me l'ont donnée, poursuivit pensivement, en croisant les jambes et en prenant à deux mains un de ses genoux, Heumpty Deumpty, ils me l'ont donnée en présent d'anananniversaire. »

"I beg your pardon ?" Alice said with a puzzled air.

"I'm not offended," said Humpty Dumpty.

"I mean, what *is* an un-birthday present ?"

"A present given when it isn't your birthday, of course."

Alice considered a little. "I like birthday presents best," she said at last.

"You don't know what you're talking about!" cried Humpty Dumpty. "How many days are there in a year ?"

"Three hundred and sixty-five," said Alice.

"And how many birthdays have you ?"

"One."

"And if you take one from three hundred and sixty-five, what remains ?"

"Three hundred and sixty-four, of course."

Humpty Dumpty looked doubtful. "I'd rather see that done on paper," he said.

Alice couldn't help smiling as she took out her memorandum-book, and worked the sum for him:

$$\begin{array}{r} 365 \\ -\ 1 \\ \hline 364 \end{array}$$

Humpty Dumpty took the book, and looked at it very carefully. "That *seems* to be done right——" he began.

"You're holding it upside down!" Alice interrupted.

"To be sure I was!" Humpty Dumpty said gaily, as she turned it round for him. "I thought it looked a little queer. As I was saying, that *seems* to be done right—though I haven't time to look it over thoroughly just now—and that shows that there are three hundred and sixty-four days when you might get un-birthday presents——"

"Certainly," said Alice.

"And only *one* for birthday presents, you know. There's glory for you!"

"I don't know what you mean by 'glory,' " Alice said.

Humpty Dumpty smiled contemptuously. "Of course you don't—till I tell you. I meant 'there's a nice knock-down argument for you!'"

« Je vous demande pardon ? » dit, fort intriguée, Alice.

« Vous ne m'avez pas offensé », répondit Heumpty Deumpty.

« Je veux dire : qu'est-ce qu'un présent d'an-anniversaire ? »

« C'est un présent que l'on vous donne lorsque ce n'est pas votre anniversaire, bien entendu. »

Alice réfléchit un peu. « Je préfère, finit-elle par déclarer, les présents d'anniversaire. »

« Vous ne savez pas ce que vous dites, s'écria Heumpty Deumpty. Combien de jours y a-t-il dans l'année ? »

« Trois cent soixante-cinq », répondit Alice.

« Et combien avez-vous d'anniversaires ? »

« Un seul. »

« Et si, de trois cent soixante-cinq, vous soustrayez un, que reste-t-il ? »

« Trois cent soixante-quatre, évidemment. »

Heumpty Deumpty parut sceptique.

« J'aimerais voir ça écrit noir sur blanc », déclara-t-il.

Alice ne put s'empêcher de sourire tandis qu'elle tirait de sa poche son calepin et faisait pour lui la soustraction :

$$\begin{array}{r} 365 \\ -\ \ 1 \\ \hline 364 \end{array}$$

Heumpty Deumpty prit en main le calepin et le regarda très attentivement : « Cela, commença-t-il de dire, me *paraît* être exact. »

« Vous le tenez à l'envers! » s'exclama Alice.

« C'est, ma foi, vrai! reconnut gaiement, tandis qu'elle lui remettait le carnet dans le bon sens, Heumpty Deumpty. Ça m'avait l'air un peu bizarre. Comme je le disais, cela me *paraît* être exact... encore que je n'aie pas présentement le temps de vérifier de fond en comble... et cela vous montre qu'il y a trois cent soixante-quatre jours où vous pourriez recevoir des présents d'an-anniversaire... »

« Certes », admit Alice.

« Et *un* jour seulement réservé aux présents d'anniversaire, évidemment. Voilà de la gloire pour vous! »

« Je ne sais ce que vous entendez par « gloire » », dit Alice.

Heumpty Deumpty sourit d'un air méprisant.

« Bien sûr que vous ne le savez pas, puisque je ne vous l'ai pas encore expliqué. J'entendais par là : « Voilà pour vous un bel argument sans réplique! »

"But 'glory' doesn't mean 'a nice knock-down argument,' " Alice objected.

"When *I* use a word," Humpty Dumpty said in rather a scornful tone, "it means just what I choose it to mean—neither more nor less."

"The question is," said Alice, "whether you *can* make words mean different things."

"The question is," said Humpty Dumpty, "which is to be master—that's all."

Alice was too much puzzled to say anything, so after a minute Humpty Dumpty began again. "They've a temper, some of them—particularly verbs, they're the proudest—adjectives you can do anything with, but not verbs—however, *I* can manage the whole lot! Impenetrability! That's what *I* say!"

"Would you tell me, please," said Alice, "what that means ?"

"Now you talk like a reasonable child," said Humpty Dumpty, looking very much pleased. "I meant by 'impenetrability' that we've had enough of that subject, and it would be just as well if you'd mention what you mean to do next, as I suppose you don't intend to stop here all the rest of your life."

"That's a great deal to make one word mean," Alice said in a thoughtful tone.

"When I make a word do a lot of work like that," said Humpty Dumpty, "I always pay it extra."

"Oh!" said Alice. She was too much puzzled to make any other remark.

"Ah, you should see 'em come round me on a Saturday night," Humpty Dumpty went on, wagging his head gravely from side to side: "for to get their wages, you know."

(Alice didn't venture to ask what he paid them with; and so you see I can't tell *you*.)

"You seem very clever at explaining words, Sir," said Alice. "Would you kindly tell me the meaning of the poem 'Jabberwocky' ?"

"Let's hear it," said Humpty Dumpty. "I can explain

« Mais « gloire » ne signifie pas « bel argument sans réplique » », objecta Alice.

« Lorsque *moi* j'emploie un mot, répliqua Heumpty Deumpty d'un ton de voix quelque peu dédaigneux, il signifie exactement ce qu'il me plaît qu'il signifie... ni plus, ni moins. »

« La question, dit Alice, est de savoir si vous avez le pouvoir de faire que les mots signifient autre chose que ce qu'ils veulent dire. »

« La question, riposta Heumpty Deumpty, est de savoir qui sera le maître... un point, c'est tout. »

Alice était trop déconcertée pour ajouter quoi que ce fût. Au bout d'une minute, Heumpty Deumpty reprit : « Ils ont un de ces caractères! Je parle de certains d'entre eux — en particulier des verbes (ce sont les plus orgueilleux). Les adjectifs, vous pouvez en faire tout ce qu'il vous plaît, mais les verbes! Néanmoins je suis en mesure de les mettre au pas, tous autant qu'ils sont! Impénétrabilité : Voilà ce que, *moi*, je déclare! »

« Voudriez-vous, je vous prie, me dire, s'enquit Alice, ce que cela signifie ? »

« Vous parlez maintenant en petite fille raisonnable, dit Heumpty Deumpty, l'air très satisfait. Par « impénétrabilité », j'entends que nous avons assez parlé sur ce sujet, et que vous feriez bien de m'apprendre ce que vous avez l'intention de faire à présent, si, comme je le suppose, vous ne tenez pas à rester ici jusqu'à la fin de vos jours. »

« C'est faire signifier vraiment beaucoup à un seul mot », fit observer, d'un ton méditatif, Alice.

« Lorsque j'exige d'un mot pareil effort, dit Heumpty Deumpty, je lui octroie toujours une rémunération supplémentaire. »

« Oh! » dit Alice. Elle était trop ébaubie pour faire aucune autre remarque.

« Ah! poursuivit, en hochant gravement la tête, Heumpty Deumpty, j'aimerais que vous les voyiez, les mots, le samedi soir, s'assembler autour de moi — pour toucher leur rémunération, savez-vous bien. »

(Alice n'osa lui demander avec quoi il les payait; je ne saurais donc moi-même vous le dire.)

« Vous m'avez l'air, monsieur, dit Alice, d'être très fort en explication de mots. Auriez-vous la bonté de m'enseigner la signification du poème *Bredoulocheux ?* »

« Ecoutons-le donc, dit Heumpty Deumpty. Je peux expliquer tous les poèmes qui furent inventés depuis le

all the poems that ever were invented—and a good many that haven't been invented just yet."

This sounded very hopeful, so Alice repeated the first verse:

> "'*Twas brillig, and the slithy toves*
> *Did gyre and gimble in the wabe:*
> *All mimsy were the borogoves,*
> *And the mome raths outgrabe.*"

"That's enough to begin with," Humpty Dumpty interrupted: "there are plenty of hard words there. 'Brillig' means four o'clock in the afternoon—the time when you begin *broiling* things for dinner."

"That'll do very well," said Alice: "and 'slithy'?"

"Well, 'slithy' means 'lithe and slimy.' 'Lithe' is the same as 'active.' You see it's like a portmanteau—there are two meanings packed up into one word."

"I see it now." Alice remarked thoughtfully: "and what are 'toves'?"

"Well, 'toves' are something like badgers—they're something like lizards—and they're something like corkscrews."

"They must be very curious creatures."

"They are that," said Humpty Dumpty: "also they make their nests under sundials—also they live on cheese."

"And what's to 'gyre' and to 'gimble'?"

"To 'gyre' is to go round and round like a gyroscope. To 'gimble' is to make holes like a gimlet."

"And 'the wabe' is the grass plot round a sundial, I suppose?" said Alice, surprised at her own ingenuity.

"Of course it is. It's called 'wabe,' you know, because it goes a long way before it, and a long way behind it——"

"And a long way beyond it on each side," Alice added.

"Exactly so. Well then, 'mimsy' is 'flimsy and miserable' (there's another portmanteau for you). And a 'borogove' is a thin shabby-looking bird with its feathers sticking out all round—something like a live mop."

commencement des temps — et bon nombre de ceux qui ne l'ont pas encore été. »

Ceci paraissait très prometteur; Alice récita donc la première strophe de *Bredoulocheux :*

> « *Il était reveneure; les slictueux toves*
> *Sur l'allouinde gyraient et vriblaient;*
> *Tout flivoreux vaguaient les borogoves;*
> *Les verchons fourgus bourniflaient*[1]. »

« Cela suffit pour commencer, déclara, en l'interrompant, Heumpty Deumpty. Il y a force mots difficiles là-dedans. *Reveneure*, c'est quatre heures de l'après-midi, l'heure où l'on commence à faire *revenir* les viandes du dîner. »

« C'est parfaitement clair, dit Alice; et *slictueux ?* »

« Eh bien, *slictueux* signifie souple, actif, onctueux. C'est comme une valise, voyez-vous bien : il y a trois significations contenues dans un seul mot. »

« Je saisis cela maintenant, répondit Alice, pensive. Et qu'est-ce que les *toves ?* »

« Eh bien, les *toves*, c'est un peu comme des blaireaux, un peu comme des lézards et un peu comme des tire-bouchons. »

« Cela doit faire des créatures bien bizarres. »

« Sans nul doute, dit Heumpty Deumpty; il convient d'ajouter qu'ils font leurs nids sous les cadrans solaires et qu'ils se nourrissent de fromage. »

« Et que signifient *gyrer* et *vribler ?* »

« *Gyrer*, c'est tourner en ronflant comme un gyroscope; *vribler*, c'est faire des trous comme fait une vrille tout en étant sujet à vibrer de manière inopportune. »

« Et l'*allouinde*, c'est, je le suppose, l'allée qui mène au cadran solaire ? » dit Alice, surprise de sa propre ingéniosité.

« Cela va de soi. On l'appelle *allouinde*, voyez-vous bien, parce qu'elle s'allonge loin devant le cadran solaire, loin derrière lui... »

« Et loin de chaque côté de lui », ajouta Alice.

« Précisément. Quant à *flivoreux*, cela signifie frivole et malheureux (encore une valise). Le *borogove* est un oiseau tout maigre, d'aspect minable, dont les plumes se hérissent dans tous les sens : quelque chose comme un lave-pont qui serait vivant. »

1. Voir la N.d.T., page 65.

"And then 'mome raths'?" said Alice. "If I'm not giving you too much trouble."

"Well, a 'rath' is a sort of green pig: but 'mome' I'm not certain about. I think it's short for 'from home'—meaning that they'd lost their way, you know."

"And what does 'outgrabe' mean?"

"Well, 'outgribing' is something between bellowing and whistling, with a kind of sneeze in the middle: however, you'll hear it done, maybe—down in the wood yonder—and when you've once heard it you'll be *quite* content. Who's been repeating all that hard stuff to you?"

"I read it in a book," said Alice. "But I had some poetry repeated to me, much easier than that, by—Tweedledee, I think."

"As to poetry, you know," said Humpty Dumpty, stretching out one of his great hands, "*I* can repeat poetry as well as other folk if it comes to that——"

"Oh, it needn't come to that!" Alice hastily said, hoping to keep him from beginning.

"The piece I'm going to repeat," he went on without noticing her remark, "was written entirely for your amusement."

Alice felt that in that case she really *ought* to listen to it, so she sat down, and said "Thank you" rather sadly.

> "*In winter, when the fields are white,*
> *I sing this song for your delight*——

Only I don't sing it," he explained.

"I see you don't," said Alice.

"If you can *see* whether I'm singing or not, you've sharper eyes than most," Humpty Dumpty remarked severely. Alice was silent.

> "*In spring, when woods are getting green,*
> *I'll try and tell you what I mean.*"

« Et les *verchons fourgus ?* s'enquit Alice. Si ce n'est abuser de votre complaisance. »

« Ma foi, le *verchon* est une sorte de cochon vert; mais en ce qui concerne *fourgus* je n'ai pas d'absolue certitude. Je crois que c'est un condensé des trois participes : four-voyés, égarés, perdus. »

« Et que signifie *bournifler ?* »

« Eh bien, le *bourniflement*, c'est quelque chose qui tient du beuglement et du sifflement, avec, au beau milieu, une espèce d'éternuement; du reste, vous entendrez peut-être bournifler, là-bas, dans la forêt; et quand vous aurez entendu cela une seule fois, je pense que vous serez *tout à fait* édifiée. Qui donc a bien pu vous réciter des vers si difficiles ? »

« Je les ai lus dans un livre, répondit Alice. Mais quel-qu'un — c'est Twideuldie, je crois — m'a dit des vers beau-coup plus faciles que ceux-là. »

« Pour ce qui est de dire des vers, voyez-vous bien, dit Heumpty Deumpty en tendant une de ses grandes mains, au cas où l'on me défierait, je peux vous affirmer que je ne crains personne. »

« Oh, nul ne songe à vous défier sur ce terrain-là! » se hâta de dire Alice, dans l'espoir de l'empêcher de se lancer dans sa déclamation.

« La poésie que je vais vous dire, poursuivit-il sans prêter attention à la remarque de la fillette, a été écrite uniquement en vue de vous distraire. »

Alice comprit que, dans ce cas, elle n'avait vraiment pas d'autre choix que d'écouter; elle s'assit donc en murmurant, d'un air quelque peu accablé : « Merci. »

« *En hiver, quand les prés sont blancs,*
Je chante ma chanson pour votre amusement... »

« Toutefois, je ne la chante pas, à proprement parler », commenta-t-il.

« Je le vois bien », dit Alice.

« Si vous êtes capable de *voir* si je chante ou non, c'est qu'alors vous avez le regard plus perçant que ne l'ont la plupart des êtres humains », fit remarquer, d'un ton de voix sévère, Heumpty Deumpty. Alice se tint coite.

« *Au printemps, quand les bois verdissent,*
Je tâche que le sens pour vous s'en éclaircisse. »

"Thank you very much," said Alice.

> "*In summer, when the days are long,*
> *Perhaps you'll understand the song:*

> "*In autumn, when the leaves are brown,*
> *Take pen and ink and write it down.*"

"I will, if I can remember it so long," said Alice.

"You needn't go on making remarks like that," Humpty Dumpty said: "they're not sensible, and they put me out."

> "*I sent a message to the fish:*
> *I told them 'This is what I whish.'*

> "*The little fishes of the sea,*
> *They sent an answer back to me.*

> "*The little fishes' answer was*
> *'We cannot do it, Sir because——'* "

"I'm afraid I don't quite understand," said Alice.
"It gets easier further on," Humpty Dumpty replied.

> "*I sent to them again to say*
> *'It will be better to obey.'*

> "*The fishes answered with a grin,*
> *'Why, what a temper you are in!'*

> "*I told them once, I told them twice:*
> *They would not listen to advice.*

> "*I took a kettle large and new,*
> *Fit for the deed I had to do.*

> "*My heart went hop, my heart went thump;*
> *I filled the kettle at the pump.*

> "*Then someone came to me and said*
> *'The little fishes are in bed.'*

« Je vous remercie beaucoup de votre obligeance », dit Alice.

> « *En été, quand les jours sont longs,*
> *Vous comprenez enfin, peut-être, ma chanson.*
>
> *En automne, lorsque les frondaisons sont brunes,*
> *Afin de la noter prenez donc votre plume.* »

« Je n'y manquerai pas, si je parviens à m'en souvenir jusque-là », dit Alice.

« Inutile de continuer à faire des remarques de ce genre, riposta Heumpty Deumpty : elles n'ont ni queue ni tête, et elles me dérangent. »

> « *Un beau jour j'envoyai un message aux poissons :*
> *Je leur mandais :* « *Voici quels sont*
>
> *Mes désirs.* » *Las ! les sots poissonnets de la mer*
> *M'ont répondu tout net :* « *Non, monsieur, rien à faire.* »
>
> *Ils m'ont répondu net, ces insolents poissons :*
> « *Non, non, non, non, monsieur, vraiment nous regrettons.* »

« Je crains de ne pas très bien comprendre », dit Alice.

« La suite est plus facile », répondit Heumpty Deumpty :

> « *Moi je leur écrivis derechef pour leur dire :*
> « *Vous feriez beaucoup mieux, malheureux, d'obéir.* »
>
> *Les stupides poissons m'ont répondu :* « *Très cher*
> *Monsieur, ne vous mettez pas ainsi en colère.* »
>
> *Je le leur ai redit et j'ai bien insisté,*
> *Mais eux, pourtant, ils n'ont pas voulu m'écouter.*
>
> *Je pris à la cuisine un solide bassin*
> *Qui semblait convenir fort bien à mon dessein.*
>
> *Mon cœur battait très fort, mon cœur tambourinait*
> *Quand, ce bassin, je l'ai rempli au robinet.*
>
> *A ce moment survint un quidam qui me dit :*
> « *Tous les petits poissons reposent dans leur lit.* »

> "*I said to him, I said it plain,*
> *'Then you must wake them up again.'*

> "*I said it very loud and clear;*
> *I went and shouted in his ear.*"

Humpty Dumpty raised his voice almost to a scream as he repeated this verse, and Alice thought with a shudder, "I wouldn't have been the messenger for *anything!*"

> "*But he was very stiff and proud;*
> *He said 'You needn't shout so loud!'*

> "*And he was very proud and stiff;*
> *He said 'I'd go and wake them, if——'*

> "*I took a corkscrew from the shelf:*
> *I went to wake them up myself.*

> "*And when I found the door was locked,*
> *I pulled and pushed and kicked and knocked.*

> "*And when I found the door was shut,*
> *I tried to turn the handle, but——*"

There was a long pause.

"Is that all?" Alice timidly asked.

"That's all," said Humpty Dumpty. "Good-bye."

This was rather sudden, Alice thought: but, after such a *very* strong hint that she ought to be going, she felt it would hardly be civil to stay. So she got up and held out her hand. "Good-bye, till we meet again!" she said as cheerfully as she could.

"I shouldn't know you again if we *did* meet," Humpty Dumpty replied in a discontented tone, giving her one of his fingers to shake; "you're so exactly like other people."

"The *face* is what one goes by, generally," Alice remarked in a thoughtful tone.

"That's just what I complain of," said Humpty Dumpty. "Your face is the same as everybody has—the two eyes, so——" (marking their places in the air with his thumb) "nose in the middle, mouth under. It's always the same.

A quoi je lui ai répondu sans sourciller :
« Alors vous feriez bien d'aller les réveiller. »

Ça, je le lui ai dit, le lui ai répété,
Puis à l'oreille enfin je le lui ai crié. »

La voix de Heumpty Deumpty devenait de plus en plus aiguë et c'est en criant à tue-tête qu'il finit de réciter la dernière strophe. Alice, frissonnante, pensa : « Pour *rien au monde* je n'eusse voulu être le messager ! »

« Or ce quidam était orgueilleux et guindé :
Il me dit : « J'ai compris ce que vous demandez. »

Or ce quidam était guindé et orgueilleux :
Il me dit : « J'irai les réveiller, si je veux. »

Je pris un grand tire-bouchon sur l'étagère ;
Vers les petits poissons mes pas se dirigèrent.

Mais ayant constaté qu'ils s'étaient enfermés,
Je tirai et poussai et tapai et frappai.

Mais ayant constaté que leur porte était close,
J'essayais d'en tourner le loquet, lorsque, chose... »

Il y eut un long silence.
« Est-ce tout ? » s'enquit timidement Alice.
« C'est tout, répondit Heumpty Deumpty. Au revoir. »
Alice trouva ses façons plutôt brusques ; mais après une invitation aussi nette à se retirer, elle comprit qu'il serait quelque peu discourtois de demeurer là. Elle se leva donc et lui tendit la main : « Au plaisir de vous revoir ! » dit-elle aussi gaiement que les circonstances le lui permettaient.
« En admettant que nous nous revoyions, je ne vous reconnaîtrai sûrement pas, répondit Heumpty Deumpty d'un ton de voix mécontent, en lui tendant un seul de ses doigts à serrer ; vous ressemblez tellement à tout le monde. »
« C'est par le *visage* que l'on se distingue les uns des autres, en général », fit remarquer, d'un ton pensif, Alice.
« Cela n'est malheureusement pas vrai en ce qui vous concerne, répliqua Heumpty Deumpty. Votre visage ne se distingue en rien de celui d'une quelconque personne... un œil à droite, un œil à gauche... (il les situa dans l'espace à l'aide de son pouce), le nez au milieu de la figure... la

Now if you had the two eyes on the same side of the nose, for instance—or the mouth at the top—that would be *some* help."

"It wouldn't look nice," Alice objected. But Humpty Dumpty only shut his eyes and said, "Wait till you've tried."

Alice waited a minute to see if he would speak again, but as he never opened his eyes or took any further notice of her, she said, "Good-bye!" once more, and, getting no answer to this, she quietly walked away: but she couldn't help saying to herself as she went, "Of all the unsatisfactory——" (she repeated this aloud, as it was a great comfort to have such a long word to say) "of all the unsatisfactory people I *ever* met——" She never finished the sentence, for at this moment a heavy crash shook the forest from end to end.

bouche au-dessous du nez. C'est toujours pareil. Si vous
aviez les deux yeux du même côté du nez, par exemple...
ou la bouche à la place du front... cela m'aiderait un peu. »

« Ça ne serait pas joli, joli », objecta Alice. Mais Heumpty
Deumpty ne fit rien que fermer les yeux et dire : « Attendez
d'avoir essayé. »

Alice demeura immobile, un minute encore, à se demander s'il allait reprendre la parole; mais comme il gardait les
yeux fermés et ne faisait plus du tout attention à elle, elle
articula un décisif : « Au revoir ! » puis, ne recevant pas de
réponse, elle s'en alla tranquillement. Mais elle ne put
s'empêcher de dire à part soi en s'éloignant : « De toutes
les personnes abracadabrantes... (elle répéta l'adjectif à
haute voix, comme si c'eût été une grande consolation
pour elle que d'avoir à prononcer un mot aussi long), de
toutes les personnes abracadabrantes qu'il a pu m'arriver
de rencontrer... » Elle ne termina pas sa phrase, car, à ce
moment, la forêt fut d'un bout à l'autre ébranlée par un
formidable fracas.

CHAPTER VII

THE LION AND THE UNICORN

The next moment soldiers came running through the wood, at first in twos and threes, then ten or twenty together, and at last in such crowds that they seemed to fill the whole forest. Alice got behind a tree, for fear of being run over, and watched them go by.

She thought that in all her life she had never seen soldiers so uncertain on their feet: they were always tripping over something or other, and whenever one went down, several more always fell over him, so that the ground was soon covered with little heaps of men.

Then came the horses. Having four feet, these managed rather better than the foot-soldiers: but even *they* stumbled now and then; and it seemed to be a regular rule that, whenever a horse stumbled, the rider fell off instantly. The confusion got worse every moment, and Alice was very glad to get into an open place, where she found the White King seated on the ground, busily writing in his memorandum-book.

"I've sent them all!" the King cried in a tone of delight, on seeing Alice. "Did you happen to meet any soldiers, my dear, as you came through the wood?"

"Yes, I did," said Alice: "several thousand, I should think."

"Four thousand two hundred and seven, that's the exact number," the King said, referring to his book. "I couldn't send all the horses, you know, because two of them are wanted in the game. And I haven't sent the two Messengers,

CHAPITRE VII

LE LION ET LA LICORNE

Un instant plus tard, des soldats, au pas de charge, arrivaient à travers bois, d'abord par détachements de deux ou de trois, puis par pelotons de dix ou de vingt hommes, et finalement, par régiments si nombreux qu'ils semblaient remplir toute la forêt. Alice, de peur d'être renversée et piétinée, se posta derrière un arbre, et elle les regarda passer.

Elle se dit que, de sa vie, elle n'avait vu des soldats si mal assurés sur leurs jambes : ils trébuchaient sans cesse sur quelque obstacle, et, chaque fois que l'un d'eux s'écroulait, plusieurs autres lui tombaient dessus, de sorte que le sol fut bientôt jonché de petits tas d'hommes étendus.

Puis vinrent les chevaux. Sur leurs quatre pieds ils semblaient être un peu plus stables que les fantassins; mais, tout de même, ils bronchaient de temps à autre; et, chaque fois qu'un cheval bronchait, son cavalier ne manquait pas de choir instantanément. La confusion ne cessait de croître, et Alice fut fort aise d'arriver enfin à une clairière où elle trouva le Roi Blanc assis sur le sol, en train de fébrilement écrire sur son calepin.

« Je les ai envoyés là-bas, tous! s'écria, d'un ton ravi, le Roi, dès qu'il aperçut Alice. N'avez-vous pas, par hasard, ma chère enfant, en cheminant à travers bois, rencontré des soldats ? »

« Si fait, répondit Alice : plusieurs milliers, m'a-t-il semblé. »

« Quatre mille deux cent sept, c'est là leur nombre exact, dit le Roi en se reportant à son carnet. Je n'ai pu envoyer tous les chevaux, voyez-vous bien, parce qu'il en fallait laisser deux dans le jeu. Et je n'ai pas non plus envoyé les Messagers qui sont tous deux partis pour la ville. Regar-

either. They're both gone to the town. Just look along the road, and tell me if you can see either of them."

"I see nobody on the road," said Alice.

"I only wish *I* had such eyes," the King remarked in a fretful tone. "To be able to see Nobody! And at that distance too! Why, it's as much as *I* can do to see real people, by this light!"

All this was lost on Alice, who was still looking intently along the road, shading her eyes with one hand. "I see somebody now!" she exclaimed at last. "But he's coming very slowly—and what curious attitudes he goes into!" (For the Messenger kept skipping up and down, and wriggling like an eel, as he came along, with his great hands spread out like fans on each side.)

"Not at all," said the King. "He's an Anglo-Saxon Messenger—and those are Anglo-Saxon attitudes. He only does them when he's happy. His name is Haigha." (He pronounced it so as to rythme with "mayor".)

"I love my love with an H," Alice couldn't help beginning, "because he is Happy. I hate him with an H, because he is Hideous. I fed him with—with—with Ham-sandwiches and Hay. His name is Haigha, and he lives——"

"He lives on the Hill," the King remarked simply, without the least idea that he was joining in the game, while Alice was still hesitating for the name of a town beginning with H. "The other Messenger's called Hatta. I must have *two*, you know—to come and go. One to come, and one to go."

"I beg your pardon?" said Alice.

"It isn't respectable to beg," said the King.

"I only meant that I didn't understand," said Alice. "Why one to come and one to go?"

"Don't I tell you?" the King repeated impatiently. "I must have *two*—to fetch and carry. One to fetch, and one to carry."

At this moment the Messenger arrived: he was far too much out of breath to say a word, and could only wave

dez donc sur la route et dites-moi si l'un ou l'autre
d'entre eux ne revient pas. Eh bien, qui voyez-vous ? »

« Personne », répondit Alice.

« Je donnerais cher pour avoir des yeux comme les
vôtres, fit observer, d'un ton irrité, le monarque. Etre
capable de voir Personne, l'Irréel en personne! Et à une
telle distance, par-dessus le marché! Vrai, tout ce dont
je suis capable, pour ma part, c'est de voir, parfois, quelqu'un de bien réel! »

Cette réplique échappa tout entière à Alice qui, la main
en visière au-dessus des yeux, continuait d'observer attentivement la route. « Je vois à présent quelqu'un! s'exclama-
t-elle tout à coup. Quelqu'un qui avance très lentement et en
prenant des attitudes vraiment bizarres! » (Le Messager, en
effet, chemin faisant, ne cessait de faire des sauts de carpe
et de se tortiller comme une anguille en tenant ses grandes
mains écartées de chaque côté de lui comme des éventails.)

« Pas bizarres du tout, dit le Roi. C'est un Messager
anglo-saxon, et les attitudes qu'il prend sont des attitudes
anglo-saxonnes. Il ne les prend que lorsqu'il est heureux.
Il se nomme Haigha. » (Il prononça ce dernier mot comme
pour le faire rimer avec « Aïe, gars! »)

« J'aime mon amant avec une H, commença de dire,
malgré elle, Alice, parce qu'il est Heureux. Je le déteste
avec une H, parce qu'il est Hideux. Je l'alimente avec...
avec... avec... du Hachis et du Houblon. On le nomme
Haigha, et il habite... »

« Dans les Highlands, poursuivit, en toute simplicité,
le Roi, sans se douter le moins du monde qu'il prenait part
au jeu, tandis qu'Alice cherchait encore un nom de ville
commençant par la lettre H. L'autre Messager se nomme
Hatta. Il m'en faut *deux*, voyez-vous bien... pour faire l'aller
et le retour. Un pour l'aller et un autre pour le retour. »

« Je vous demande pardon ? » fit Alice.

« Cela n'est pas très digne, déclara le Roi, que de
demander pardon lorsque l'on n'a rien fait de mal. »

« Je voulais seulement dire que je n'avais pas compris,
dit Alice. Pourquoi un pour l'aller, et un autre pour le
retour ? »

« Ne suis-je pas en train de vous l'expliquer ? s'écria le
Roi, du ton de voix de quelqu'un qui perd patience. Il m'en
faut *deux* pour aller chercher le ravitaillement : un pour y
aller, et un autre pour l'y chercher. »

C'est à ce moment que le messager arriva. Beaucoup
trop essoufflé pour pouvoir parler, il se contenta de gesticuler

his hands about, and make the most fearful faces at the poor King.

"This young lady loves you with an H," the King said, introducing Alice in the hope of turning off the Messenger's attention from himself—but it was no use—the Anglo-Saxon attitudes only got more extraordinary every moment, while the great eyes rolled wildly from side to side.

"You alarm me!" said the King. "I feel faint—Give me a ham-sandwich!"

On which the Messenger, to Alice's great amusement, opened a bag that hung round his neck, and handed a sandwich to the King, who devoured it greedily.

"Another sandwich!" said the King.

"There's nothing but hay left now," the Messenger said, peeping into the bag.

"Hay, then," the King faintly murmured.

Alice was glad to see that it revived him a good deal. "There's nothing like eating hay when you're faint," he remarked to her, as he munched away.

"I should think throwing cold water over you would be better," Alice suggested: "—or some sal volatile."

"I didn't say there was nothing *better*," the King replied. "I said there was nothing *like* it." Which Alice did not venture to deny.

"Who did you pass on the road?" the King went on, holding out his hand to the Messenger for some more hay.

"Nobody," said the Messenger.

"Quite right," said the King: "this young lady saw him too. So of course Nobody walks slower than you."

"I do my best," the Messenger said in a sullen tone. "I'm sure nobody walks much faster than I do!"

"He can't do that," said the King, "or else he'd have been here first. However, now you've got your breath, you may tell us what's happened in the town."

"I'll whisper it," said the Messenger, putting his hands to his mouth in the shape of a trumpet, and stooping so as to get close to the King's ear. Alice was sorry for this, as she wanted to hear the news too. However, instead of

de manière incompréhensible tout en faisant au pauvre Roi les plus effroyables grimaces.

« Cette jeune personne vous aime avec une H, dit le Roi en présentant Alice dans l'espoir de détourner de lui-même l'attention du Messager. Mais ce fut en vain : les attitudes anglo-saxonnes se firent de plus en plus extravagantes tandis que les gros yeux égarés de Haigha roulaient entre ses paupières.

« Vous m'inquiétez! dit le Roi. Je me sens défaillir. Donnez-moi vite un sandwich au hachis! »

Sur quoi le Messager, au grand amusement d'Alice, ouvrit un sac pendu à son cou et tendit au Roi un sandwich que le monarque dévora avec avidité.

« Un autre sandwich! » ordonna le Roi.

« Il ne reste à présent que du houblon », répondit le Messager après avoir jeté un coup d'œil à l'intérieur du sac.

« Du houblon, alors », murmura, d'une voix éteinte, le Roi.

Alice fut fort aise de constater que le houblon semblait lui redonner des forces. « Lorsque l'on se sent défaillir il n'est rien de tel que de manger du houblon », déclara-t-il à la fillette tout en mâchonnant les cônes aromatiques.

« Je croyais, insinua Alice, que, dans ce cas, le mieux c'était que l'on vous jetât de l'eau froide au visage, ou que l'on vous fît respirer des sels. »

« Je n'ai pas dit qu'il n'y avait rien de *mieux*, répondit le Roi, j'ai dit qu'il n'y avait rien de *tel*. » Ce qu'Alice ne se risqua pas à contester.

« Qui avez-vous dépassé sur la route ? » s'enquit le Roi en tendant la main pour que le Messager lui donnât encore un peu de houblon.

« Personne », dit le Messager.

« Parfaitement exact, dit le Roi; cette jeune fille l'a vu, elle aussi. Donc : qui marche plus lentement que vous ? Personne. »

« Tout au contraire, répondit aigrement le Messager : qui marche plus vite que moi ? Personne, j'en suis sûr. »

« C'est impossible, dit le Roi, autrement il serait arrivé ici avant vous. Quoi qu'il en soit, maintenant que vous avez repris haleine, racontez-nous un peu ce qu'il s'est passé à la ville. »

« Je vais le chuchoter », dit le Messager en se mettant les mains en porte-voix et en se penchant de manière à être tout près de l'oreille du monarque. Alice fut déçue de le voir procéder ainsi, car elle aussi souhaitait connaître les

whispering, he simply shouted at the top of his voice,
They're at it again!"

"Do you call *that* a whisper!" cried the poor King,
jumping up and shaking himself. "If you do such a thing
again I'll have you buttered! It went through and through
my head like an earthquake!"

"It would have to be a very tiny earthquake!" thought
Alice. "Who are at it again?" she ventured to ask.

"Why, the Lion and the Unicorn, of course," said the
King.
"Fighting for the crown?"
"Yes to be sure," said the King: "and the best of the
joke is, that it's *my* crown all the while! Let's run and see
them." And they trotted off, Alice repeating to herself, as
she ran, the words of the old song:

"The Lion and the Unicorn were fighting for the crown:
The Lion beat the Unicorn all round the town.
Some gave them white bread and some gave them brown;
Some gave them plum-cake and drummed them out of town."

"And does—the one—that wins—get the crown?" she
asked, as well as she could, for the long run was putting
her quite out of breath.
"Dear me, no!" said the King. "What an idea!"

"Would you—be good enough——" Alice panted out,
after running a little further, "to stop a minute—just to
get—one's breath again?"
"I'm *good* enough," the King said, "only I'm not strong
enough. You see, a minute goes by so fearfully quick. You
might as well try to stop a Bandersnatch!"

Alice had no more breath for talking, so they trotted on
in silence, till they came in to sight of a great crowd, in the
middle of which the Lion and Unicorn were fighting. They
were in such a cloud of dust, that at first Alice could not
make out which was which: but she soon managed to
distinguish the Unicorn by his horn.

nouvelles. Mais, au lieu de chuchoter, le Messager hurla de toutes ses forces : « Ils sont encore en train de se colleter ! »

« Est-ce *cela* que vous appelez « chuchoter »! s'écria le pauvre Roi en sursautant et en s'ébrouant. Si jamais vous recommencez, je vous ferai mettre l'œil au beurre noir. Cela m'a traversé la tête de part en part comme l'eût fait un tremblement de terre. »

« Il eût fallu que ce fût un tremblement de terre en miniature! pensa Alice. Qui sont ces gens encore en train d'échanger des horions ? » se hasarda-t-elle à demander.

« Mais, voyons, le Lion et la Licorne, cela va de soi », répondit le Roi.

« Ils se battent pour la couronne ? »

« Cela ne fait aucun doute, dit le Roi, et ce qu'il y a de plus drôle dans l'affaire, c'est que c'est toujours de ma couronne, à moi, qu'il s'agit! Courons vite les voir. » Et ils partirent au pas de course. Chemin faisant, Alice se remémorait les paroles de la vieille chanson :

« *A travers la Cité, pour la sacré'couronne,*
Le Lion doit livrer combat à la Licorne;
On leur donn' du pain bis, on leur donn' du pain blanc,
On leur donn' du quat'-quarts et de la tarte aux pommes,
Puis de la ville on les chasse, tambour battant. »

« Est-ce que... celui... qui gagne... peut ceindre la couronne ? » s'enquit-elle tant bien que mal, car elle était hors d'haleine à force de courir.

« Seigneur, jamais de la vie! répondit le Roi. En voilà une idée! »

« Auriez-vous... la bonté..., dit, après avoir couru encore quelque peu, Alice, haletante, d'arrêter une minute..., le temps de... reprendre haleine ? »

« J'en aurais bien la *bonté*, répondit le Roi, mais je n'en ai pas la force. C'est qu'une minute, voyez-vous, cela passe beaucoup trop vite. Autant essayer d'arrêter un Pinçmacaque! »

Alice n'ayant plus assez de souffle pour répliquer, ils coururent tous deux encore quelques instants durant sans mot dire et ils arrivèrent enfin en vue d'un grand concours de peuple au milieu duquel le Lion et la Licorne se livraient bataille. Un tel nuage de poussière les enveloppait qu'Alice, tout d'abord, ne put distinguer les combattants : mais, à sa corne, bientôt, elle reconnut la Licorne.

They placed themselves close to where Hatta, the other
Messenger, was standing watching the fight, with a cup of
tea in one hand and a piece of bread and butter in the other.

"He's only just out of prison, and he hadn't finished
his tea when he was sent in," Haigha whispered to Alice:
"and they only give them oyster-shells in there—so you
see he's very hungry and thirsty. How are you, dear child?"
he went on, putting his arm affectionately round Hatta's
neck.

Hatta looked round and nodded, and went on with his
bread-and-butter.

"Were you happy in prison, dear child?" said Haigha.

Hatta looked round once more, and this time a tear or
two trickled down his cheek: but not a word would he say.

"Speak, can't you!" Haigha cried impatiently. But Hatta
only munched away, and drank some more tea.

"Speak, won't you!" cried the King. "How are they getting on with the fight?"

Hatta made a desperate effort, and swallowed a large
piece of bread-and-butter. "They're getting on very well,"
he said in a choking voice: "each of them has been down
about eighty-seven times."

"Then I suppose they'll soon bring the white bread and
the brown?" Alice ventured to remark.

"It's waiting for 'em now," said Hatta: "this is a bit of
it as I'm eating."

There was a pause in the fight just then, and the Lion
and the Unicorn sat down, panting, while the King called
out, "Ten minutes allowed for refreshments!" Haigha and
Hatta set to work at once, carrying round trays of white
and brown bread. Alice took a piece to taste, but it was
very dry.

"I don't think they'll fight any more to-day," the King
said to Hatta: "go and order the drums to begin." And
Hatta went bounding away like a grasshopper.

For a minute or two Alice stood silent, watching him.
Suddenly she brightened up. "Look! Look!" she cried,

Le Roi et Alice se placèrent tout près de l'endroit où Hatta, le second Messager, debout, observait le combat; d'une main il tenait une tasse de thé et, de l'autre, une tartine de beurre.

« Il vient tout juste de sortir de prison, et, le jour où on l'y a mis, il n'avait pas fini de prendre son thé, murmura, à l'oreille d'Alice, Haigha; or, là-dedans, on ne leur donne que des écailles d'huîtres... C'est pour cela, voyez-vous bien, qu'il a grand'faim et grand'soif. Comment allez-vous, cher enfant ? » poursuivit-il en passant affectueusement le bras autour du cou de Hatta.

Hatta se retourna, hocha la tête et continua de manger sa tartine de beurre.

« Avez-vous été heureux en prison, mon cher enfant ? » s'enquit Haigha.

Hatta se retourna une seconde fois, et une ou deux larmes roulèrent sur ses joues; mais il n'articula pas un seul mot.

« Parlez donc; ou auriez-vous perdu votre langue! » s'écria Haigha, impatienté. Mais Hatta ne fit rien que mastiquer son pain de plus belle et boire une nouvelle gorgée de thé.

« Parlez; ou avez-vous juré d'y mettre de la mauvaise volonté ? s'écria le Roi. Où en sont-ils de leur combat ? »

Dans un effort désespéré, Hatta avala un gros morceau de sa tartine : « Ils se comportent fort bien, marmonna-t-il d'une voix étouffée : chacun d'eux a mordu la poussière environ quatre-vingt-sept fois. »

« En ce cas, je suppose que l'on ne va pas tarder à apporter le pain blanc et le pain bis ? » se hasarda à demander Alice.

« Le pain les attend, répondit Hatta : je suis en train d'en manger un morceau. »

A ce moment précis, le combat s'interrompit, et le Lion et la Licorne s'assirent, haletants, tandis que le Roi annonçait : « Dix minutes de trêve; que l'on serve la collation! » Haigha et Hatta, sur-le-champ, s'empressèrent de faire circuler des plateaux de pain blanc et bis. Alice en prit un morceau pour y goûter mais elle le trouva terriblement sec.

« Je ne pense pas qu'ils reprennent le combat aujourd'hui dit le Roi à Hatta : allez donner aux tambours l'ordre d'entrer en lice. » Et Hatta s'en fut en progressant par bonds telle une sauterelle.

Pendant une minute ou deux, Alice, silencieuse, le regarda s'éloigner. Tout à coup son visage s'éclaira :

pointing eagerly. "There's the White Queen running across
the country! She came flying out of the wood over yonder—
How fast those Queens *can* run!"

"There's some enemy after her, no doubt," the King
said, without even looking round. "That wood's full of
them."

"But aren't you going to run and help her?" Alice asked,
very much surprised at his taking it so quietly.

"No use, no use!" said the King. "She runs so fearfully
quick. You might as well try to catch a Bandersnatch! But
I'll make a memorandum about her, if you like—She's a
dear good creature," he repeated softly to himself, as he
opened his memorandum-book. "Do you spell 'creature'
with a double 'e'?"

At this moment the Unicorn sauntered by them, with his
hands in his pockets. "I had the best of it this time!" he
said to the King, just glancing at him as he passed.

,A little—a little," the King replied, rather nervously.
"You shouldn't have run him through with your horn, you
know."

"It didn't hurt him," the Unicorn said carelessly, and he
was going on, when his eye happened to fall upon Alice:
he turned round instantly, and stood for some time looking at her with an air of the deepest disgust.

"What—is—this?" he said at last.

"This is a child!" Haigha replied eagerly, coming in
front of Alice to introduce her, and spreading out both his
hands towards her in an Anglo-Saxon attitude. "We only
found it to-day. "It's as large as life, and twice as natural!"

"I always thought they were fabulous monsters!" said
the Unicorn. "Is it alive?"

"It can talk," said Haigha solemnly.

The Unicorn looked dreamily at Alice, and said, "Talk,
child."

Alice could not help her lips curling up into a smile as
she began: "Do you know, I always thought Unicorns were
fabulous monsters, too! I never saw one alive before!"

"Well, now that we *have* seen each other," said the Uni-

« Voyez! voyez! s'écria-t-elle en tendant allégrement le doigt. C'est bien la Reine Blanche qui court à travers la campagne! Elle vient de sortir ventre à terre de la forêt qui se trouve là-bas. Dieu! que ces Reines *savent* courir vite! »

« Nul doute qu'elle n'ait un ennemi à ses trousses, dit le Roi sans prendre la peine de se retourner. Cette forêt en est pleine. »

« Mais n'allez-vous pas vous précipiter à son secours ? » s'enquit, très surprise de le voir prendre la chose si calmement, Alice.

« Inutile, inutile! répondit le Roi. Elle court beaucoup trop vite. Autant vaudrait tenter d'attraper un Pinçmacaque. Mais si cela peut vous être agréable, je vais écrire quelque chose sur elle dans mon carnet. La chère créature! marmonna-t-il en ouvrant son calepin. Ecrit-on « créature » avec deux *t* ? »

A ce moment la Licorne, les mains dans les poches, nonchalamment s'approcha d'eux. « Cette fois-ci, c'est moi qui ai eu le dessus », dit-elle en jetant au passage, au monarque, un bref regard.

« Un peu ... un peu, répondit, non sans quelque nervosité, le Roi. Vous n'auriez pas dû, voyez-vous bien, le transpercer de votre corne. »

« Ça ne lui a pas fait de mal », répondit, avec désinvolture, la Licorne. Elle allait s'éloigner, quand par hasard son regard tomba sur Alice : elle fit brusquement demi-tour et, d'un air de profond mécontentement, resta un bon moment à regarder la fillette.

« Qu'est-ce... que c'est... que ça ? » demanda-t-elle enfin.

« C'est une petite fille ! répondit allégrement Haigha, en se plaçant devant Alice pour la présenter et en tendant les deux mains vers elle dans une attitude typiquement anglo-saxonne. Nous avons trouvé ça aujourd'hui même. C'est grandeur nature, et c'est deux fois plus vrai que nature! »

« J'avais toujours cru que c'étaient des monstres fabuleux! s'exclama la Licorne. Est-ce vivant ? »

« Ça sait parler », répondit, d'un ton de voix solennel, Haigha.

La Licorne, d'un air rêveur, regarda Alice, et ordonna : « Parlez, mon enfant. »

Alice ne put empêcher ses lèvres d'ébaucher un sourire tandis qu'elle disait : « Moi-même, voyez-vous bien, j'avais toujours cru que les Licornes étaient des monstres fabuleux! Je n'avais encore jamais vu aucune Licorne vivante! »

« Eh bien, maintenant que nous nous sommes vues une

corn, "if you'll believe in me, I'll believe in you. Is that a bargain?"

"Yes, if you like," said Alice.

"Come, fetch out the plum-cake, old man!" the Unicorn went on, turning from her to the King. "None of your brown bread for me!"

"Certainly—certainly!" the King muttered, and beckoned to Haigha. "Open the bag!" he whispered. "Quick! Not that one—that's full of hay!"

Haigha took a large cake out of the bag, and gave it to Alice to hold, while he got out a dish and carving-knife. How they all came out of it Alice couldn't guess. It was just like a conjuring trick, she thought.

The Lion had joined them while this was going on: he looked very tired and sleepy, and his eyes were half shut. "What's this!" he said, blinking lazily at Alice, and speaking in a deep hollow tone that sounded like the tolling of a great bell.

"Ah, what *is* it, now?" the Unicorn cried eagerly. "You'll never guess! *I* couldn't."

The Lion looked at Alice wearily. "Are you animal—or vegetable—or mineral?" he said, yawning at every other word.

"It's a fabulous monster!" the Unicorn cried out, before Alice could reply.

"Then hand round the plum-cake, Monster," the Lion said, lying down and putting his chin on his paws. "And sit down, both of you," (to the King and the Unicorn): "fair play with the cake, you know!"

The King was evidently very uncomfortable at having to sit down between the two great creatures: but there was no other place for him.

"What a fight we might have for the crown, *now!*" the Unicorn said, looking slyly up at the crown, which the poor King was nearly shaking off his head, he trembled so much.

"I should win easy," said the Lion.

"I'm not so sure of that," said the Unicorn.

"Why, I beat you all round the town, you chicken!" the Lion replied angrily, half getting up as he spoke.

Here the King interrupted, to prevent the quarrel going

bonne fois l'une l'autre, dit la Licorne, si vous croyez en mon existence, je croirai en la vôtre. Marché conclu ? »

« Eh bien, oui, si vous le voulez », dit Alice.

« Allez, mon vieux, allez nous chercher le quatre-quarts, poursuivit, en s'adressant au Roi, la Licorne. Je ne veux pas entendre parler de votre pain bis! »

« Certainement... certainement! marmonna le Roi en faisant signe à Haigha. Ouvrez le sac, chuchota-t-il. Vite! Non, pas celui-ci... il ne contient que du houblon. »

Haigha tira du sac un gros gâteau qu'il donna à tenir à Alice tandis qu'il extrayait du même sac un plat et un couteau à découper. Alice n'arriva pas à deviner comment tous ces objets avaient pu sortir du sac. Il lui sembla qu'il s'agissait d'un tour de prestidigitation.

Le Lion, cependant, les avait rejoints. Il avait l'air très las et somnolent, et il tenait les yeux mi-clos. « Qu'est ceci ? » demanda-t-il en adressant un regard clignotant à Alice et en parlant d'un ton bas et profond qui évoquait le tintement d'une grosse cloche.

« Ah! justement, qu'est-ce que cela peut bien être ? s'écria avec vivacité la Licorne. Vous ne réussirez pas à le deviner. Moi, je n'y ai pas réussi. »

Le Lion, l'air accablé, regarda Alice : « Etes-vous un animal... ou un végétal... ou un minéral ? » s'enquit-il en bâillant après chaque mot qu'il prononçait.

« C'est un monstre fabuleux! » s'écria la Licorne, sans laisser à Alice le temps de répondre.

« Eh bien, Monstre, distribuez-nous nos parts de quatre-quarts, dit le Lion en se couchant et en s'appuyant le menton sur les pattes de devant. Vous deux, asseyez-vous, ordonna-t-il au Roi et à la Licorne. J'exige, voyez-vous bien, que l'on fasse des parts égales. »

Le Roi était manifestement très mal à l'aise de devoir s'asseoir entre ces deux énormes créatures; mais il n'y avait pas, pour lui, d'autre place.

« Quel combat nous pourrions nous livrer pour la couronne, *maintenant!* » s'exclama la Licorne en observant sournoisement la couronne qui était tout près de tomber de la tête du pauvre Roi, tant il tremblait.

« Je gagnerais aisément », dit le Lion.

« Je n'en suis pas si sûre », répliqua la Licorne.

« Allons donc, je vous ai pourchassée victorieusement à travers toute la ville, espèce de poule mouillée! » répondit, furieux, le Lion, en se soulevant à demi.

A ce moment, le Roi intervint pour empêcher la querelle

on: he was very nervous, and his voice quite quivered. "All round the town?" he said. "That's a good long way. Did you go by the old bridge, or the market-place? You get the best view by the old bridge."

"I'm sure I don't know," the Lion growled out as he lay down again. "There was too much dust to see anything. What a time the Monster is, cutting up that cake!"

Alice had seated herself on the bank of a little brook, with the great dish on her knees, and was sawing away diligently with the knife. "It's very provoking!" she said, in reply to the Lion (she was getting quite used to being called 'the Monster'). "I've cut off several slices already, but they will always join on again!"

"You don't know how to manage Looking-glass cakes," the Unicorn remarked. "Hand it round first, and cut it afterwards."

This sounded nonsense, but Alice very obediently got up, and carried the dish round, and the cake divided itself into three pieces as she did so. "*Now* cut it up," said the Lion, as she returned to her place with the empty dish.

"I say, this isn't fair!" cried the Unicorn, as Alice sat with the knife in her hand, very much puzzled how to begin. "The Monster has given the Lion twice as much as me!"

"She's kept none for herself, anyhow," said the Lion. "Do you like plum-cake, Monster?"

But, before Alice could answer him, the drums began.

Where the noise came from, she couldn't make out: the air seemed full of it, and it rang through and through her head till she felt quite deafened. She started to her feet, and in her terror she sprang across. . . . .
. . . .
the brook, and had just time to see the Lion and the Unicorn rise to their feet, with angry looks at being interrupted in their feast, before she dropped to her knees, and put her hands over her ears, vainly trying to shut out the dreadful uproar.

"If *that* doesn't 'drum them out of town,'" she thought to herself, "nothing ever will!"

de s'envenimer; il était fort énervé et sa voix tremblait :
« A travers toute la ville ? dit-il. Cela fait un bon bout de
chemin. Etes-vous passés par le vieux pont, ou par la place
du marché ? Par le vieux pont, la vue est bien plus belle. »

« Je n'en sais certes rien, grommela, tout en se recouchant,
le Lion. Il y avait trop de poussière pour que l'on pût voir
quoi que ce fût. Combien de temps faut-il donc au Monstre
pour découper ce gâteau ? »

Alice s'était assise au bord d'un petit ruisseau, le grand
plat posé sur les genoux, et elle sciait avec ardeur le gâteau
à l'aide du couteau à découper. « C'est exaspérant! répondit-elle au Lion (elle commençait à s'habituer à s'entendre
appeler « le Monstre »); j'en ai déjà découpé plusieurs
tranches, mais elles se recollent aussitôt.»

« Vous ne savez pas comment il faut s'y prendre avec les
gâteaux du Miroir, fit remarquer la Licorne. Faites-le
circuler d'abord et découpez-le ensuite. »

Cela semblait absurde, mais Alice, obéissante, se leva,
fit circuler le plat, et le gâteau se divisa de lui-même, cependant, en trois morceaux. « *A présent*, découpez-le », dit
le Lion, tandis qu'elle regagnait sa place avec le plat vide.

« Je le déclare, cela n'est pas juste! » s'écria la Licorne,
tandis qu'Alice assise, le couteau à la main, se demandait
avec embarras comment elle allait s'y prendre. Le Monstre
a donné au Lion une part deux fois plus grosse que la
mienne! »

« Elle n'en a pas gardé pour elle, en tout cas, dit le Lion.
Monstre, aimez-vous le gâteau ? »

Mais, avant qu'Alice n'eût pu lui répondre, les tambours
commencèrent à battre.

D'où venait le bruit, elle était incapable de s'en rendre
compte; les airs semblaient emplis du roulement des tambours qui résonnait sans arrêt dans sa tête, tant et si bien
qu'elle en était complètement abasourdie. Elle se leva d'un
bond et dans sa terreur elle franchit . . . .
. . . . le ruisseau. Elle eut à peine
le temps de voir le Lion et la Licorne se dresser (l'air furieux
d'être contraints d'interrompre leur repas) avant que de
tomber à genoux et de se boucher les oreilles pour tenter en
vain de se soustraire à l'épouvantable vacarme.

« Si le roulement de ces tambours ne réussit pas à les
chasser de la ville, pensa-t-elle, jamais rien ne les en pourra
faire partir! »

CHAPTER VIII

"IT'S MY OWN INVENTION"

After a while the noise seemed gradually to die away, till all was dead silence, and Alice lifted up her head in some alarm. There was no one to be seen, and her first thought was that she must have been dreaming about the Lion and the Unicorn and those queer Anglo-Saxon Messengers. However, there was the great dish still lying at her feet, on which she had tried to cut the plum-cake, "So I wasn't dreaming, after all," she said to herself, "unless—unless we're all part of the same dream. Only I do hope it's *my* dream, and not the Red King's! I don't like belonging to another person's dream," she went on in a rather complaining tone: "I've a great mind to go and wake him, and see what happens!"

At this moment her thoughts were interrupted by a loud shouting of, "Ahoy! Ahoy! Check!" and a Knight, dressed in crimson armour, came galloping down upon her, brandishing a great club. Just as he reached her, the horse stopped suddenly: "You're my prisoner!" the Knight cried, as he tumbled off his horse.

Startled as she was, Alice was more frightened for him than for herself at the moment, and watched him with some anxiety as he mounted again. As soon as he was comfortably in the saddle, he began once more, "You're my——" but here another voice broke in "Ahoy! Ahoy! Check!" and Alice looked round in some surprise for the new enemy.

This time it was a White Knight. He drew up at Alice's side, and tumbled off his horse just as the Red Knight had done: then he got on again, and the two Knights sat and

« C'EST UN OBJET DE MON INVENTION »

Au bout d'un moment, le bruit, peu à peu, sembla décroître, et il régna bientôt un silence de mort. Alice, inquiète, leva la tête. Aux alentours ne se montrait âme qui vive, et tout d'abord elle pensa que le Lion, la Licorne et les bizarres Messagers anglo-saxons n'avaient été que l'imagerie d'un songe. Pourtant, à ses pieds se trouvait toujours le grand plat sur lequel elle avait tenté de découper le quatre-quarts. « Donc, en fin de compte, je n'ai pas rêvé, se dit-elle, à moins que... à moins que nous ne jouions tous notre rôle dans un même rêve. Seulement, en ce cas, j'espère bien que c'est mon rêve, à moi, et non pas celui du Roi Rouge! Je n'aimerais pas appartenir au songe d'autrui, poursuivit-elle d'un ton de voix plaintif : j'ai grande envie de l'aller éveiller pour voir ce qu'il arrivera! »

A cet instant, elle fut interrompue dans ses réflexions par un « Holà! Holà! Echec! » retentissant, et un Cavalier, recouvert d'une armure cramoisie, arriva au galop droit sur elle en brandissant une énorme masse d'armes. Au moment précis où il allait l'atteindre, son cheval s'arrêta brusquement : « Vous êtes ma prisonnière! » s'écria le Cavalier en dégringolant de sa monture.

Si effrayée qu'elle fût, Alice, en cet instant, eut plus peur encore pour lui que pour elle-même, et ce ne fut pas sans une certaine anxiété qu'elle le regarda se remettre en selle. Dès qu'il y fut confortablement réinstallé, il commença, pour la seconde fois, de dire : « Vous êtes ma... », mais quelqu'un d'autre criant : « Holà! Holà! Echec! » l'interrompit. Quelque peu surprise, Alice se retourna de manière à faire face au nouvel ennemi.

Il s'agissait, cette fois, d'un Cavalier Blanc. Il s'arrêta net à la hauteur d'Alice et dégringola de son cheval tout comme l'avait fait le Cavalier Rouge; puis il se remit en selle, et les

looked at each other without speaking. Alice looked from one to the other in some bewilderment.

"She's *my* prisoner, you know!" the Red Knight said at last.

"Yes, but then *I* came and rescued her!" the White Knight replied.

"Well, we must fight for her, then," said the Red Knight, as he took up his helmet (which hung from the saddle, and was something the shape of a horse's head), and put it on.

"You will observe the Rules of Battle, of course ?" the White Knight remarked, putting on his helmet too.

"I always do," said the Red Knight, and they began banging away at each other with such fury that Alice got behind a tree to be out of the way of the blows.

"I wonder, now, what the Rules of Battle are," she said to herself, as she watched the fight, timidly peeping out from her hiding-place: "one Rule seems to be that, if one Knight hits the other, he knocks him off his horse; and if he misses, he tumbles off himself—and another Rule seems to be that they hold their clubs in their arms, as if they were Punch and Judy. What a noise they make when they tumble. Just like fire-irons falling into the fender! And how quiet the horses are! They let them get on and off them just as if they were tables!"

Another Rule of Battle, that Alice had not noticed, seemed to be that they always fell on their heads, and the battle ended with their both falling off in this way, side by side: when they got up again, they shook hands, and then the Red Knight mounted and galloped off.

"It was a glorious victory, wasn't it ?" said the White Knight, as he came up panting.

"I don't know," Alice said doubtfully. "I don't want to be anybody's prisoner. I want to be a Queen."

"So you will, when you've crossed the next brook," said the White Knight. "I'll see you safe to the end of the wood

deux cavaliers restèrent à se dévisager l'un l'autre sans mot dire. Quelque peu effarée, Alice attachait tour à tour son regard sur chacun d'eux.

« C'est ma prisonnière, à moi, ne l'oubliez pas! » déclara enfin le Cavalier Rouge.

« Oui, mais, moi, je suis venu à son secours! » répondit le Cavalier Blanc.

« Puisqu'il en est ainsi, nous allons nous battre pour savoir à qui elle sera », dit le Cavalier Rouge en prenant son casque (qui pendait à sa selle et affectait vaguement la forme d'une tête de cheval), et en s'en coiffant.

« Vous observerez, bien entendu, les Règles du Loyal Combat ? » s'enquit le Cavalier Blanc en mettant, à son tour, son casque.

« Je n'y manque jamais », répondit le Cavalier Rouge. Sur quoi, ils se mirent à s'assener mutuellement des coups de leur masse d'armes avec une fureur si grande, qu'Alice fut se réfugier derrière un arbre pour se mettre à l'abri des coups.

« Je me demande ce que les Règles du Loyal Combat peuvent bien être, se dit-elle en jetant de derrière son arbre quelques timides coups d'œil sur le déroulement de la bataille : l'une de ces règles semble vouloir que, si l'un des Cavaliers touche l'autre, il le fait tomber de cheval, et que, s'il le manque, il en tombe lui-même; une autre règle semble exiger qu'ils tiennent leur masse d'armes entre leurs bras, comme s'ils étaient Guignol et Polichinelle. Quel bruit ils font lorsqu'ils dégringolent. Tout comme les pincettes et le tisonnier tombant sur le garde-feu! Et comme leurs chevaux sont calmes! Ils se laissent monter par eux et ils les laissent choir tout comme s'ils étaient de bois! »

Une autre Règle du Loyal Combat, qu'Alice n'avait pas remarquée, semblait exiger qu'ils tombassent toujours sur la tête, et la bataille prit fin lorsque tous deux churent ainsi côte à côte : une fois relevés ils se serrèrent la main; puis le Cavalier Rouge enfourcha son cheval et partit au galop.

« J'ai remporté une glorieuse victoire, n'est-il pas vrai ? » dit le Cavalier Blanc, haletant, en s'approchant d'Alice.

« Je ne sais, répondit, dubitative, la fillette. En tout cas, je prétends n'être la prisonnière de quiconque. Je veux être Reine. »

« Vous le serez, lorsque vous aurez franchi le prochain ruisseau, affirma le Cavalier Blanc. J'assurerai votre sauve-garde jusqu'à l'orée de la forêt. Ensuite il faudra que je

—and then I must go back, you know. That's the end of my move."

"Thank you very much," said Alice. "May I help you off with your helmet?" It was evidently more than he could manage by himself; however she managed to shake him out of it at last.

"Now one can breathe more easily," said the Kingt, putting back his shaggy hair with both hands, and turning his gentle face and large mild eyes to Alice. She thought she had never seen such a strange-looking soldier in all her life.

He was dressed in tin armour, which seemed to fit him very badly, and he had a queer little deal box fastened across his shoulders upside-down, and with the lid hanging open. Alice looked at it with great curiosity.

"I see you're admiring my little box," the Knight said in a friendly tone. "It's my own invention—to keep clothes and sandwiches in. You see I carry it upside-down, so that the rain can't get in."

"But the things can get *out*," Alice gently remarked. "Do you know the lid's open?"

"I didn't know it," the Knight said, a shade of vexation passing over his face. "Then all the things must have fallen out! And the box is no use without them." He unfastened it as he spoke, and was just going to throw it into the bushes, when a sudden thought seemed to strike him, and he hung it carefully on a tree. "Can you guess why I did that?" he said to Alice.

Alice shook her head.

"In hopes some bees may bake a nest in it—then I should get the honey."

"But you've got a bee-hive—or something like one—fastened to the saddle," said Alice.

"Yes, it's a very good bee-hive," the Knight said in a discontented tone, "one of the best kind. But not a single bee has come near it yet. And the other thing is a mouse-trap. I suppose the mice keep the bees out or the bees keep the mice out, I don't know which."

"I was wondering what the mouse-trap was for," said

m'en revienne, voyez-vous bien. La règle du jeu ne me permet pas d'aller plus loin. »

« Merci beaucoup, dit Alice. Puis-je vous aider à ôter
votre casque ? » De toute évidence il eût été bien incapable
de l'ôter tout seul; néanmoins Alice parvint à dégager le
Cavalier en secouant vigoureusement son casque.

« A présent, on respire », dit le Cavalier qui après avoir,
des deux mains, rejeté en arrière ses longs cheveux, tourna
vers Alice un visage empreint de bonté et de grands yeux
très doux. La fillette pensa qu'elle n'avait jamais vu soldat
de si étrange aspect.

Il avait revêtu une armure de fer-blanc qui semblait lui
aller très mal, et il portait, attachée sens dessus dessous en
travers des épaules, une bizarre petite boîte de bois blanc
dont le couvercle pendait. Alice regarda cette boîte avec
beaucoup de curiosité.

« Je vois que vous admirez ma petite boîte, dit, d'un ton
bienveillant, le Cavalier. C'est un objet de mon invention...
destiné à contenir vêtements et sandwichs. Je le porte sens
dessus dessous, voyez-vous bien, pour que la pluie n'y
puisse entrer. »

« Oui, mais ainsi le contenu en peut *sortir*, fit remarquer
Alice. Savez-vous que son couvercle est ouvert ? »

« Non, je ne le savais pas, répondit le Cavalier, le visage
assombri de contrariété. En ce cas, tout ce que l'on avait
mis dedans a dû en tomber. Et la boîte, si elle est vide, ne
sert plus à rien. Il la détacha tout en parlant, et s'apprêtait
à la jeter dans les buissons, lorsqu'une pensée soudaine lui
frappant, sembla-t-il, l'esprit, il préféra suspendre ladite
boîte à une branche d'arbre. « Devinez-vous pourquoi je
fais cela ? » demanda-t-il à Alice.

Alice hocha négativement la tête.

« Dans l'espoir que des abeilles y viendront nicher...
Ainsi récolterai-je leur miel. »

« Mais vous avez une ruche — ou quelque objet ressemblant à une ruche — attachée à votre selle », dit Alice.

« Oui, c'est même une très bonne ruche, dit, d'un ton
de voix mécontent, le Cavalier, une ruche de la meilleure
sorte. Mais pas une seule abeille ne s'en est approchée
jusqu'à présent. Ce que vous voyez, à côté de la ruche, c'est
une souricière. Je suppose que les souris empêchent les
abeilles de venir, à moins que ce ne soient les abeilles qui
éloignent les souris; je ne sais au juste. »

« J'étais en train de me demander à quoi la souricière

Alice. "It isn't very likely there would be any mice on the horse's back."

"Not very likely, perhaps," said the Knight; "but, if they *do* come, I don't choose to have them running all about."

"You see," he went on after a pause, "it's as well to be provided for *everything*. That's the reason the horse has anklets round his feet."

"But what are they for?" Alice asked in a tone of great curiosity.

"To guard against the bites of sharks," the Knight replied. "It's an invention of my own. And now help me on. I'll go with you to the end of the wood—What's that dish for?"

"It's meant for plum-cake," said Alice.

"We'd better take it with us," the Knight said. "It'll come in handy if we find any plum-cake. Help me to get it into this bag."

This took a long time to manage, though Alice held the bag open very carefully, because the Knight was so *very* awkward in putting in the dish: the first two or three times that he tried he fell in himself instead. "It's rather a tight fit, you see," he said, as they got it in at last; "there are so many candlesticks in the bag." And he hung it to the saddle, which was already loaded with bunches of carrots, and fire-irons, and many other things.

"I hope you've got your hair well fastened on?" he continued, as they set off.

"Only in the usual way," Alice said, smiling.

"That's hardly enough," he said anxiously. "You see the wind is so *very* strong here. It's as strong as soup."

"Have you invented a plan for keeping one's hair from being blown off?" Alice inquired.

"Not yet," said the Knight. "But I've got a plan for keeping it from *falling* off."

"I should like to hear it, very much."

"First you take an upright stick," said the Knight. "Then you make your hair creep up it, like a fruit-tree.

pouvait bien servir, dit Alice. Il n'est guère probable qu'il
y ait des souris sur le dos d'un cheval. »

« Cela n'est guère probable, soit, dit le Cavalier ; mais
s'il en venait bel et bien, tout de même, je ne voudrais pas
qu'elles se missent à courir partout. »

« Voyez-vous bien, reprit-il après un moment de silence,
il est toujours bon de *tout* prévoir. C'est pour cela que mon
cheval porte aux pâturons des brassards de fer armés de
pointes. »

« Et à quoi servent ces brassards ? » s'enquit, avec
curiosité, Alice.

« A protéger contre les morsures de requins », répondit
le Cavalier. C'est une invention de mon cru. Et maintenant, aidez-moi à me remettre en selle. Je vais aller avec
vous jusqu'à la lisière de la forêt... Quelle est donc la desti-
nation de ce plat ? »

« Il est fait pour contenir un quatre-quarts », dit Alice.

« Nous devrions bien l'emporter avec nous, dit le Cavalier. Il sera fort commode si jamais nous trouvons un
quatre-quarts. Aidez-moi à le fourrer dans ce sac. »

Cette opération demanda beaucoup de temps (encore
qu'Alice tînt le sac très convenablement ouvert) parce que
le Cavalier se montra très maladroit dans ses efforts pour
y introduire le plat : les deux ou trois premières fois qu'il
s'y essaya, il tomba lui-même dedans, la tête la première.
« C'est terriblement entassé, voyez-vous bien, dit-il lorsqu'ils eurent enfin réussi à caser le plat, parce qu'il y a dans
le sac nombre de chandeliers. » Et il le pendit à sa selle,
déjà chargée de bottes de carottes, de pelles à feu et de
maints autres objets.

« J'espère que vos cheveux tiennent bien ? » poursuivit-
il, tandis qu'ils se mettaient en route.

« Comme ceux de tout le monde, ni plus ni moins »,
répondit, en souriant, Alice.

« Ce n'est guère suffisant, dit-il d'une voix angoissée.
Le vent, ici, est terriblement fort, voyez-vous bien. Il est
fort comme la soupe (et, comme elle, fatal aux cheveux). »

« Avez-vous inventé un système pour empêcher les
cheveux d'être emportés par le vent ? » s'enquit Alice.

« Pas encore, répondit le Cavalier. Mais j'ai déjà un
système pour les empêcher de *tomber*. »

« Je voudrais bien le connaître. »

« Tout d'abord on prend un bâton bien droit, expliqua
le Cavalier. Ensuite on y fait grimper les cheveux, tel un
arbre fruitier le long de son tuteur. Or, la raison pour

Now the reason hair falls off is because it hangs *down*—things never fall *upwards*, you know. It's a plan of my own invention. You may try it if you like."

It didn't sound a comfortable plan, Alice thought, and for a few minutes she walked on in silence, puzzling over the idea, and every now and then stopping to help the poor Knight, who certainly was *not* a good rider.

Whenever the horse stopped (which it did very often), he fell off in front; and whenever it went on again (which it generally did rather suddenly), he fell off behind. Otherwise he kept on pretty well, except that he had a habit of now and then falling off sideways; and as he generally did this on the side on which Alice was walking, she soon found that it was the best plan not to walk *quite* close to the horse.

"I'm afraid you've not had much practice in riding," she ventured to say, as she was helping him up from his fifth tumble.

The Knight looked very much surprised, and a little offended at the remark. "What makes you say that?" he asked, as he scrambled back into the saddle, keeping hold of Alice's hair with one hand, to save himself from falling over on the other side.

"Because people don't fall off quite so often, when they've had much practice."

"I've had plenty of practice," the Knight said very gravely: "plenty of practice!"

Alice could think of nothing better to say than, "Indeed?" but she said it as heartily as she could. They went on a little way in silence after this, the Knight with his eyes shut, muttering to himself, and Alice watching anxiously for the next tumble.

"The great art of riding," the Knight suddenly began in a loud voice, waving his right arm as he spoke, "is to keep——" Here the sentence ended as suddenly as it had begun, as the Knight fell heavily on the top of his head exactly in the path where Alice was walking. She was quite frightened this time, and said in an anxious tone, as she picked him up, "I hope no bones are broken?"

"None to speak of," the Knight said, as if he didn't

laquelle les cheveux tombent, c'est qu'ils *pendent vers le bas* : les objets ne tombent jamais *vers le haut*, voyez-vous bien. Le système est de mon invention. Vous pouvez l'essayer si vous le désirez. »

Alice trouva que ce système n'avait pas l'air pratique. Quelques minutes durant, elle continua de marcher, silencieuse, en se torturant les méninges sur cette idée et en s'arrêtant de temps à autre pour aider le pauvre Cavalier, qui n'était certes pas très fort en matière d'équitation, à remonter à cheval.

Chaque fois que son cheval s'arrêtait (cela lui arrivait plus souvent qu'à son tour), le Cavalier tombait par devant, et chaque fois que son cheval repartait (ce qu'il faisait généralement de manière assez brusque), le Cavalier tombait par derrière. Cela mis à part, il se tenait assez bien en selle, sauf qu'il avait la mauvaise habitude de tomber aussi de côté de temps à autre; et comme il tombait presque toujours du côté où se trouvait Alice, celle-ci comprit très vite qu'il valait mieux ne pas marcher trop près du cheval.

« Je crains que vous n'ayez pas une grande pratique de l'équitation », se hasarda-t-elle à dire en l'aidant à se relever après sa cinquième chute.

Le Cavalier parut très surpris et quelque peu froissé de cette remarque : « Qui vous fait dire cela ? » s'enquit-il, tandis qu'il se remettait en selle en s'agrippant d'une main aux cheveux d'Alice pour éviter de choir de l'autre côté.

« C'est que les gens, lorsqu'ils se sont beaucoup exercés, ne tombent pas tout à fait aussi souvent que vous le faites. »

« Je me suis exercé à toute outrance, affirma, très grave, le Cavalier : exercé à toute outrance! »

Alice ne trouva rien de mieux à répondre qu'un : « Vraiment ? » mais elle le dit avec toute la cordialité possible. Sur ce, ils continuèrent de marcher durant quelque temps en silence. Le Cavalier, les yeux clos, marmonnait à part soi, et Alice attendait avec anxiété sa prochaine chute.

« En matière d'équitation, le grand art, commença tout à coup de dire à haute voix, en faisant de grands gestes de son bras droit, le Cavalier, le grand art, c'est de garder... » La phrase s'arrêta là, aussi abruptement qu'elle avait commencé, et le Cavalier, lourdement, tomba, la tête la première, sur le sentier qu'Alice était en train de suivre. Elle eut, cette fois, grand'peur et, en le relevant, demanda d'une voix inquiète : « J'espère qu'il n'y a rien de cassé ? »

« Rien qui vaille la peine d'en parler, répondit le Cava-

mind breaking two or three of them. "The great art of riding, as I was saying, is—to keep your balance properly. Like this, you know——"

He let go the bridle, and stretched out both his arms to show Alice what he meant, and this time he fell flat on his back, right under the horse's feet.

"Plenty of practice!" he went on repeating, all the time that Alice was getting him on his feet again. "Plenty of practice!"

"It's too ridiculous!" cried Alice, getting quite out of patience. "You ought to have a wooden horse on wheels, that you ought!"

"Does that kind go smoothly?" the Knight asked in a tone of great interest, clasping his arms round the horse's neck as he spoke, just in time to save himself from tumbling off again.

"Much more smoothly than a live horse," Alice said, with a little scream of laughter, in spite of all she could do to prevent it.

"I'll get one," the Knight said thoughtfully to himself. "One or two—several."

There was a short silence after this; then the Knight went on again. "I'm a great hand at inventing things. Now, I dare say you noticed, the last time you picked me up, that I was looking thoughtful?"

"You *were* a little grave," said Alice.

"Well, just then I was inventing a new way of getting over a gate—would you like to hear it?"

"Very much indeed," Alice said politely.

"I'll tell you how I came to think of it," said the Knight. "You see, I said to myself, 'The only difficulty is with the feet: the *head* is high enough already.' Now, first I put my head on the top of the gate—then the head's high enough—then I stand on my head—then the feet are high enough, you see—then I'm over, you see."

"Yes, I suppose you'd be over when that was done," Alice said thoughtfully: "but don't you think it would be rather hard?"

lier, comme si le bris de deux ou trois os lui eût semblé négligeable. En matière d'équitation, comme je vous le disais, le grand art, c'est... d'avoir une bonne assiette. Comme ceci, voyez-vous bien... »

Il lâcha la bride, écarta les deux bras pour montrer à Alice ce qu'il voulait dire, et, cette fois, tomba tout plat sur le dos, juste sous les sabots du cheval.

« Exercé à toute outrance! continuait-il de répéter tandis qu'Alice le remettait sur pied : Exercé à toute outrance! »

« C'est vraiment trop ridicule! s'écria la fillette, perdant patience. Un cheval de bois à roulettes, voilà ce qu'il vous faudrait! »

« Les chevaux de cette sorte marchent-ils sans broncher ? » demanda le Cavalier sur le ton du plus vif intérêt, tout en étreignant à pleins bras le cou de sa monture, juste à temps pour s'éviter une dégringolade de plus.

« Ils bronchent beaucoup moins que ne le fait un cheval vivant », répondit Alice, en laissant fuser un petit rire aigu, malgré tous ses efforts pour le retenir.

« J'en aurai un, murmura pensivement le Cavalier. Un ou deux... voire plusieurs. »

Il y eut alors un moment de silence; puis le Cavalier reprit : « Je suis sans rival dans le domaine de l'invention. Vous aurez sûrement remarqué, la dernière fois que vous m'avez aidé à me relever, que j'avais l'air préoccupé. »

« Votre visage, en effet, dit Alice, était empreint de gravité. »

« Eh bien, à ce moment précis, j'étais en train d'inventer un nouveau moyen de franchir une barrière... voulez-vous que je vous le fasse connaître ? »

« J'en serais fort aise », répondit poliment Alice.

« Je vais vous expliquer comment l'idée m'en est venue, reprit le Cavalier. Je me suis dit, voyez-vous bien : « La seule difficulté consiste à faire passer les pieds, car pour ce qui est de la *tête*, elle est déjà assez haut placée. Je commence donc par poser la tête sur le haut de la barrière... dès lors ma tête est placée assez haut... puis je fais l'arbre droit, jambes en l'air... Dès lors mes pieds, eux aussi, sont assez haut placés, voyez-vous bien... Et ensuite, voyez-vous bien, je me retrouve de l'autre côté de la barrière. »

« Oui, je suppose qu'après avoir accompli toutes ces acrobaties, vous vous retrouveriez de l'autre côté de la barrière, dit pensivement Alice, mais ne craignez-vous pas qu'elles ne soient d'une exécution plutôt difficile ? »

"I haven't tried it yet," the Knight said, gravely: "so I can't tell for certain—but I'm afraid It *would* be a little hard."

He looked so vexed at the idea, that Alice changed the subject hastily. "What a curious helmet you've got!" she said cheerfully. "Is that your invention too ?"

The Knight looked down proudly at his helmet, which hung from the saddle, "Yes," he said, "but I've invented a better one than that—like a sugar-loaf. When I used to wear it, if I fell off the horse, it always touched the ground directly. So I had a *very* little way to fall, you see—But there *was* the danger of falling *into* it, to be sure. That happened to me once —and the worst of it was, before I could get out again, the other White Knight came and put it on. He thought it was his own helmet."

The Knight looked so solemn about it that Alice did not dare to laugh. "I'm afraid you must have hurt him," she said in a trembling voice, "being on the top of his head."

"I had to kick him, of course," the Knight said, very seriously. "And then he took the helmet off again—but it took hours and hours to get me out. I was as fast as—as lightning, you know."

"But that's a different kind of fastness," Alice objected.

The Knight shook his head. "It was all kinds of fastness with me, I can assure you!" he said. He raised his hands in some excitement as he said this, and instantly rolled out of the saddle, and fell headlong into a deep ditch.

Alice ran to the side of the ditch to look for him. She was rather startled by the fall, as for some time he had kept on very well, and she was afraid that he really *was* hurt this time. However, though she could see nothing but the soles of his feet, she was much relieved to hear that he was talking on in his usual tone. "All kinds of fastness," he repeated: "but it was careless of him to put another man's helmet on—with the man in it, too."

"How *can* you go on talking so quietly, head down-

« Je n'ai pas encore essayé de les accomplir, dit le Cavalier, gravement; aussi ne puis-je en parler avec certitude; mais je crains qu'elles ne soient, en effet, d'une exécution quelque peu difficile. »

Il parut si contrarié à cette idée, qu'Alice se hâta de changer de sujet de conversation. « Quel curieux casque vous avez là! s'exclama-t-elle joyeusement. Est-il, lui aussi, de votre invention ? »

Le Cavalier, tout fier, abaissa son regard vers le casque qui pendait à sa selle. « Oui, dit-il, mais j'en ai inventé un autre, bien mieux conçu que celui-ci : en forme de pain de sucre. Lorsque je le portais, s'il m'arrivait de tomber de cheval, il touchait le sol immédiatement; de sorte que je ne tombais pas de très, très haut, voyez-vous bien... Seulement il y avait un autre danger : celui de tomber *dedans*, bien sûr. Cela m'est arrivé une fois... et le pire, c'est que, avant que je n'en aie pu ressortir, l'autre Cavalier Blanc est arrivé et se l'est mis sur la tête. Il avait cru que c'était son casque, à lui! »

Le Cavalier avait pris un air si grave pour raconter cela, qu'Alice n'osa pas en rire. « J'ai bien peur que vous ne lui ayez fait du mal, dit-elle avec un tremblement dans la voix, puisque vous vous trouviez placé sur le dessus de sa tête. »

« J'ai dû lui donner des coups de pied, bien sûr, répondit, avec le plus grand sérieux, le Cavalier. Et alors il a retiré le casque... Mais il a fallu des heures et des heures pour m'en faire moi-même sortir, tant je m'y étais attaché. »

« Vous semblez confondre deux sens différents du mot « attaché » », objecta Alice.

Le Cavalier hocha la tête : « Pour ma part, je m'y étais attaché, je vous le garantis, dans tous les sens du mot. » En disant cela, il leva les mains avec fébrilité et, immédiatement, dégringola de sa selle pour tomber, la tête la première, dans un profond fossé.

Alice accourut au bord du fossé pour voir ce qu'il lui était advenu. Cette dernière chute lui avait causé une assez forte frayeur, car durant quelque temps il s'était très bien tenu en selle, et elle craignait que, cette fois, il ne se fût vraiment blessé. Mais, bien qu'elle ne pût voir rien d'autre que la plante de ses pieds, elle fut fort soulagée de l'entendre parler de son ton de voix habituel. « Dans tous les sens du mot, répétait-il, en ajoutant : mais, de sa part, c'était faire preuve d'une grande légèreté que de mettre le casque d'autrui — avec autrui dedans, par-dessus le marché! »

« Comment pouvez-vous continuer de parler si tranquil-

wards ?" Alice asked, as she dragged him out by the feet, and laid him in a heap on the bank.

The Knight looked surprised at the question. "What does it matter where my body happens to be ?" he said. "My mind goes on working all the same. In fact, the more head downwards I am, the more I keep inventing new things."

"Now the cleverest thing that I ever did," he went on after a pause, "was inventing a new pudding during the meat-course."

"In time to have it cooked for the next course ?" said Alice. "Well, that *was* quick work, certainly."

"Well, not the *next* course," the Knight said in a slow thoughtful tone: "no, certainly not the next *course*."

"Then it would have to be the next day. I suppose you wouldn't have two pudding-courses in one dinner ?"

"Well, not the *next* day," the Knight repeated as before: "not the next *day*. In fact," he went on, holding his head down, and his voice getting lower and lower, "I don't believe that pudding ever *was* cooked! In fact, I don't believe that pudding ever *will* be cooked! And yet it was a very clever pudding to invent."

"What did you mean it to be made of ?" Alice asked, hoping to cheer him up, for the poor knight seemed quite low-spirited about it.

"It began with blotting-paper," the Knight answered with a groan.

"That wouldn't be very nice, I'm afraid——"

"Not very nice *alone*," he interrupted, quite eagerly: "but you've no idea what a difference it makes, mixing it with other things—such as gunpowder and sealing-wax. And here I must leave you." They had just come to the end of the wood.

Alice could only look puzzled: she was thinking of the pudding.

"You are sad," the Knight said in an anxious tone: "let me sing you a song to comfort you."

« Is it very long ?" Alice asked, for she had heard a good deal of poetry that day.

lement, alors que vous vous trouvez la tête en bas ? »
s'enquit Alice en le tirant par les pieds pour le déposer en
vrac au bord du fossé.

Le Cavalier parut surpris de la question : « Qu'importe
la position dans laquelle se trouve transitoirement mon
corps, répondit-il. Quelle qu'elle soit, mon esprit fonctionne
sans défaillance. En fait, plus je me tiens la tête en bas,
plus j'invente de choses nouvelles. »

« Ce que j'ai fait de plus remarquable, poursuivit-il après
un moment de silence, ce fut, alors que l'on en était au plat
de viande, d'inventer un nouveau pudding. »

« A temps pour qu'on le pût faire cuire pour le service suivant ? demanda Alice. Ma foi, cela, au moins, sans
l'ombre d'un doute, ç'a été du travail rapide. »

« Eh bien, non, pas pour le service *suivant*, dit, d'une voix
traînante et rêveuse, le Cavalier : non, certainement pas
pour le *service* suivant. »

« Alors, ç'aurait été pour le jour *suivant*. Je suppose que
vous n'eussiez pas admis que l'on servît deux puddings
au cours d'un seul et même repas. »

« Eh bien, non, pas pour le jour *suivant*, dit le Cavalier
comme précédemment : certainement pas pour le *jour* suivant. En fait, poursuivit-il, la tête basse et la voix de plus
en plus faiblissante, je ne pense pas que ce pudding *ait*
jamais *été* confectionné. En fait, je ne crois pas qu'il *sera*
jamais confectionné! Et pourtant j'avais fait preuve, en
l'inventant, d'une remarquable ingéniosité. »

« Quels ingrédients comptiez-vous faire entrer dans sa
composition ? » s'enquit Alice, dans l'espoir de lui remonter le moral, car le pauvre Cavalier avait l'air très abattu.

« Cela commençait par du papier buvard », répondit,
dans un gémissement, le Cavalier.

« Cela ne serait pas très bon à manger, j'en ai peur... »

« Peut-être pas très bon, *nature*, déclara-t-il vivement,
mais vous n'avez pas idée de la différence que cela ferait
si on le mélangeait avec d'autres ingrédients : de la poudre
à canon et de la cire à cacheter, par exemple. Ici, il faut que
je vous quitte. » Ils venaient d'arriver à la lisière du bois.

Alice ne put s'empêcher de prendre un air désappointé :
elle pensait au pudding.

« Vous êtes triste, dit le Cavalier d'un ton de voix inquiet;
permettez-moi de chanter une chanson pour vous récon-
forter. »

« Est-elle très longue ? » s'enquit Alice, car elle avait
entendu nombre de poésies, ce jour-là.

"It's long," said the Knight, "but it's very, *very* beautiful. Everybody that hears me sing it—either it brings the *tears* into their eyes, or else——"

"Or else what ?" said Alice, for the Knight had made a sudden pause.

"Or else it doesn't, you know. The name of the song is called 'Haddocks' Eyes.' "

"Oh, that's the name of the song, is it ?" Alice said, trying to feel interested.

"No, you don't understand," the Knight said, looking a little vexed. "That's what the name is *called*. The name really *is* 'The Aged Aged Man.' "

"Then I ought to have said, 'That's what the *song* is called' ?" Alice corrected herself.

"No, you oughtn't: that's another thing. The *song* is called 'Ways and Means': but that's only what it's *called*, you know!"

"Well, what *is* the song, then ?" said Alice, who was by this time completely bewildered.

"I was coming to that," the Knight said. "The song really *is* 'A-sitting On a Gate': and the tune's my own invention."

So saying, he stopped his horse and let the reins fall on its neck: then, slowly beating time with one hand, and with a faint smile lighting up his gentle, foolish face, as if he enjoyed the music of his song, he began.

Of all the strange things that Alice saw in her journey Through The Looking-Glass, this was the one that she always remembered most clearly. Years afterwards she could bring the whole scene back again, as if it had been only yesterday—the mild blue eyes and kindly smile of the Knight—the setting sun gleaming through his hair, and shining on his armour in a blaze of light that quite dazzled her—the horse quietly moving about, with the reins hanging loose on its neck, cropping the grass at her feet—and the black shadows of the forest behind—all this she took in like a picture, as, with one hand shading her eyes, she leant against a tree, watching the strange pair, and listening, in a half-dream, to the melancholy music of the song.

« Elle est longue, dit le Cavalier, mais elle est très, très belle. Tous ceux qui me l'entendent chanter... ou bien les *larmes* leur viennent aux yeux, ou bien... »

« Ou bien quoi ? » demanda Alice, car le Cavalier s'était brusquement interrompu.

« Ou bien elles ne leur y viennent pas, voyez-vous bien. Le nom de la chanson s'appelle : *Yeux de Morue.* »

« Ah, c'est donc là le nom de la chanson », dit Alice en essayant de prendre intérêt à ce qu'on lui disait.

« Non, vous ne comprenez pas, répliqua le Cavalier, quelque peu contrarié. C'est ainsi que s'appelle *le nom* de la chanson. Son nom, à elle — à la chanson —, en réalité, c'est *Le très vieil homme.* »

« Alors, j'eusse dû dire : c'est ainsi que s'appelle la *chanson* », rectifia Alice.

« Pas du tout : c'est autre chose. La *chanson* s'appelle *Procédés et Moyens :* mais c'est seulement ainsi qu'elle *s'appelle*, ce n'est pas la chanson elle-même, voyez-vous bien! »

« Mais qu'est donc, alors, la chanson elle-même », s'enquit, complètement éberluée, Alice.

« J'y arrive, dit le Cavalier. La chanson elle-même, à vrai dire, c'est *Assis sur la Barrière;* et l'air en est de mon invention. »

Ce disant, il arrêta son cheval et lui laissa retomber la bride sur le cou; puis, d'une main battant lentement la mesure, son doux et stupide visage éclairé d'un léger sourire, comme s'il se réjouissait d'entendre la musique de la chanson, il se mit à chanter.

De tous les spectacles étranges qu'elle put voir au cours de son voyage à travers le Miroir, ce fut celui-là qu'Alice se rappela toujours avec le plus de netteté. Bien des années plus tard, elle pouvait encore évoquer toute la scène, comme si elle se fût déroulée la veille : les doux yeux bleus et le bon sourire du Cavalier... le soleil couchant qui embrasait sa chevelure et qui étincelait sur son armure en un flamboiement de lumière éblouissante... le cheval qui paisiblement flânait, les rênes flottant sur l'encolure, en broutant l'herbe devant ses sabots... les ombres profondes de la forêt qui formait l'arrière-plan du tableau : tout cela, telle une eau-forte, se grava dans sa mémoire tandis que, la main en visière au-dessus des yeux, appuyée contre un arbre, elle observait l'étrange couple formé par l'homme et la bête, en écoutant, comme en songe, la mélancolique musique de la chanson.

"But the tune *isn't* his own invention," she said to herself: "it's 'I give thee all, I can no more.' " She stood and listened very attentively, but no tears came into her eyes.

> *"I'll tell thee everything I can;*
>   *There's little to relate.*
> *I saw an aged aged man,*
>   *A-sitting on a gate.*
> *'Who are you, aged man ?' I said.*
>   *'And how is it you live ?'*
> *And his answer trickled through my head*
>   *Like water through a sieve.*
>
> *"He said 'I look for butterflies*
>   *That sleep among the wheat:*
> *I make them into mutton pies,*
>   *And sell them in the street.*
> *I sell them unto men,' he said,*
>   *'Who sail on stormy seas;*
> *And that's the way I get my bread—*
>   *A trifle, if you please.'*
>
> *"But I was thinking of a plan*
>   *To dye one's whiskers green,*
> *And always use so large a fan*
>   *That they could not be seen.*
> *So, having no reply to give*
>   *To what the old man said,*
> *I cried 'Come, tell me how you live!'*
>   *And thumped him on the head.*
>
> *"His accents mild took up the tale:*
>   *He said 'I go my ways,*
> *And when I find a mountain-rill,*
>   *I set it in a blaze;*
> *And thence they make a stuff they call*
>   *Rowlands' Macassar Oil—*
> *Yet twopence-halfpenny is all*
>   *They give me for my toil.'*
>
> « *But I was thinking of a way*
>   *To feed oneself on batter,*
> *And so go on from day to day*
>   *Getting a little fatter.*

« Mais l'air, lui, *n'est pas* de son invention, se dit-elle :
c'est celui de *Te donnant tout, je ne puis faire davantage.* »
Elle s'astreignit à écouter très attentivement la chanson,
mais les larmes ne lui vinrent pas aux yeux pour autant :

> « Je vais te dire ici tout ce que je puis dire;
> A raconter, du reste, il n'y a pas grand'chose.
> Un soir d'été, je vis un vieil, un très vieil homme,
> > Assis sur la barrière.
> « Que faites-vous ici, demandai-je, vieil homme ?
> Quel est votre métier et comment vivez-vous ? »
> La réponse du vieux me passa par la tête
> Aussi vite que l'eau passe à travers un crible.
>
> Il dit : « Je vais cherchant les jolis papillons
> Qui tout le long du jour dorment parmi les blés;
> Puis j'en fais des pâtés — des pâtés de mouton —
> Que je vends à vil prix dans les rues des cités.
> Je les vends, déclara le vieillard, aux marins
> Qui sur les océans tempétueux naviguent;
> C'est ainsi, sachez-le, que je gagne mon pain.
> Un tout petit pourboire, monsieur, je vous prie. »
>
> Mais je songeais à un procédé permettant
> De teindre en vert vif les favoris grisonnants
> Et toujours se servir d'un si grand éventail
> Qu'il vous dissimulât des cheveux à la taille.
> Aussi, ne trouvant rien à répondre d'idoine
> A ce que m'affirmait le vieux, je m'écriai :
> « Allons, vite, dites-moi comment vous vivez! »
> Et je lui assenai de grands coups sur le crâne.
>
> Doucereux, il reprit le fil de son histoire :
> Il exposa : « Je vais, errant, par les chemins,
> Et lorsque je découvre un ruisseau de montagne,
> Je le fais, sur-le-champ, flamber ainsi qu'un punch;
> Et alors on en tire un produit que l'on nomme
> Huile de Macassar des usines Rowlon
> Mais trois ou quatre sous, à dire vrai, c'est tout
> > Ce que pour ma peine on me donne. »
>
> Cependant je songeais à la bonne méthode
> A suivre pour s'emplir l'estomac de galette,
> > Et sans répit continuer
> > De s'empiffrer et d'engraisser.

    I shook him well from side to side,
       Until his face was blue:
'Come, tell me how you live,' I cried,
    'And what it is you do!'

  "He said 'I hunt for haddocks' eyes
     Among the heather bright,
And work them into waistcoat-buttons
     In the silent night.
And these I do not sell for gold
     Or coin of silvery shine,
But for a copper halfpenny,
     And that will purchase nine.

  " 'I sometimes dig for buttered rolls,
     Or set limed twigs for crabs;
I sometimes search the grassy knolls
     For wheels of Hansom-cabs.
And that's the way' (he gave a wink)
     'By which I get my wealth—
And very gladly will I drink
     Your Honour's noble health.'

  "I heard him then, for I had just
     Completed my design
To keep the Menai bridge from rust
     By boiling it in wine.
I thanked him much for telling me
     The way he got his wealth,
But chiefly for his wish that he
     Might drink my noble health.

  "And now, if e'er by chance I put
     My fingers into glue,
Or madly squeeze a right-hand foot
     Into a left-hand shoe,
Or if I drop upon my toe
     A very heavy weight,
I weep, for it reminds me so
Of that old man I used to know—
Whose look was mild, whose speech was slow,
Whose hair was whiter than the snow,
Whose face was very like a crow,
With eyes, like cinders, all aglow,
Who seemed distracted with his woe,

Je secouai alors le vieillard en tous sens
Jusqu'à l'instant où son visage en devînt bleu :
« Allons, vite, dites-moi comment vous vivez,
        M'écriai-je, et ce que vous faites ! »

Il répondit : « Je chasse les yeux de morue
Parmi les frondaisons splendides des bruyères;
Et puis je les transforme en boutons de gilet
        Dans le silence de la nuit.
Et je ne les vends pas, ces boutons, à prix d'or,
Ni même moyennant quelque pièce d'argent,
Mais pour un simple sou de nickel ou de cuivre,
Chez moi tout un chacun en peut acheter neuf.

Je fouis parfois pour trouver des petits-beurre,
Ou pose des gluaux pour y prendre les crabes;
Je prospecte parfois sur les tertres en fleurs
Les riches gisements d'essieux de Hansom-Cabs.
Et voilà (le vieux cligna de l'œil) la manière
Dont actuellement j'amasse ma fortune. —
Et si vous le voulez, volontiers, je vais boire
Un verre à la noble santé de Votre Honneur. »

Je l'entendis alors, car je venais enfin
De parfaire mon très ingénieux projet
Visant à dérouiller le viaduc de Menai
En le faisant bouillir longuement dans du vin.
Je le remerciai de m'avoir expliqué
La manière dont il amassait sa fortune,
Mais aussi et surtout d'avoir dit souhaiter
De pouvoir boire un verre à ma noble santé.

Et, depuis ce jour-là, si par hasard je mets
        Les doigts dans de la glu,
        Ou si j'étourdiment je glisse
        Le pied droit dans mon soulier gauche,
Ou encore si je me laisse tomber sur
        L'orteil un poids très lourd,
Je fonds en larmes car tout cela me rappelle
Ce singulier vieillard que j'ai jadis connu, —
Dont les traits étaient doux, la parole traînante,
Dont la chevelure était blanche comme neige,
Dont le visage ressemblait à un corbeau,
Dont les yeux brasillaient ainsi que des tisons,
Qui semblait égaré par un chagrin profond,

> *Who rocked his body to and fro,*
> *And muttered mumblingly and low,*
> *As if his mouth were full of dough,*
> *Who snorted like a buffalo—*
> *That summer evening long ago*
> *A-sitting on a gate.*"

As the Knight sang the last words of the ballad, he gathered up the reins, and turned his horse's head along the road by which they had come. "You've only a few yards to go," he said, "down the hill and over that little brook, and then you'll be a Queen—But you'll stay and see me off first?" he added as Alice turned away with an eager look in the direction to which he pointed. "I shan't be long. You'll wait and wave your handkerchief when I get to that turn in the road? I think it'll encourage me, you see."

"Of course I'll wait," said Alice: "and thank you very much for coming so far—and for the song—I liked it very much."

"I hope so," the Knight said doubtfully: "but you didn't cry so much as I expected."

So they shook hands, and then the Knight rode slowly away into the forest. "It won't take long to see him *off*, I expect," Alice said to herself, as she stood watching him. "There he goes! Right on his head as usual! However, he gets on again pretty easily—that comes of having so many things hung round the horse——" So she went on talking to herself, as she watched the horse walking leisurely along the road, and the Knight tumbling off, first on one side and then on the other. After the fourth or fifth tumble he reached the turn, and then she waved her handkerchief to him, and waited till he was out of sight.

"I hope it encouraged him," she said, as she turned to run down the hill: "and now for the last brook, and to be a Queen! How grand it sounds!" A very few steps brought her to the edge of the brook. "The Eighth Square at last!" she cried, as she bounded over. . . . .

> *Qui balançait son corps d'un côté et de l'autre,*
> *En marmottant des mots presque incompréhensibles,*
> *Comme si sa bouche eût été pleine de pâte,*
> *Et qui renâclait comme un buffle, —*
> *Il y a de cela longtemps, un soir d'été,*
> *Assis sur la barrière [1]. »*

Tout en chantant les dernières paroles de la ballade, le Cavalier reprit en main les rênes et orienta la tête de son cheval en direction de la forêt d'où ils étaient venus. « Vous n'avez que quelques mètres à faire, dit-il, pour descendre de la colline et franchir ce petit ruisseau ; ensuite, vous serez Reine... Mais, tout d'abord, vous allez assister à mon départ, n'est-ce pas ? ajouta-t-il en voyant qu'Alice, l'air impatient, tournait la tête dans la direction qu'il lui indiquait. Je n'en aurai pas pour longtemps. Vous attendrez que je sois arrivé au tournant de la route, voulez-vous, pour agiter votre mouchoir ? Je crois, voyez-vous bien, que cela me donnera du courage. »

« Bien sûr que j'attendrai, dit Alice ; merci beaucoup de m'avoir accompagnée si loin... et merci aussi pour la chanson... elle m'a beaucoup plu. »

« Je l'espère, répondit, l'air sceptique, le Cavalier ; mais vous n'avez pas pleuré autant que je m'y attendais. »

Ils se serrèrent la main ; puis le Cavalier s'enfonça lentement dans la forêt. « Je suppose qu'il n'y aura pas longtemps à attendre avant qu'il ne soit plus visible... sur sa monture, se dit Alice en le regardant s'éloigner. Là, ça y est ! En plein sur la tête, comme d'habitude ! Néanmoins, il se remet assez aisément en selle... Cela tient sans doute au fait qu'il y a tant d'objets suspendus tout autour du cheval... » Elle poursuivait ainsi son dialogue avec elle-même, en regardant le cheval flâner le long du chemin, et le Cavalier dégringoler, tantôt d'un côté, tantôt de l'autre. Après la quatrième ou la cinquième chute il arriva au tournant, et Alice agita vers lui son mouchoir en attendant qu'il eût disparu.

« J'espère que cela lui aura donné du courage, dit-elle en faisant demi-tour pour descendre de la colline ; et maintenant, à moi l'ultime ruisseau et la royale couronne ! Comme cela me paraît magnifique ! » Quelques pas l'amenèrent au bord du ruisseau. « La huitième case, enfin ! » s'écria-t-elle en franchissant d'un bond le petit cours d'eau...

---

1. Même remarque qu'à la page 117, note 1.

. . . .

and threw herself down to rest on a lawn as soft as moss, with little flower-beds dotted all about it here and there. "Oh, how glad I am to get here! And what *is* this on my head ?" she exclaimed in a tone of dismay, as she put her hands up to something very heavy, that fitted tight all round her head.

"But how *can* it have got there without my knowing it ?" she said to herself, as she lifted it off, and set it on her lap to make out what it could possibly be.

It was a golden crown.

. . . .

...et en se laissant choir sur une pelouse moelleuse comme un tapis de mousse, et toute parsemée de petits parterres de fleurs. « Oh! comme je suis contente d'être arrivée ici! Et qu'est-ce que l'on m'a donc mis sur la tête ? » s'exclama-t-elle, consternée, en portant les deux mains à un objet très lourd qui ceignait étroitement son front.

« Comment se fait-il donc que ce soit venu là sans que je le sache ? » se demanda-t-elle en soulevant l'objet pour le poser sur ses genoux et voir ce qu'il pouvait bien être.

C'était une couronne d'or.

CHAPTER IX

QUEEN ALICE

"Well, this *is* grand!" said Alice. "I never expected I should be a Queen so soon—and I'll tell you what it is, your Majesty," she went on in a severe tone (she was always rather fond of scolding herself), "it'll never do for you to be lolling about on the grass like that! Queens have to be dignified, you know!»

So she got up and walked about—rather stiffly just at first, as she was afraid that the crown might come off: but she comforted herself, with the thought that there was nobody to see her, "and if I really am a Queen," she said as she sat down again, "I shall be able to manage it quite well in time."

Everything was happening so oddly that she didn't feel a bit surprised at finding the Red Queen and the White Queen sitting close to her, one on each side: she would have liked very much to ask them how they came there, but she feared it would not be quite civil. However, there will be no harm, she thought, in asking if the game was over. "Please, would you tell me——" she began, looking timidly at the Red Queen.

"Speak when you're spoken to!" the Red Queen sharply interrupted her.

"But if everybody obeyed that rule," said Alice, who was always ready for a little argument, "and if you only spoke when you were spoken to, and the other person always waited for *you* to begin, you see nobody would ever say anything, so that——"

"Ridiculous!" cried the Queen. "Why, don't you see, child——" here she broke off with a frown, and, after

LA REINE ALICE

« Vraiment, c'est magnifique! s'exclama Alice. Jamais je ne me serais attendue à être Reine si tôt... Et pour dire à Votre Majesté toute la vérité, ajouta-t-elle d'un ton sévère (elle ne détestait pas se morigéner elle-même de temps à autre), il est inadmissible que vous continuiez à vous prélasser sur l'herbe comme cela! Les Reines, voyez-vous bien, doivent avoir de la dignité! »

Elle se leva donc et se mit à marcher de long en large, avec une certaine raideur d'abord, car elle redoutait que sa couronne ne tombât; mais elle se rasséréna bientôt à la pensée qu'il n'y avait personne pour la regarder. « Et du reste, dit-elle en se rasseyant, si je suis vraiment Reine, je m'en tirerai très bien au bout d'un certain temps. »

Tout ce qu'il lui arrivait était si étrange qu'elle n'éprouva pas le moindre étonnement à se trouver tout à coup assise entre la Reine Rouge et la Reine Blanche; elle eût bien aimé leur demander comment elles étaient venues là, mais elle craignait que cela ne fût plus ou moins contraire aux règles de la politesse. Par contre, il ne pouvait y avoir de mal, pensa-t-elle, à demander si la partie était terminée. « S'il vous plaît, se mit-elle à dire en adressant à la Reine Rouge un timide regard, voudriez-vous m'apprendre... »

« Parlez lorsque l'on vous adresse la parole! » dit, en l'interrompant brutalement, la Reine Rouge.

« Mais, si tout le monde observait cette règle-là, répliqua Alice, toujours prête à argumenter, c'est-à-dire si, pour parler, l'on attendait qu'autrui vous adressât la parole, et si autrui, pour ce faire, attendait, lui aussi, que *vous*, vous la lui adressassiez d'abord, il est évident, voyez-vous bien, que nul jamais ne dirait rien, de sorte que... »

« Ridicule! s'exclama la Reine. Voyons, mon enfant, ne comprenez-vous pas que... » Là, elle s'interrompit en

thinking for a minute, suddenly changed the subject of the conversation. "What do you mean by 'If you really are a Queen'? What right have you to call yourself so? You can't be a Queen, you know, till you've passed the proper examination. And the sooner we begin it, the better."

"I only said 'if'!" poor Alice pleaded in a piteous tone.

The two Queens looked at each other, and the Red Queen remarked, with a little shudder, "She *says* she only said 'if'——"

"But she said a great deal more than that!" the White Queen moaned, wringing her hands. "Oh, ever so much more than that!"

"So you did, you know," the Red Queen said to Alice. "Always speak the truth—think before you speak—and write it down afterwards."

"I'm sure I didn't mean——" Alice was beginning, but the Red Queen interrupted.

"That's just what I complain of! You *should* have meant! What do you suppose is the use of a child without any meaning? Even a joke should have some meaning—and a child's more important than a joke, I hope. You couldn't deny that, even if you tried with both hands."

"I don't deny things with my *hands*," Alice objected.

"Nobody said you did," said the Red Queen, "I said you couldn't if you tried."

"She's in that state of mind," said the White Queen, "that she want's to deny *something*—only she doesn't know what to deny!"

"A nasty, vicious temper," the Red Queen remarked; and then there was an uncomfortable silence for a minute or two.

The Red Queen broke the silence by saying to the White Queen, "I invite you to Alice's dinner-party this afternoon."

The White Queen smiled feebly, and said, "And I invite *you*."

"I didn't know I was to have a party at all," said Alice;

fronçant les sourcils, puis, après avoir réfléchi une minute
durant, changea brusquement de sujet de conversation :
« Que prétendiez-vous dire en vous demandant « si vous
étiez vraiment Reine ? » De quel droit vous donnez-vous un
pareil titre ? Vous ne pouvez être Reine, savez-vous bien,
avant d'avoir passé l'examen idoine. Et plus tôt nous nous
y mettrons, mieux cela vaudra. »

« Je n'ai dit que « si »! » plaida, d'un ton piteux, la
pauvre Alice.

Les deux Reines s'entre-regardèrent, et la Reine Rouge,
prise d'un léger frisson, murmura : « Elle *prétend* n'avoir
dit que « si »... »

« Mais elle en a dit bien plus que cela! gémit, en se tordant les mains, la Reine Blanche. Oh! tellement, tellement
plus que cela! »

« C'est parfaitement exact, savez-vous bien, dit à Alice
la Reine Rouge. Parlez toujours le langage de la vérité...
réfléchissez avant de parler... et ensuite écrivez ce que vous
avez dit. »

« Je suis sûre que je ne voulais rien dire... » commençait
de répondre Alice, mais la Reine Rouge lui coupa la parole.

« C'est cela justement que je vous reproche! Vous auriez
certes dû vouloir dire quelque chose! A quoi, selon vous,
peut bien servir un enfant qui ne veut rien dire ? Même un
jeu de mots doit vouloir dire quelque chose... et un enfant,
je l'espère, a plus d'importance qu'un jeu de mots. Vous
ne pourriez contester cela, même si vous tentiez de le faire
à l'aide des deux mains. »

« Ce n'est pas à l'aide des *mains* que je conteste quoi
que ce soit », objecta Alice.

« Nul n'a prétendu que vous l'ayez contesté, répliqua la
Reine Rouge, j'ai dit que vous ne le pourriez contester,
même si vous tentiez de le faire. »

« Elle a, dit la Reine Blanche, l'esprit ainsi tourné qu'elle
veut contester *quelque chose* — seulement elle ne sait trop
quoi contester! »

« Vil et méchant caractère! » s'exclama la Reine Rouge;
après quoi un silence pénible régna une minute ou deux
durant.

La Reine Rouge le rompit en annonçant à la Reine
Blanche : « Je vous invite au dîner que donne, ce soir,
Alice. »

La Reine Blanche sourit discrètement et dit : « Et à mon
tour, moi, je vous y invite. »

« Je ne savais pas du tout que je devais donner un dîner,

"but if there *is* to be one, I think *I* ought to invite the guests."

"We gave you the opportunity of doing it," the Red Queen remarked: "but I dare say you've not had many lessons in manners yet ?"

"Manners are not taught in lessons," said Alice. "Lessons teach you to do sums, and things of that sort."

"Can you do Addition ?" the White Queen asked. "What's one and one and one and one and one and one and one and one and one and one ?"

"I don't know," said Alice. "I lost count."

"She can't do Addition," the Red Queen interrupted. "Can you do Subtraction ? Take nine from eight."

"Nine from eight I can't, you know," Alice replied very readily: "but——"

"She can't do Substraction," said the White Queen. "Can you do Division ? Divide a loaf by a knife—what's the answer to that ?"

"I suppose——" Alice was beginning, but the Red Queen answered for her. "Bread-and-butter, of course. Try another Subtraction sum. Take a bone from a dog. What remains ?"

Alice considered. "The bone wouldn't remain, of course, if I took it—and the dog wouldn't remain; it would come to bit me—and I'm sure *I* shouldn't remain!"

"Then you think nothing would remain ?" said the Red Queen.

"I think that's the answer."

"Wrong, as usual," said the Red Queen; "the dog's temper would remain."

"But I don't see how——"

"Why, look here!" the Red Queen cried. "The dog would lose its temper, wouldn't it ?

"Perhaps it would," Alice replied cautiously.

"Then if the dog went away, its temper would remain!" the Queen exclaimed.

Alice said, as gravely as she could, "They might go different ways." But she couldn't help thinking to herself, "What dreadful nonsense we *are* talking!"

dit Alice ; mais si j'en dois donner un, il me semble que c'est à moi qu'il appartient de lancer les invitations. »

« Nous vous avons donné l'occasion de les lancer, répliqua la Reine Rouge, mais sans doute n'avez-vous pas encore pris beaucoup de leçons de bonnes manières ? »

« Les bonnes manières ne s'apprennent pas à l'aide de leçons, dit Alice. Les leçons vous enseignent à faire des opérations et d'autres fariboles de ce genre. »

« Savez-vous faire une Addition ? s'enquit la Reine Blanche. Combien font un et un et un et un et un et un et un et un et un ? »

« Je me le demande, dit Alice ; je n'ai pas eu le temps d'en faire le compte. »

« Elle ne sait pas faire une Addition, trancha la Reine Rouge sans se soucier de la raison donnée par la fillette. Savez-vous faire une Soustraction ? De huit, retirez neuf. Que reste-t-il ? »

« Neuf de huit, cela ne se peut, voyez-vous bien, répondit Alice sans hésiter ; mais... »

« Elle ne sait pas faire une Soustraction, déclara la Reine Blanche. Savez-vous faire une Division ? Divisez un pain par un couteau... qu'obtenez-vous ? »

« Je suppose... » commençait de dire Alice, mais la Reine Rouge répondit pour elle : « Des tartines de beurre, bien entendu. Essayez de faire une autre Soustraction : Prenez un chien ; ôtez-lui un os. Que reste-t-il ? »

Alice réfléchit : « L'os ne restera pas, bien sûr, si nous l'ôtons... le chien ne restera pas ; il viendra essayer de me mordre... et je suis certaine que, *moi*, je ne resterai pas là, à attendre qu'il le fasse. »

« Vous pensez donc qu'il ne restera rien ? » demanda la Reine Rouge.

« Oui, je crois que c'est là la bonne réponse. »

« Vous vous trompez, comme d'habitude, dit la Reine Rouge ; il restera la patience du chien. »

« Mais je ne vois pas comment... »

« Eh bien, écoutez un peu ! s'écria la Reine Rouge. Le chien perdra patience, n'est-il pas vrai ? »

« C'est, en effet, possible », répondit prudemment Alice.

« Alors si le chien s'en va, s'exclama la Reine, la patience qu'il aura perdue restera. »

Avec tout le sérieux dont elle était capable, Alice fit observer : « Ils pourront aussi bien s'en aller chacun de son côté ». Mais elle ne put s'empêcher de penser : « Quelles effroyables bêtises nous sommes en train de dire là ! »

"She can't do sums a *bit!*" the Queens said together, with great emphasis.

"Can *you* do sums ?" Alice said, turning suddenly on the White Queen, for she didn't like being found fault with so much.

The Queen gasped and shut her eyes. "I can do Addition," she said, "if you give me time—but I can't do Substraction under *any* circumstances!"

"Of course you know your A B C ?" said the Red Queen.

"To be sure I do," said Alice.

"So do I," the White Queen whispered. "We'll often say it over together, dear. And I'll tell you a secret—I can read words of one letter! Isn't *that* grand ? However, don't be discouraged. You'll come to it in time."

Here the Red Queen began again. "Can you answer useful questions ?" she said. "How is bread made ?"

"I know *that!*" Alice cried eagerly. "You take some flour——"

"Where do you pick the flower ?" the White Queen asked. "In a garden, or in the hedges ?"

"Well, it isn't *picked* at all," Alice explained: "it's *ground*——"

"How many acres of ground ?" said the White Queen. "You mustn't leave out so many things."

"Fan her head!" the Red Queen anxiously interrupted. "She'll be feverish after so much thinking." So they set to work and fanned her with bunches of leaves, till she had to beg them to leave off, it blew her hair about so.

"She's all right again now," said the Red Queen. "Do you know Languages ? What's the French for fiddle-de-dee ?"

"Fiddle-de-dee's not English," Alice replied gravely.

"Who said it was ?" said the Red Queen.

Alice thought she saw a way out of the difficulty this

« Elle est incapable de faire la *moindre* opération! »
s'exclamèrent simultanément et avec beaucoup d'emphase
les deux Reines.

« Et vous-même, en êtes-vous capable ? » s'enquit Alice
en se tournant brusquement vers la Reine Blanche car elle
n'aimait pas que l'on lui cherchât noise de pareille façon.

La Reine ouvrit une bouche de poisson qui suffoque et
ferma les yeux : « Je suis, répondit-elle, fort capable d'addi-
tionner si l'on m'en laisse le temps, mais, en *aucune* cir-
constance, je ne saurais soustraire! »

« Bien entendu, s'enquit la Reine Rouge, vous connaissez votre Alphabet ? »

« Bien sûr que je le connais », répondit Alice.

« Moi aussi, je le connais, murmura la Reine Blanche.
Nous le réciterons souvent ensemble, ma chère petite. Et je
vais vous dire un secret : je sais lire les mots qui n'ont qu'une
seule lettre! N'est-ce pas magnifique ? Mais ne vous décou-
ragez pas. Vous y parviendrez, vous aussi, au bout de
quelque temps. »

Ici la Reine Rouge, derechef, intervint : « Etes-vous
forte en leçons de choses ? s'enquit-elle. Comment fait-on
le pain ? »

« Je sais *cela!* s'empressa de répondre Alice. On prend
de la fleur de farine... »

« Où cueille-t-on cette fleur, demanda la Reine Blanche.
Dans les jardins ou sur les haies ? »

« Mais, on ne la *cueille* pas du tout, expliqua Alice :
on la *tamise...* »

« Je me demande quel rapport il peut bien exister entre
un fleuve anglais et la fabrication du pain, dit la Reine
Blanche. Vous ne devriez pas si souvent omettre de donner
les explications nécessaires. »

« Eventons-lui la tête! intervint la Reine Rouge, très
inquiète. Elle va avoir la fièvre à force de réfléchir tellement. » Sur quoi elles se mirent toutes deux à l'éventer avec
des gerbes de feuillage, jusqu'au moment où elle dut les
supplier de cesser leur manège, car cela lui faisait voler les
cheveux en tous sens.

« Elle est remise d'aplomb, à présent, déclara la Reine
Rouge. Connaissez-vous les Langues étrangères ? Comment
dit-on « Turlututu » en javanais ? »

« « Turlututu » n'est pas anglais », répondit, sans se
départir de son sérieux, Alice.

« Qui donc a prétendu qu'il le fût ? » dit la Reine Rouge.

Alice crut, cette fois, avoir trouvé le moyen de se tirer

time. "If you'll tell me what language 'fiddle-de-dee' is, I'll tell you the French for it!" she exclaimed triumphantly.

But the Red Queen drew herself up rather stiffly, and said "Queens never make bargains."

"I wish Queens never asked questions," Alice thought to herself.

"Don't let us quarrel," the White Queen said in an anxious tone. "What is the cause of lightning?"

"The cause of lightning," Alice said very decidedly, for she felt quite sure about this, "is the thunder—no, no!" she hastily corrected herself. "I meant the other way."

"It's too late to correct it," said the Red Queen:"when you've once said a thing, that fixes it, and you must take the consequences."

"Which reminds me——" the White Queen said, looking down and nervously clasping and unclasping her hands, "we had *such* a thunderstorm last Tuesday —I mean one of the last set of Tuesdays, you know."

Alice was puzzled. "In *our* country," she remarked, "there's only one day at a time."

The Red Queen said, "That's a poor thin way of doing things. Now *here*, we mostly have days and nights two or three at a time, and sometimes in the winter we take as many as five nights together—for warmth, you know."

"Are five nights warmer than one night, then?" Alice ventured to ask.

"Five times as warm, of course."

"But they should be five times as *cold*, by the same rule——"

"Just so!" cried the Red Queen. "Five times as warm, *and* five times as cold—just as I'm five times as rich as you are, *and* five times as clever!"

Alice sighed and gave it up. "It's exactly like a riddle with no answer!" she thought.

"Humpty Dumpty saw it too," the White Queen went on in a low voice, more as if she were talking to herself. "He came to the door with a corkscrew in his hand——"

"What for?" said the Red Queen.

"He said he *would* come in," the White Queen went on,

d'embarras : « Si vous me dites à quelle langue appartient
« Turlututu », je vous le traduis en javanais! » s'exclama-
t-elle triomphalement.

Mais la Reine Rouge se redressa roidement de toute sa
taille pour déclarer : « Les Reines ne font pas de marchés. »

« Je souhaiterais que les Reines ne posassent jamais de
questions », dit à part soi Alice.

« Ne nous querellons pas, dit la Reine Blanche, inquiète.
Quelle est la cause de l'éclair ? »

« La cause de l'éclair, répliqua avec assurance Alice, car
elle croyait être certaine de connaître la réponse à cette
question-là, c'est le tonnerre... non, non! se hâte-t-elle de
rectifier : je voulais dire l'inverse. »

« Il est trop tard pour vous reprendre, dit la Reine
Rouge : lorsqu'une fois l'on a dit quelque chose, c'est
définitif, et il en faut subir les conséquences. »

« Cela me remet en mémoire... dit, les yeux baissés et
en croisant et décroisant nerveusement les mains, la Reine
Blanche, que nous avons eu un épouvantable orage, mardi
dernier... je veux dire un de ces derniers *mardis groupés*,
voyez-vous bien. »

Cette assertion déconcerta Alice : « Dans notre pays, à
nous, fit-elle observer, il n'y a jamais qu'un jour à la fois. »

« Voilà un bien mesquin calendrier, dit la Reine Rouge.
Chez nous, *ici*, la plupart du temps, les jours et les nuits
vont simultanément par deux ou trois, et parfois, en hiver,
nous avons jusqu'à cinq nuits à la fois... pour nous tenir
chaud, voyez-vous bien. »

« Cinq nuits seraient-elles donc plus chaudes qu'une
seule ? » se hasarda à demander Alice.

« Cinq fois plus chaudes, cela va de soi. »

« Mais elles devraient être aussi, en vertu du même
principe, cinq fois plus *froides*... »

« Très juste! s'écria la Reine Rouge. Cinq fois plus
chaudes *et aussi* cinq fois plus froides... tout comme je suis
cinq fois plus riche, *et aussi* cinq fois plus intelligente que
vous! »

Alice soupira et renonça à poursuivre la discussion :
« Cela ressemble tout à fait à une devinette à laquelle il
n'y aurait pas de réponse! » pensa-t-elle.

« Heumpty Deumpty, lui aussi, l'a vu, reprit à voix
basse et comme à part soi, la Reine Blanche. Il est venu à
la porte, un tire-bouchon à la main... »

« Pour quoi faire ? » s'enquit la Reine Rouge.

« Il a dit qu'il tenait absolument à entrer, poursuivit la

"because he was looking for a hippopotamus. Now, as it happened, there wasn't such a thing in the house, that morning."

"Is there generally?" Alice asked in an astonished tone.

"Well, only on Thursdays," said the Queen.

"I know what he came for," said Alice: "he wanted to punish the fish, because——"

Here the White Queen began again. "It was *such* a thunderstorm, you can't think!" ("She *never* could, you know," said the Red Queen.) "And part of the roof came off, and ever so much thunder got in—and it went rolling round the room in great lumps—and knocking over the tables and things—till I was so frightened, I couldn't remember my own name!"

Alice thought to herself, "I never should *try* to remember my name in the middle of an accident! Where would be the use of it?" But she did not say this aloud for fear of hurting the poor Queen's feelings.

"Your Majesty must excuse her," the Red Queen said to Alice, taking one of the White Queen's hands in her own, and gently stroking it: "she means well, but she can't help saying foolish things, as a general rule."

The White Queen looked timidly at Alice, who felt she *ought* to say something kind, but really couldn't think of anything at the moment.

She never was really well brought up," the Red Queen went on: "but it's amazing how good-tempered she is! Pat her on the head, and see how pleased she'll be!" But this was more than Alice had courage to do.

"A little kindness—and putting her hair in papers— would do wonders with her——"

The White Queen gave a deep sigh, and laid her head on Alice's shoulder. "I *am* so sleepy!" she moaned.

"She's tired, poor thing!" said the Red Queen. "Smooth her hair—lend her your nightcap—and sing her a soothing lullaby."

"I haven't got a nightcap with me," said Alice, as she tried to obey the first direction: "and I don't know any soothing lullabies."

"I must do it myself, then," said the Red Queen, and she began:

Reine Blanche, parce qu'il cherchait un hippopotame. Or,
il se trouvait qu'il n'y avait pas d'hippopotame à la maison,
ce matin-là. »

« Y en aurait-il donc, habituellement ? » s'enquit, fort
étonnée, la fillette.

« Ma foi, les jeudis seulement », répondit la Reine.

« Je connais la raison de sa présence à la porte, dit
Alice : il voulait punir les poissons, parce que... »

A cet instant la Reine Blanche reprit : « Vous ne sauriez
imaginer quel épouvantable orage ce fut là ! (« Elle ne le
saura *jamais*, voyez-vous bien », dit la Reine Rouge). Une
partie du toit s'envola, laissant entrer un énorme tonnerre
tout rond... qui se mit à rouler à grand fracas dans la
pièce... à renverser tables et chaises !... et à me faire une
peur telle que je n'étais même plus capable de me rappeler
mon propre nom ! »

« Jamais, au beau milieu d'une catastrophe, je n'essaie-
rais de me rappeler mon nom ! pensa Alice. A quoi cela me
servirait-il ? » Mais elle ne le dit pas à haute voix, de crainte
de froisser la pauvre Reine.

« Il faut que Votre Majesté l'excuse, dit à Alice la Reine
Rouge en prenant dans les siennes l'une des mains de la
Reine Blanche et en la tapotant doucement. Elle est pleine
de bonnes intentions mais, en général, elle ne peut s'empêcher de dire des sottises. »

La Reine Blanche, l'air intimidé, regarda Alice qui comprit qu'elle *eût dû* dire quelque chose de gentil mais, sur
l'instant, ne sut rien trouver de tel.

« Elle n'a pas reçu de véritable éducation, poursuivit la
Reine Rouge ; pourtant, elle a un caractère d'une douceur
angélique ! Tapotez-lui la tête, et vous verrez comme elle
sera contente ! » Mais Alice n'eut pas le courage de faire
ce que la Reine Rouge lui suggérait.

« Un peu de gentillesse... que l'on lui fasse ses papillotes...
et l'on obtient d'elle tout ce que l'on veut... »

La Reine Blanche poussa un profond soupir et posa la
tête sur l'épaule d'Alice. « J'ai, gémit-elle, grand sommeil ! »

« La pauvre, elle est fatiguée ! dit la Reine Rouge.
Lissez-lui les cheveux... Prêtez-lui votre bonnet de nuit...
et chantez-lui une berceuse. »

« Je n'ai pas de bonnet de nuit sur moi, répondit Alice
en essayant d'obéir à la première de ces injonctions, et je
ne connais aucune berceuse. »

« Je vais donc moi-même en chanter une », dit la Reine
Rouge en entonnant sans plus attendre :

"Hush-a-by lady, in Alice's lap!
Till the feast's ready, we've time for a nap:
When the feast's over, we'll go to the ball—
Red Queen, and White Queen, and Alice, and all!

"And now you know the words," she added, as she put her head down on Alice's other shoulder, "just sing it through to *me*. I'm getting sleepy too. " In another moment both Queens were fast asleep, and snoring loud.

"What *am* I to do ?" exclaimed Alice, looking about in great perplexity, as first one round head, and then the other, rolled down from her shoulder, and lay like a heavy lump in her lap. "I don't think it *ever* happened before, that any one had to take care of two Queens asleep at once! No, not in all the History of England—it couldn't, you know, because there never was more than one Queen at a time. Do wake up, you heavy things!" she went on in an impatient tone; but there was no answer but a gentle snoring.

The snoring got more distinct every minute, and sounded more like a tune; at last she could even make out words, and she listened so eagerly that, when the two great heads suddenly vanished from her lap, she hardly missed them.

She was standing before an arched doorway, over which were the words QUEEN ALICE in large letters, and on each side of it there was a bell-handle; one marked "Visitors' Bell," and the other "Servants' Bell."

"I'll wait till the song's over," throught Alice, "and then I'll ring the—the—*which* bell must I ring ?" she went on, very much puzzled by the names. "I'm not a visitor, and I'm not a servant. There *ought* to be one marked 'Queen,' you know——"

Just then the door opened a little way, and a creature with a long beak put its head out for a moment and said, "No admittance till the week after next!" and shut the door again with a bang.

« Dodo, dodo, madame, en le giron d'Alice!
Le rôti n'est pas prêt, faisons un petit somme;
Le festin terminé, nous irons, sans malice,
Avec elle danser, tous, autant que nous sommes! »

« Et maintenant que vous en connaissez les paroles, ajouta-t-elle en posant la tête sur l'autre épaule d'Alice, chantez-la tout entière pour *moi*. Car, moi aussi, je me mets à avoir grand sommeil. » Un instant plus tard les deux Reines dormaient comme des souches en ronflant à qui mieux mieux.

« Que dois-je faire à présent ? s'exclama Alice, perplexe, en promenant son regard autour d'elle tandis que l'une des deux têtes rondes, puis l'autre, roulaient de ses épaules pour tomber comme deux lourdes masses sur ses genoux. Je ne pense pas qu'il soit jamais arrivé à quiconque d'avoir à prendre soin, simultanément, de deux Reines endormies! Non, jamais, dans toute l'histoire de l'Angleterre... D'ailleurs cela n'eût pu, voyez-vous bien, se produire, puisqu'il n'y eut jamais plus d'une Reine à la fois. Réveillez-vous donc, grosses dondons! » poursuivit-elle, perdant quelque peu patience; mais elle n'obtint pour toute réponse qu'un royal ronflement.

Le ronflement s'amplifia de minute en minute, ressemblant de plus en plus à l'air d'une chanson; finalement elle en put même distinguer les paroles et elle se mit à les écouter si attentivement que, lorsque les deux grosses têtes disparurent brusquement de son giron, c'est tout juste si elle s'en aperçut.

Elle se trouvait à présent debout devant un portail cintré, au-dessus duquel étaient tracés, en lettres de grande taille, les mots REINE ALICE, et sur chacun de ses côtés il y avait une poignée de sonnette : sur l'une il était écrit : « Sonnette des Visiteurs », et sur l'autre : « Sonnette des Domestiques ».

« Je vais attendre que la chanson soit terminée, pensa Alice, et alors je tirerai la... la... *quelle* sonnette dois-je tirer ? poursuivit-elle, fort embarrassée. Je ne suis pas une visiteuse, et je ne suis pas une domestique. Il *devrait* y avoir une troisième poignée de sonnette, marquée « Reine », voyez-vous bien... »

A cet instant précis, la porte s'entr'ouvrit, et une créature à long bec passa la tête par l'entrebâillement pour dire : « Défense d'entrer avant la semaine d'après la semaine prochaine! » Puis elle referma la porte à grand fracas.

Alice knocked and rang in vain for a long time, but at last a very old Frog, who was sitting under a tree, got up and hobbled slowly towards her: he was dressed in bright yellow, and had enormous boots on.

"What is it, now ?" the Frog said in a deep, hoarse whisper.

Alice turned round, ready to find fault with anybody. "Where's the servant whose business it is to answer the door ?" she began.

"Which door ?" said the Frog.

Alice almost stamped with irritation at the slow drawl in which he spoke. "*This* door, of course!"

The Frog looked at the door with his large dull eyes for a minute: then he went nearer and rubbed it with his thumb, as if he were trying whether the paint would come off; then he looked at Alice.

"To answer the door ?" he said. "What's it been asking of ?" He was so hoarse that Alice could scarcely hear him.

"I don't know what you mean," she said.

"I speaks English, doesn't I ?" the Frog went on. "Or are you deaf ? What did it ask you ?"

"Nothing!" Alice said impatiently. "I've been knocking at it!"

"Shouldn't do that—shouldn't do that," the Frog muttered. "Wexes it, you know." Then he went up and gave the door a kick with one of his great feet. "You let *it* alone." he panted out, as he hobbled back to his tree, "and it'll let *you* alone, you know."

At this moment the door was flung open, and a shrill voice was heard singing:

"*To the Looking-glass world it was Alice that said,*
 'I've a sceptre in hand, I've a crown on my head;
 Let the Looking-glass creatures, whatever they be,
 Come and dine with the Red Queen, the White Queen, and
                                                        [*me!*'*"

And hundreds of voices joined in the chorus:

Alice frappa et sonna en vain pendant longtemps. Enfin une très vieille Grenouille, qui jusqu'alors s'était tenue assise sous un arbre, se leva et, en clopinant, s'en vint lentement vers elle; elle portait un habit d'un jaune éclatant et elle avait aux pieds d'énormes bottes.

« Que désirez-vous, à cette heure ? » murmura, d'une voix grave et enrouée, la Grenouille.

Alice se retourna, prête à chercher querelle au premier être qui se présenterait. « Où est le serviteur, commença-t-elle de dire, chargé de répondre à cette porte ? »

« Quelle porte ? », s'enquit la Grenouille.

Elle parlait si lentement, d'une voix si traînante, qu'Alice eut peine à réprimer un trépignement d'impatience : « Cette porte-ci, bien sûr! »

La Grenouille, de ses grands yeux mornes, contempla la porte un long moment durant; puis elle s'en approcha et la frotta de son pouce, comme pour voir si la peinture s'en détacherait; ensuite, elle regarda Alice.

« Répondre à cette porte ? dit-elle. Qu'a-t-elle donc demandé ? » L'enrouement de sa voix était tel qu'Alice pouvait à peine l'entendre.

« Je ne sais pas ce que vous voulez dire », déclara la fillette.

« Je « cause » anglais, oui ou non ? reprit la Grenouille. Ou bien est-ce que par hasard vous seriez sourde ? Que vous a demandé cette porte ? »

« Rien! répondit avec impatience Alice. Voilà un bon moment que je cogne dessus! »

« Vous n'auriez pas dû faire ça... non, non, vous n'auriez pas dû, murmura la Grenouille. Ça la « vesque », voyez-vous bien. A ces mots elle monta sur le pas de la porte et assena à celle-ci un grand coup de pied. Laissez donc cette porte-là tranquille, dit-elle, haletante, en retournant clopin-clopant s'asseoir sous son arbre; et elle aussi, elle vous laissera tranquille vous-même, voyez-vous bien. »

A ce moment la porte s'ouvrit brusquement toute grande et l'on entendit la voix aiguë de quelqu'un qui chantait :

« *Au monde du Miroir, Alice a fait connaître :*
« *Je tiens le sceptre en main, j'ai le chef couronné;*
Que, sans exception, du Miroir tous les êtres
Avec les deux Reines et moi viennent dîner! »

Puis des centaines de voix entonnèrent en chœur le refrain :

"Then fill up the glasses as quick as you can
  And sprinkle the table with buttons and bran:
  Put cats in the coffee, and mice in the tea—
  And welcome Queen Alice with thirty-times-three!"

Then followed a confused noise of cheering, and Alice
thought to herself, "Thirty times three makes ninety. I
wonder if anyone's counting?" In a minute there was
silence again, and the same shrill voice sang another verse:

" *'O looking-glass creatures,' quoth Alice, 'draw near!*
  'Tis an honour to see me, a favour to hear:
  'Tis a privilege high to have dinner and tea
  Along with the Red Queen, the White Queen, and me!' "

Then came the chorus again:

"Then fill up the glasses with treacle and ink,
  Or anything else that is pleasant to drink;
  Mix sand with the cider, and wool with the wine—
  And welcome Queen Alice with ninety-times-nine!"

"Ninety times nine!" Alice repeated in despair. "Oh,
that'll never be done! I'd better go in at once—" and in
she went, and there was a dead silence the moment she
appeared.

Alice glanced nervously along the table, as she walked
up the large hall, and noticed that there were about fifty
guests, of all kinds: some were animals, some birds, and
there were even a few flowers among them. "I'm glad they've
come without waiting to be asked," she thought: "I should
never have known who were the right people to invite!"

There were three chairs at the head of the table; the Red
and White Queens had already taken two of them, but the
middle one was empty. Alice sat down in it, rather uncomfortable at the silence, and longing for someone to speak.

At last the Red Queen began. "You've missed the soup
and fish," she said. "Put on the joint!" And the waiters
set a leg of mutton before Alice, who looked at it rather

« Sans perdre un seul instant, emplissez donc les verres,
Sur la table versez le poivre et les gravois;
Mettez les chats dans l'huile et les rats dans la bière :
Soit bienvenue Alice trente fois trois fois. »

On entendit ensuite une confuse rumeur d'acclamations, et Alice pensa : « Trente fois trois fois, cela fait quatre-vingt-dix fois. Je me demande si quelqu'un fait le compte. » Au bout d'une minute, le silence se rétablit, et le chanteur à la voix aiguë entonna le second couplet :

« O vous, gens du Miroir, dit Alice, approchez!
Me voir est un plaisir, m'écouter une joie :
C'est un insigne honneur que de boire et manger
Avec les Reines Rouge et Blanche, et avec moi! »

Puis ce fut de nouveau le chœur :

« Qu'on emplisse les verres d'encre et de mélasse
Ou de n'importe quoi de bon ou de cocasse,
Mêlez le sable au cidre et la moutarde au thé :
Quatre-vingt-dix fois neuf fois salut, Majesté! »

« Quatre-vingt dix fois neuf fois! répéta Alice, désespérée : Oh! n'en finira-t-on donc jamais! Mieux vaut entrer tout de suite... » Elle entra donc et, dès qu'elle parut, un silence de mort régna.

En traversant la grande salle, Alice jeta vers la table un coup d'œil craintif, et elle remarqua qu'il y avait environ cinquante convives, de toutes espèces : certains étaient des mammifères, des batraciens ou des reptiles, d'autres des oiseaux, et il y avait même parmi eux quelques fleurs. « Je suis contente qu'ils soient venus sans attendre que je le leur demande, pensa-t-elle, car je n'eusse jamais su qui il convenait d'inviter! »

Il y avait, au haut bout de la table, trois chaises; les Reines Rouge et Blanche occupaient deux d'entre elles, mais celle du milieu était vide. Alice s'y assit, assez mal à l'aise à cause du silence ambiant, attendant impatiemment que quelqu'un prît la parole.

A la fin ce fut la Reine Rouge qui s'en chargea : « Vous avez manqué la soupe et le poisson, dit-elle. Que l'on serve le rôt! » Et les domestiques déposèrent un gigot de mouton devant Alice, qui le contempla avec quelque appréhen-

anxiously, as she had never had to carve one before.

"You look a little shy; let me introduce you to that leg of mutton," said the Red Queen. "Alice—Mutton; Mutton—Alice." The leg of mutton got up in the dish and made a little bow to Alice; and she returned the bow, not knowing whether to be frightened or amused.

"May I give you a slice?" she said, taking up the knife and fork, and looking from one Queen to the other.

"Certainly not," the Red Queen said, very decidedly: "it isn't etiquette to cut anyone you've been introduced to. Remove the joint!" And the waiters carried it off, and brought a large plum-pudding in its place.

"I won't be introduced to the pudding, please," Alice said rather hastily, "or we shall get no dinner at all. May I give you some?"

But the Red Queen looked sulky, and growled, "Pudding—Alice; Alice—Pudding. Remove the pudding!" and the waiters took it away before Alice could return its bow.

However, she didn't see why the Red Queen should be the only one to give orders, so, as an experiment, she called out, "Waiter! Bring back the pudding!" and there it was again in a moment, like a conjuring trick. It was so large that she couldn't help feeling a *little* shy with it, as she had been with the mutton; however, she conquered her shyness by a great effort, and cut a slice and handed it to the Red Queen.

"What impertinence!" said the Pudding. "I wonder how you'd like it, if I were to cut a slice out of *you*, you creature!"

It spoke in a thick, suety sort of voice, and Alice hadn't a word to say in reply: she could only sit and look at it and gasp.

"Make a remark," said the Red Queen: "it's ridiculous to leave all the conversation to the pudding!"

"Do you know, I've had such a quantity of poetry repeated to me to-day," Alice began, a little frightened at finding that, the moment she opened her lips, there was dead silence,

sion, car jamais auparavant elle n'avait eu l'occasion de découper pareille pièce.

« Vous avez l'air un peu intimidé, dit la Reine Rouge; souffrez que je vous présente à ce gigot de mouton : « Alice... Mouton; Mouton... Alice ». Le gigot se mit debout dans le plat et s'inclina devant Alice; la fillette lui rendit son salut en se demandant si elle devait rire ou avoir peur.

« Puis-je vous en donner une tranche ? » demanda-t-elle en prenant en main le couteau et la fourchette, et en tournant la tête vers l'une des Reines, puis vers l'autre.

« Certes, non, répondit la Reine Rouge d'un ton catégorique; il est contraire à l'étiquette de découper quelqu'un à qui l'on a été présenté. Que l'on remporte le gigot ! » Et les domestiques l'enlevèrent, et le remplacèrent sur la table par un énorme plum-pudding.

« S'il vous plaît, je ne désire pas que l'on me présente au pudding, se hâta de dire Alice; ou alors il n'y aura plus de dîner du tout. Puis-je vous en donner une part ? »

Mais la Reine Rouge prit un air renfrogné et grommela : « Pudding... Alice; Alice... Pudding. Que l'on remporte le pudding! » et les domestiques l'enlevèrent avant qu'Alice n'eût le temps de lui rendre son salut.

Néanmoins, comme elle ne voyait pas pourquoi la Reine Rouge eût dû être la seule à commander, elle décida de tenter une expérience. Elle ordonna : « Serveur! Rapportez le pudding! » et le pudding se retrouva immédiatement devant elle, comme par un coup de baguette magique. Il était si gros qu'elle ne put s'empêcher, devant lui, de se sentir un peu intimidée, comme elle l'avait été en présence du gigot de mouton; pourtant, elle surmonta cette faiblesse par un effort de volonté et découpa une part de pudding qu'elle tendit à la Reine Rouge.

« Quelle impertinence! s'exclama le Pudding. Je me demande si vous aimeriez que l'on découpât une tranche de vous-même, espèce de créature! »

Il parlait d'une grosse voix grasseyante et Alice, ne sachant que lui répondre, ne put que rester assise à le regarder, bouche bée.

« Dites donc quelque chose, intervint la Reine Rouge : il est ridicule de laisser le pudding faire seul les frais de la conversation! »

« On m'a récité aujourd'hui un grand nombre de poésies, voyez-vous bien, commença de dire Alice, quelque peu effrayée de constater que, dès l'instant où elle avait ouvert la bouche, tandis que tous les yeux se fixaient sur elle, il

and all eyes were fixed upon her; "and it's a very curious thing, I think—every poem was about fishes in some way. Do you know why they're so fond of fishes, all about here?"

She spoke to the Red Queen, whose answer was a little wide of the mark. "As to fishes," she said, very slowly and solemnly, putting her mouth close to Alice's ear, "her White Majesty knows a lovely riddle—all in poetry—all about fishes. Shall she repeat it?"

"Her Red Majesty's very kind to mention it," the White Queen murmured into Alice's other ear, in a voice like the cooing of a pigeon. "It would be *such* a treat! May I?"

"Please do," Alice said very politely.
The White Queen laughed with delight, and stroked Alice's cheek. Then she began:

> "' *First the fish must be caught.'*
> *That is easy: a baby, I think, could have caught it.*
> *'Next, the fish must be bought.'*
> *That is easy: a penny, I think, would have bought it.*
>
> " *'Now cook me the fish!'*
> *That is easy, and will not take more than a minute.*
> *'Let it lie in a dish!'*
> *That is easy, because it already is in it.*
>
> " *'Bring it here! Let me sup!'*
> *It is easy to set such a dish on the table.*
> *'Take the dish-cover up!'*
> *Ah, that is so hard that I fear I'm unable!*
>
> " *For it holds it like glue——*
> *Holds the lid to the dish, while it lies in the middle:*
> *Which is easiest to do,*
> *Un-dish-cover the fish, or dishcover the riddle?"*

"Take a minute to think about it, and then guess," said the Red Queen. "Meanwhile, we'll drink your health— Queen Alice's health!" she screamed at the top of her voice, and all the guests began drinking it directly, and very queerly they managed it: some of them put their glasses

s'était fait un silence de mort; et ce qui est fort curieux, il me semble, c'est que, dans chacune de ces poésies, il était plus ou moins question de poissons. Savez-vous pourquoi l'on aime tant les poissons, par ici ? »

Elle s'adressait à la Reine Rouge, qui répondit un peu à côté de la question. « A propos de poissons, déclara-t-elle avec lenteur et solennité en parlant à l'oreille d'Alice, sa Blanche Majesté connaît une adorable devinette... toute en vers... et où il n'est question que de poissons. Voulez-vous qu'elle vous la dise ? »

« Sa Rouge Majesté est bien bonne d'en faire état, murmura la Reine Blanche à l'autre oreille d'Alice, d'une voix pareille au roucoulement de la colombe. Ce serait pour moi une telle joie! Puis-je me permettre ? »

« Je vous en prie », répondit, fort courtoisement, Alice.

La Reine Blanche eut un rire ravi et tapota la joue de la fillette. Puis elle articula :

> « Le poisson, tout d'abord, il le faut attraper.
> C'est facile : un enfant, je crois, s'en ferait fort.
> Ensuite, ce poisson, il le faut acheter.
> C'est facile : un sol y pourrait, je crois, suffire.
>
> Ce poisson, maintenant, il le faut préparer!
> C'est aisé : d'un instant seulement c'est l'affaire.
> Puis alors, sur un plat il le faut disposer!
> C'est aisé, car il est dessus depuis toujours.
>
> Apportez-le-moi donc! Je m'en veux régaler!
> C'est un jeu que de mettre un tel plat sur la table.
> Mais son couvercle, encor le faudrait-il ôter!
> Ah! ça, c'est difficile et j'en suis incapable!
>
> Par quelque colle forte on le croirait fixé...
> Le soulever n'est point travail de mauviette.
> Des deux tâches, laquelle est la moins malaisée ?
>   Tenir votre cachon poissé ?
>   Ou découvrir la devinette ? »

« Réfléchissez-y pendant une minute, puis devinez, dit la Reine Rouge. Entre-temps, nous allons célébrer votre santé... A la santé de la Reine Alice! » cria-t-elle de toute la force de ses poumons. Tous les invités, immédiatement, se mirent à lui porter des santés et ils s'y prirent d'une manière très bizarre : certains d'entre eux posèrent leurs

upon their heads like extinguishers, and drank all that trickled down their faces—others upset the decanters, and drank the wine as it ran off the edges of the table—and three of them (who looked like kangaroos) scrambled into the dish of roast mutton, and began eagerly to lap up the gravy, "just like pigs in a trough!" thought Alice.

"You ought to return thanks in a neat speech," the Red Queen said, frowning at Alice as she spoke.

"We must support you, you know," the White Queen whispered, as Alice got up to do it, very obediently, but a little frightened.

"Thank you very much," she whispered in reply, "but I can do quite well without."

"That wouldn't be at all the thing," the Red Queen said very decidedly: so Alice tried to submit to it with a good grace.

("And they *did* push so!" she said afterwards, when she was telling her sister the history of the feast. "You would have thought they wanted to squeeze me flat!")

In fact it was rather difficult for her to keep in her place while she made her speech: the two Queens pushed her so, one on each side, that they nearly lifted her up into the air: "I rise to return thanks——" Alice began: and she really *did* rise as she spoke, several inches; but she got hold of the edge of the table, and managed to pull herself down again.

"Take care of yourself!" screamed the White Queen, seizing Alice's hair with both her hands. "Something's going to happen!"

And then (as Alice afterwards described it) all sorts of things happened in a moment. The candles all grew up to the ceiling, looking something like a bed of rushes with fireworks at the top. As to the bottles, they each took a pair of plates, which they hastily fitted on as wings, and so, with forks for legs, went fluttering about in all directions: "and very like birds they look," Alice thought to herself, as

verres renversés sur leurs têtes comme des éteignoirs, en
buvant tout ce qui leur dégoulinait sur le visage... d'autres
renversèrent les carafons et burent le vin qui coulait le long
des bords de la table... et trois d'entre eux (qui ressemblaient à des kangourous) grimpèrent patauger dans le plat
au gigot dont ils se mirent à laper allègrement la sauce, « tels
des cochons dans une auge! » pensa Alice.

« Vous devriez répondre à leurs toasts par un discours
bien senti », conseilla la Reine Rouge en faisant les gros
yeux à Alice.

« Nous avons le devoir de vous soutenir, voyez-vous
bien », murmura la Reine Blanche, tandis qu'Alice se levait,
docile mais non exempte d'appréhension, pour prendre la
parole.

« Merci beaucoup, répondit-elle à voix basse; mais je
n'ai nul besoin d'être soutenue. »

« Il ne serait pas convenable que nous ne vous soutins-
sions pas », répondit péremptoirement la Reine Rouge.
Alice essaya donc de se soumettre de bonne grâce à leur
assistance.

« Elles me poussaient, chacune de son côté, tant et si
bien, dit-elle par la suite en racontant à sa sœur l'épisode
du festin, que l'on eût dit qu'elles me voulaient aplatir telle
une crêpe! »

En fait, elle eut beaucoup de mal à se maintenir à sa
place tandis qu'elle prononçait son allocution : les deux
Reines la poussaient si fort, chacune de son côté, qu'il s'en
fallut de peu qu'elles ne la projetassent dans les airs : « Le
grand mouvement d'enthousiasme qui nous soulève... »
commençait de dire Alice; et à ces mots elle se trouva
effectivement soulevée de plusieurs centimètres; mais elle
s'agrippa au bord de la table et parvint à reprendre contact
avec le plancher.

« Prenez garde à vous! cria, en lui saisissant à deux mains
les cheveux, la Reine Blanche. Il va se passer quelque
chose! »

Et c'est alors (comme le raconta par la suite Alice) que
toute sorte d'événements se produisirent coup sur coup.
Les bougies grandirent jusqu'au plafond, prenant l'aspect
d'une plantation de joncs surmontés de feux de bengale.
Quant aux bouteilles, chacune d'elles s'empara d'une paire
d'assiettes qu'elle s'ajusta au goulot en manière d'ailes;
puis, après s'être adjoint des fourchettes en guise de pattes,
elles se mirent à voleter en tous sens : « Elles ressemblent
à s'y méprendre à des oiseaux », pensa Alice, dans la

well as she could in the dreadful confusion that was beginning.

At this moment she heard a hoarse laugh at her side, and turned to see what was the matter with the White Queen; but, instead of the Queen, there was the leg of mutton sitting in the chair. "Here I am!" cried a voice from the soup-tureen, and Alice turned again, just in time to see the Queen's broad, good-natured face grinning at her for a moment over the edge of the tureen, before she disappeared into the soup.

There was not a moment to be lost. Already several of the guests were lying down in the dishes, and the soup-ladle was walking up the table to Alice, and signing to her to get out of its way.

"I can't stand this any longer!" she cried, as she jumped up and seized the table-cloth with both hands: one good pull, and plates, dishes, guests, and candles came crashing down together in a heap on the floor.

"And as for *you*," she went on, turning fiercely upon the Red Queen, whom she considered as the cause of all the mischief—but the Queen was no longer at her side—she had suddenly dwindled down to the size of a little doll, and was now on the table, merrily running round and round after her own shawl, which was trailing behind her.

At any other time, Alice would have felt surprised at this, but she was far too much excited to be surprised at anything *now*. "As for *you*," she repeated, catching hold of the little creature in the very act of jumping over a bottle which had just lighted upon the table, "I'll shake you into a kitten, that I will!"

mesure où l'effroyable confusion qui était en train de se répandre le lui permettait encore.

Tout à coup, un rire enroué se fit entendre tout près d'elle. Elle se retourna pour voir quelle raison avait la Reine Blanche de rire de la sorte; mais, à la place de cette dernière, c'était le gigot de mouton qui était assis sur le siège de la souveraine : « Me voici! » cria la voix de quelqu'un qui devait se trouver dans la soupière, et Alice se retourna de nouveau, juste à temps pour apercevoir le large et affable visage de la Reine lui sourire un instant par-dessus le rebord du récipient, avant de disparaître au sein du potage.

Il n'y avait pas une minute à perdre. Déjà nombre de convives gisaient à plat ventre dans les plats et la louche déambulait sur la table en direction d'Alice, en faisant signe à la fillette de s'écarter de son passage.

« Je ne peux supporter cela plus longtemps! » s'écriat-elle, en faisant un bond et en saisissant à deux mains la nappe : une bonne traction sur celle-ci, et assiettes, plats, convives, bougies s'écroulaient avec fracas sur le plancher pour s'y entasser en un amas informe.

« Quant à vous », poursuivit-elle en se tournant, furieuse, vers la Reine Rouge, qu'elle considérait comme la cause de tout le mal... Mais la Reine n'était plus aux côtés d'Alice... Elle avait brusquement rapetissé au point de n'avoir plus que la taille d'une minuscule poupée, et elle se trouvait à présent sur la table, en train de courir joyeusement, en décrivant des cercles concentriques, à la poursuite de son propre châle, qui flottait derrière elle.

A tout autre moment, ce spectacle eût surpris Alice; mais elle était bien trop surexcitée pour être surprise de quoi que ce fût, *désormais*. « Quant à *vous*, répéta-t-elle en se saisissant de la petite créature à l'instant précis où celle-ci sautait par-dessus une bouteille qui venait de se poser sur la table, je vais vous secouer le poil jusqu'à ce que vous vous transformiez en minette, vous n'y couperez pas! »

CHAPTER X

SHAKING

She took her off the table as she spoke, and shook her backwards and forwards with all her might.

The Red Queen made no resistance whatever; only her face grew very small, and her eyes got large and green: and still, as Alice went on shaking her, she kept on growing shorter—and fatter—and softer—and rounder—and——

CHAPITRE X

SECOUEMENT

Elle la souleva de la table tout en parlant, et la secoua d'avant en arrière de toutes ses forces.

La Reine Rouge ne lui opposa pas la moindre résistance; seulement, son visage se mit à rapetisser, rapetisser, et ses yeux à verdir et à s'agrandir; puis, tandis qu'Alice continuait de la secouer, elle ne cessa de se raccourcir, d'engraisser, de s'adoucir, de s'arrondir... et...

CHAPTER XI

WAKING

——and it really *was* a kitten, after all.

CHAPITRE XI

RÉVEIL

...et, finalement, c'était bel et bien une minette.

CHAPTER XII

WHICH DREAMED IT?

"Your Red Majesty shouldn't purr so loud," Alice said, rubbing her eyes, and addressing the kitten respectfully, yet with some severity. "You woke me out of—oh! such a nice dream! And you've been along with me, Kitty—all through the Looking-glass world. Did you know it, dear?"

It is a very inconvenient habit of kittens (Alice had once made the remark) that, whatever you say to them, they *always* purr. "If they would only purr for 'yes,' and mew for 'no,' or any rule of that sort," she had said, "so that one could keep up a conversation! But how *can* you talk with a person if they always say the same thing?"

On this occasion the kitten only purred: and it was impossible to guess whether it meant "yes" or "no".

So Alice hunted among the chessmen on the table till she had found the Red Queen: then she went down on her knees on the hearthrug, and put the kitten and the Queen to look at each other. "Now, Kitty!" she cried, clapping her hands triumphantly. "You've got to confess that that was what you turned into!"

("But it wouldn't look at it," she said, when she was explaining the thing afterwards to her sister: "it turned away its head, and pretended not to see it: but it looked a *little* ashamed of itself, so I think it *must* have been the Red Queen.")

"Sit up a little more stiffly, dear!" Alice cried with a merry laugh. "And curtsey while you're thinking what to—

CHAPITRE XII

QUI A RÊVÉ CELA ?

« Ta Rouge Majesté ne devrait pas ronronner si fort, dit Alice en se frottant les yeux et en s'adressant à la minette avec respect mais d'un ton empreint de quelque sévérité. Tu viens de me réveiller d'un rêve... oh! d'un si joli rêve! Et tu es restée avec moi tout le temps, Kitty... d'un bout à l'autre du monde du Miroir. Le savais-tu, ma chérie ? »

Les minettes (Alice en avait déjà fait la remarque) ont une très mauvaise habitude, qui est de répondre toujours par un ronronnement, quoi qu'on leur dise. « Si encore, avait soupiré la fillette, elles ronronnaient pour dire « oui » et miaulaient pour dire « non », ou si elles obéissaient à une quelconque règle, de sorte que l'on pût avoir avec elles une conversation! Mais comment pourrait-on s'entretenir avec une personne qui dit toujours la même chose ? »

En l'occurrence, la minette ne fit rien que ronronner; et il ne fut pas possible de deviner si elle voulait dire « oui » ou « non ».

Aussi, Alice effectua-t-elle des recherches parmi les pièces d'échecs qui se trouvaient sur la table, jusqu'à ce qu'elle eût retrouvé la Reine Rouge : alors, elle s'agenouilla sur le devant de foyer et plaça la minette et la Reine face à face. « Allons, Kitty! s'écria-t-elle en battant des mains d'un air triomphant, avoue que tu t'étais changée en Reine! »

« Mais elle a refusé de regarder la Reine, dit-elle à sa sœur lorsque par la suite elle lui raconta cet épisode; elle a détourné la tête et fait semblant de ne la pas voir. Pourtant elle a eu l'air un peu honteux et c'est pourquoi je pense que c'était bien elle la Reine Rouge. »

« Tiens-toi un peu plus droite, ma chérie! s'écria, avec un joyeux rire, Alice. Et fais la révérence tout en réfléchissant à ce que tu vas... à ce que tu vas ronronner. Souviens-

what to purr. It saves time, remember!" And she caught it up in her arms, and gave it one little kiss, "just in honour of its having been a Red Queen, you know!"

"Snowdrop, my pet!" she went on, looking over her shoulder at the White Kitten, which was still patiently undergoing its toilet, "when *will* Dinah have finished with your White Majesty, I wonder? That must be the reason you were so untidy in my dream.—Dinah! Do you know that you're scrubbing a White Queen? Really, it's most disrespectful of you, and I'm quite surprised at you!"

"And what did *Dinah* turn to, I wonder?" she prattled on, as she settled comfortably down, with one elbow on the rug, and her chin in her hand, to watch the kittens. "Tell me, Dinah, did you turn to Humpty Dumpty? I *think* you did—however, you'd better not mention it to your friends just yet, for I'm not sure.

"Bye the way, Kitty, if only you'd been really with me in my dream, there was one thing you *would* have enjoyed —I had such a quantity of poetry said to me, all about fishes! To-morrow morning you shall have a real treat. All the time you're eating your breakfast, I'll repeat 'The Walrus and the Carpenter' to you; and then you can make believe it's oysters, my dear!

"Now, Kitty, let's consider who it was that dreamed it all. This is a serious question, my dear, and you should *not* go on licking your paw like that—as if Dinah hadn't washed you this morning! You see, Kitty, it *must* have been either me or the Red King. He was part of my dream, of course—but then I was part of his dream, too! *Was* it the Red King, Kitty? You were his wife, my dear, so you ought to know—Oh, Kitty, *do* help to settle it! I'm sure your paw can wait!" But the provoking kitten only began on the other paw, and pretended it hadn't heard the question.

Which do *you* think it was?

toi que cela fait gagner du temps! » Là-dessus, elle souleva
la minette dans ses bras et lui donna un petit baiser : « Pour
te féliciter d'avoir été une Reine Rouge, vois-tu bien! »

    « Blanche-Neige, mon trésor! poursuivit-elle en regardant
par-dessus l'épaule de la Minette Blanche qui continuait
à subir patiemment le supplice de la toilette : quand donc
Dinah en aura-t-elle fini avec Ta Blanche Majesté, je me le
demande. Cela doit être la raison pour laquelle tu étais si
sale dans mon rêve... Dinah! sais-tu bien que tu es en
train de débarbouiller une Reine Blanche ? Vraiment, tu
fais là preuve d'une grande discourtoisie, et cela me sur-
prend beaucoup, de ta part! »

    « Et en quoi *Dinah*, je me le demande, avait-elle bien pu
se métamorphoser, poursuivit-elle en s'étendant confortablement sur le tapis de foyer, appuyée sur son coude et le
menton dans la main, pour observer les minettes. Dis-moi,
Dinah, ne te serais-tu pas changée en Heumpty Deumpty ?
Je crois sérieusement que tu l'as fait... Il vaudra mieux,
pourtant, n'en pas parler tout de suite à tes amis, car je n'en
suis pas certaine. »

    « A propos, Kitty, si tu avais été vraiment avec moi
dans mon rêve, il y avait une chose qui t'aurait sûrement
plu : c'est que l'on m'y a récité un nombre incroyable de
poésies, toutes sur les poissons! Demain matin, ce sera une
vraie fête pour toi : tandis que tu prendras ton petit déjeuner, je te réciterai *Le Morse et le Charpentier*, et alors tu
pourras t'imaginer que tu manges des huîtres, ma chérie! »

    « Maintenant, Kitty, réfléchissons : qui a rêvé tout cela ?
C'est une question très sérieuse, ma chérie, et tu ne devrais
pas continuer à te lécher la patte comme tu le fais... Comme
si Dinah ne t'avait pas lavée ce matin! Vois-tu bien, Kitty,
cela ne peut être que moi ou le Roi Rouge. Il figurait dans
mon rêve, bien sûr... mais alors, moi aussi, je figurais dans
le sien! *Etait-ce* le Roi Rouge, Kitty ? Tu étais son épouse,
ma chérie, tu dois donc le savoir... Oh! Kitty, je t'en prie,
aide-moi à y voir clair! Je suis sûre que ta patte peut
attendre! » Mais l'exaspérante minette ne fit rien qu'entre-
prendre de se lécher l'autre patte en affectant de n'avoir pas
entendu la question.

    Et *vous*, qui donc croyez-vous que c'était ?

A boat, beneath a sunny sky
Lingering onward dreamily
In an evening of July—

Children three that nestle near,
Eager eye and willing ear,
Pleased a simple tale to hear—

Long has paled that sunny sky:
Echoes fade and memories die:
Autumn frosts have slain July.

Still she haunts me, phantomwise,
Alice moving under skies
Never seen by waking eyes.

Children yet, the tale to hear,
Eager eye and willing ear,
Lovingly shall nestle near

In a wonderland they lie,
Dreaming as the days go by,
Dreaming as the summers die:

Ever drifting down the stream—
Lingering in the golden gleam—
Life, what is it but a dream?

Au fil d'une onde calme et lisse,
Le bateau indolemment glisse,
Imbu d'ineffables délices.

Chacune des trois douces sœurs,
Enchantée, écoutant l'histoire,
Est blottie auprès du conteur.

Le soleil à l'horizon sombre;
L'écho s'assourdit et le sombre
Automne étend déjà son ombre.

Mais toujours me hante l'image
D'Alice endormie, en voyage
Parmi d'étranges paysages.

Cependant qu'auprès du conteur,
Ecoutant la magique histoire
Se pelotonnent les trois sœurs.

Rêvant, rêvant au sans pareil
Pays des Monts et des Merveilles
Où brille un nocturne soleil.

Laissant s'enfuir l'heure trop brève
Dans l'or du beau jour qui s'achève...
Vivre, ne serait-ce qu'un rêve?

THE HUNTING OF THE SNARK
An Agony in Eight Fits

LA CHASSE AU SNARK
Délire en huit épisodes ou crises

PREFACE

If—and the thing is wildly possible—the charge of writing nonsense were ever brought against the author of this brief but instructive poem, it would be based, I feel convinced, on the line (in p. 264):

« Then the bowsprit got mixed with the rudder sometimes. »

In view of this painful possibility, I will not (as I might) appeal indignantly to my other writings as a proof that I am incapable of such a deed: I will not (as I might) point to the strong moral purpose of this poem itself, to the arithmetical principles so cautiously inculcated in it, or to its noble teachings in Natural History—I will take the more prosaic course of simply explaining how it happened.

The Bellman, who was almost morbidly sensitive about appearances, used to have the bowsprit unshipped once or twice a week to be revarnished, and it more than once happened, when the time came for replacing it, that no one on board could remember which end of the ship it belonged to. They knew it was not of the slightest use to appeal to the Bellman about it—he would only refer to his Naval Code, and read out in pathetic tones Admiralty Instructions which none of them had ever been able to understand—so it generally ended in its being fastened on, anyhow, across the rudder. The helmsman [1] used to stand

---

1. This office was usually undertaken by the Boots, who found

PRÉFACE

Si jamais — et pareille occurrence est furieusement possible —, si jamais l'on allait accuser l'auteur de ce bref mais instructif poème d'écrire des inepties, cette accusation, j'en suis convaincu, serait fondée sur le vers (p. 265) :

« Et puis l'on confondait gouvernail et beaupré. »

En prévision de cette pénible éventualité, je n'en appellerai pas (comme je le pourrais) d'un air indigné à mes autres écrits pour prouver que je suis incapable d'un tel comportement; je n'insisterai pas (comme je le pourrais) sur le puissant dessein moral du poème lui-même, sur les principes arithmétiques que l'on y inculque avec tant de prudence, ni sur ses nobles enseignements en matière d'Histoire Naturelle; — je prendrai le parti plus prosaïque d'expliquer tout bonnement comment les choses advinrent.

D'une sensibilité presque maladive touchant les apparences, l'Homme à la Cloche avait l'habitude de faire démonter le beaupré deux ou trois fois par semaine, à fin de revernissage; et plus d'une fois il arriva qu'au moment de le remettre en place, pas un de ceux qui étaient à bord ne put se rappeler à quel bout du navire il appartenait. Tous savaient qu'il eût été parfaitement inutile de consulter là-dessus l'Homme à la Cloche. Il s'en serait simplement référé à son Code Naval, et aurait déclamé sur un ton pathétique des instructions de l'Amirauté que jamais aucun d'eux n'avait été capable de comprendre. Aussi cela se terminait-il généralement par un arrimage de fortune, en travers du gouvernail. Le timonier [1] avait coutume d'assis-

---

1. Emploi habituellement tenu par le Garçon d'Étage, qui y trouvait un refuge contre les plaintes incessantes du Boulanger, rela-

by with tears in his eyes: *he* knew it was all wrong, but alas! Rule 42 of the Code, "No one shall speak to the Man at the Helm," had been completed by the Bellman himself with the words, "and the Man at the Helm shall speak to no one." So remonstrance was impossible, and no steering could be done till the next varnishing day. During these bewildering intervals the ship usually sailed backwards.

As this poem is to some extent connected with the lay of the Jabberwock, let me take this opportunity of answering a question that has often been asked me, how to pronounce "slithy toves." The "i" in "slithy" is long, as in "writhe"; and "toves" is pronounced so as to rhyme with "groves." Again, the first "o" in "borogoves" is pronounced like the "o" in "borrow." I have heard people try to give it the sound of the "o" in "worry." Such is Human Perversity.

This also seems a fitting occasion to notice the other hard words in that poem. Humpty-Dumpty's theory, of two meanings packed into one word like a port-manteau, seems to me the right explanation for all.

For instance, take the two words "fuming" and "furious." Make up your mind that you will say both words, but leave it unsettled which you will say first. Now open your mouth and speak. If your thoughts incline ever so little towards "fuming," you will say "fuming-furious"; if they turn, by even a hair's breadth, towards "furious," you will say "furious-fuming"; but if you have that rarest of gifts, a perfectly balanced mind, you will say "frumious."

Supposing that, when Pistol uttered the well-known words:

« *Under which king, Bezonian ? Speak or die!* »

Justice Shallow had felt certain that it was either William

in it a refuge from the Baker's constant complaints about the in-sufficient blacking of his three pair of boots.

ter à l'opération les larmes aux yeux : *lui*, il savait que c'était
là une radicale erreur, mais, hélas ! l'article 42 du Code :
« *Personne ne parlera à l'Homme de Barre* », l'Homme à la
Cloche avait jugé bon de le compléter par ces mots : « *et
l'Homme de Barre ne parlera à personne.* » Aussi toute
protestation de sa part était-elle hors de question et, jusqu'au jour du vernissage suivant, était-il impossible de
gouverner. Durant ces déconcertantes périodes, le vaisseau, d'ordinaire, voguait à reculons.

Etant donné que ce poème présente certains rapports
avec la ballade du Bredoulochs, je ne voudrais pas laisser
échapper l'occasion de répondre à une question qui, souvent, m'a été posée, à savoir : comment prononcer *slictueux
toves* ? L'*u* de *slictueux* est long, comme celui de *délictueux;*
et *toves* se prononce de manière à rimer avec *quinquenoves.*
De même, le premier *o* de *borogoves* se prononce comme l'*o*
de *rose.* J'ai entendu des gens qui tentaient de lui donner
le son des *o* de *Cologne.* Telle est l'humaine perversité [2].

Cela paraît être aussi le moment d'attirer l'attention
sur les autres mots difficiles contenus dans le poème. La
théorie de Heumpty Deumpty — celle des deux significations
incluses dans un mot comme dans une valise — me semble
pouvoir, dans chaque cas, fournir l'explication correcte.

Prenez, par exemple, les deux mots : « fumant » et
« furieux ». Persuadez-vous que vous voulez les prononcer
tous deux, mais restez indécis quant à l'ordre dans lequel
vous les allez articuler. Maintenant, ouvrez la bouche et
parlez. Si vos pensées penchent si peu que ce soit du côté
de « fumant », vous direz « fumant-furieux »; si elles dévient,
ne serait-ce que de l'épaisseur d'un cheveu, du côté de
« furieux », vous direz « furieux-fumant »; mais si vous avez
— don des plus rares —, un esprit parfaitement équilibré,
vous direz « frumieux ».

Ainsi, lorsque Pistol prononça les fameuses paroles :

« *Sous quel roi, dis, Pouilleux ? Parle ou meurs !* [3] »

à supposer que le juge Shallow eût tenu pour assuré que

---

tives à l'astiquage insuffisant de ses trois paires de chaussures
(L. C.).

2. Dans le même ordre d'idées, rappelons que la lettre *e*, lorsqu'elle
est la dernière lettre d'un mot français placé à la fin d'un vers, est
toujours muette. Par conséquent *mais le*, au 18e vers de la page 275,
se prononce *mêle* et rime avec *dentelle; ou de*, au 3e vers de la page 279
se prononce *oudd* et devrait rimer avec *couae;* et *salez-le*, au 33e vers
de la page 283, se prononce *sale aile* et rime avec *essentielle (N.d.T.).*
3. Shakespeare, *Henry IV*, seconde partie *(N.d.T.).*

or Richard, but had not been able to settle which, so that he could not possibly say either name before the other, can it be doubted that, rather than die, he would have gasped out, "Rilchiam!"

c'était soit William, soit Richard, mais sans toutefois être en mesure de sortir de cette alternative, de telle sorte qu'il n'eût pas de raison de dire l'un des noms avant l'autre, peut-on douter un instant que, plutôt que de mourir, il ne se fût écrié : « Rilchiam! » ?

THE LANDING

"Just the place for a Snark!" the Bellman cried,
  As he landed his crew with care;
Supporting each man on the top of the tide
  By a finger entwined in his hair.

"Just the place for a Snark! I have said it twice:
  That alone should encourage the crew.
Just the place for a Snark!—I have said it thrice:
  What I tell you three times is true."

The crew was complete: it included a Boots—
  A maker of Bonnets and Hoods—
A Barrister, brought to arrange their disputes—
  And a Broker, to value their goods.

A Billiard-marker, whose skill was immense,
  Might perhaps have won more than his share—
But a Banker, engaged at enormous expense,
  Had the whole of their cash in his care.

There was also a Beaver, that paced on the deck,
  Or would sit making lace in the bow:
And had often (the Bellman said) saved them from wreck,
  Though none of the sailors knew how.

There was one who was famed for the number of things
  He forgot when he entered the ship:
His umbrella, his watch, all his jewels and rings,
  And the clothes he had bought for the trip.

He had forty-two boxes, all carefully packed,
  With his name painted clearly on each:
But, since he omitted to mention the fact,
  They were all left behind on the beach.

PREMIÈRE CRISE

LE DÉBARQUEMENT

« Le bon coin pour le Snark! » cria l'Homme à la Cloche,
Tandis qu'avec soin il débarquait l'équipage,
En maintenant, sur le vif de l'onde, ses hommes,
Chacun par les cheveux suspendu à un doigt.

« Le bon coin pour le Snark! Je vous l'ai dit deux fois :
Cela devrait suffire à vous encourager.
Le bon coin pour le Snark! Je vous l'ai dit trois fois :
Ce que je dis trois fois est absolument vrai. »

L'équipage, au complet, comprenait un Garçon
D'Etage, un marchand de Bonnets et Capelines,
Un Avocat, pour aplanir leurs différends,
Un Courtier en Valeurs, pour chiffrer leur fortune.

Un Marqueur de Billard, d'une étonnante adresse,
Plus que sa juste part eût peut-être gagné;
Mais par chance un Banquier, à grands frais engagé,
Jalousement veillait sur toutes leurs espèces.

Un Castor, qui arpentait le pont-promenade,
Ou, assis sur l'avant, faisait de la dentelle,
Les avait (disait l'Homme à la Cloche) souvent
Du naufrage sauvés — nul ne savait comment.

Il y avait un homme connu pour tout ce qu'
Il avait oublié de transporter à bord :
Sa montre, ses bijoux, son ombrelle, ses bagues,
Et les hardes acquises en vue du voyage.

Il possédait quarante-deux malles, bien pleines,
Chacune portant peint lisiblement son nom;
Hélas! comme il avait oublié de le dire,
Elles étaient encor sur la grève, en souffrance.

The loss of his clothes hardly mattered, because
   He had seven coats on when he came,
With three pair of boots—but the worst of it was,
   He had wholly forgotten his name.

He would answer to "Hi!" or to any loud cry,
   Such as "Fry me!" or "Fritter my wig!"
To "What-you-may-call-um!" or "What-was-his-name!"
   But especially "Thing-um-a-jig!"

While, for those who preferred a more forcible word,
   He had different names from these:
His intimate friends called him "Candle-ends,"
   And his enemies "Toasted-cheese."

"His form is ungainly—his intellect small——"
   (So the Bellman would often remark)
"But his courage is perfect! And that, after all,
   Is the thing that one needs with a Snark."

He would joke with hyænas, returning their stare
   With an impudent wag of the head:
And he once went a walk, paw-in-paw, with a bear,
   "Just to keep up its spirits," he said.

He came as a Baker: but owned when too late—
   And it drove the poor Bellman half-mad—
He could only bake Bridecake—for which, I may state,
   No materials were to be had.

The last of the crew needs especial remark,
   Though he looked an incredible dunce:
He had just one idea—but, that one being "Snark,"
   The good Bellman engaged him at once.

He came as a Butcher: but gravely declared,
   When the ship had been sailing a week,
He could only kill Beavers. The Bellman looked scared,
   And was almost too frightened to speak:

But at length he explained, in a tremulous tone,
   There was only one Beaver on board;
And that was a tame one he had of his own,
   Whose death would be deeply deplored.

De ses hardes la perte importait fort peu, puisque
Lors de son arrivée il portait sept vestons
Et trois paires de chaussures; mais le pis est qu'
Il avait oublié totalement son nom.

Il répondait à « Hep! » ou à n'importe quel
Eclat de voix : à « Zut alors! », à « Nom d'un chien! »,
A « Au-diable-son-nom! », à « Comment-qu'il-s'appelle! »,
Mais préférablement à « Trucmuche-Machin! ».

Pour ceux qui souhaitaient plus de verdeur verbale,
Notre héros, au choix, portait d'autres surnoms :
Pour ses sympathisants, c'était « Bouts-de-Chandelle »,
Et pour ses adversaires « Sacré-vieux-Croûton ».

« Physique déplaisant, chétive intelligence,
(Disait, parlant de lui, souvent, l'Homme à la Cloche),
Mais courage parfait! Et c'est là, je le pense,
Ce qui manque le plus quand on chasse le Snark. »

Il aimait taquiner l'hyène, en répondant
A son regard d'un signe de tête impudent;
Il se promena même, un jour, avec un ours,
Bras dessus, bras dessous : « afin de le distraire... »

Soi-disant Boulanger, il s'avoua, trop tard —
Et ça mit hors de lui le pauvre Homme à la Cloche —
Spécialiste en gâteaux de noce — pour lesquels
La matière première, on s'en doute, manquait.

Le dernier de l'équipe exige une remarque
Spéciale, encor qu'il eût l'air horriblement
Sot : comme il n'avait rien d'autre en tête que « Snark »,
Le brave Homme à la Cloche le prit sur-le-champ.

Venu comme Boucher, il déclara, très grave,
Quand on eut navigué durant une semaine,
Qu'il ne tuait que les Castors. L'Homme à la Cloche
Blêmit, puis resta quasi muet d'épouvante.

Tout tremblant, il finit, pourtant, par expliquer
Qu'il n'y avait, à bord, qu'un unique Castor;
Et que c'en était un à lui, apprivoisé,
De qui l'on ne saurait que déplorer la mort.

The Beaver, who happened to hear the remark,
  Protested, with tears in its eyes,
That not even the rapture of hunting the Snark
  Could atone for that dismal surprise!

It strongly advised that the Butcher should be
  Conveyed in a separate ship:
But the Bellman declared that would never agree
  With the plans he had made for the trip:

Navigation was always a difficult art,
  Though with only one ship and one bell:
And he feared he must really decline, for his part,
  Undertaking another as well.

The Beaver's best course was, no doubt, to procure
  A second-hand dagger-proof coat—
So the Baker advised it—and next, to insure
  Its life in some Office of note:

This the Banker suggested, and offered for hire
  (On moderate terms), or for sale,
Two excellent Policies, one Against Fire,
  And one Against Damage From Hail.

Yet still, ever after that sorrowful day,
  Whenever the Butcher was by,
The Beaver kept looking the opposite way,
  And appeared unaccountably shy.

Notre Castor, venant à ouïr la remarque,
Protesta, hors de lui et les larmes aux yeux,
Que même le bonheur d'aller chasser le Snark
Ne pourrait compenser un coup aussi affreux!

Il conseilla très fort le transfert du terrible
Boucher sur un autre vaisseau, solution
Qui, pour l'Homme à la Cloche, était incompatible
Avec les plans tracés pour l'expédition.

Ayant déjà beaucoup de mal à naviguer
Avec une cloche et un bateau seulement,
Pour sa part il craignait de devoir décliner
L'honneur de commander un second bâtiment.

Le mieux, pour le Castor, était donc d'acheter,
Au décrochez-moi ça, une cotte de mailles,
Pensait le Boulanger; et puis de s'assurer
Sur la Vie auprès d'un cabinet en renom :

Le Banquier l'affirmait, en offrant, pour un prix
Raisonnable, de louer, ou, encor, de vendre
Deux excellents contrats, l'un Contre l'Incendie,
Et l'autre Contre les Ravages de la Grêle.

Depuis ce triste jour, chaque fois, néanmoins,
Que le cruel Boucher était dans les parages,
Le Castor s'appliquait à regarder au loin
Et affectait une réserve inexplicable.

THE BELLMAN'S SPEECH

The Bellman himself they all praised to the skies—
    Such a carriage, such ease and such grace!
Such solemnity, too! One could see he was wise,
    The moment one looked in his face!

He had bought a large map representing the sea,
    Without the least vestige of land:
And the crew were much pleased when they found it to be
    A map they could all understand.

"What's the good of Mercator's North Poles and Equators,
    Tropics, Zones, and Meridian Lines?"
So the Bellman would cry: and the crew would reply
    "They are merely conventional signs!

"Other maps are such shapes, with their islands and capes!
    But we've got our brave Captain to thank"
(So the crew would protest) "that he's bought us the best—
    A perfect and absolute blank!"

This was charming, no doubt: but they shortly found out
    That the Captain they trusted so well
Had only one notion for crossing the ocean,
    And that was to tingle his bell.

He was thoughtful and grave—but the orders he gave
    Were enough to bewilder a crew.
When he cried, "Steer to starboard, but keep her head
                                            [larboard!"
    What on earth was the helmsman to do?

LE DISCOURS DE L'HOMME A LA CLOCHE

L'Homme à la Cloche, lui, tous aux nues le portaient :
Un si noble maintien, tant d'aisance, de grâce!
Et cet air solennel! On le devinait sage,
Rien qu'à l'expression de son mâle visage!

Il avait, de la mer, acheté une carte
Ne figurant le moindre vestige de terre;
Et les marins, ravis, trouvèrent que c'était
Une carte qu'enfin ils pouvaient tous comprendre.

« De ce vieux Mercator, à quoi bon Pôles Nord,
Tropiques, Equateurs, Zones et Méridiens ? »
Tonnait l'Homme à la Cloche; et chacun de répondre :
« Ce sont conventions qui ne riment à rien!

« Quels rébus que ces cartes, avec tous ces caps
Et ces îles! Remercions le Capitaine
De nous avoir, à nous, acheté la meilleure —
Qui est parfaitement et absolument vierge! »

Certes, c'était charmant; mais, vite, ils découvrirent
Que le Chef qui, si bien, détenait leur confiance,
N'avait, sur la façon de traverser les mers,
Qu'une idée, et c'était de secouer sa cloche.

Toujours grave et pensif, les ordres qu'il donnait
Suffisaient, certes, à affoler l'équipage.
S'il criait : « Tribord toute, et tout droit sur bâbord! »
Que diable alors le timonier devait-il faire ?

Then the bowsprit got mixed with the rudder sometimes:
  A thing, as the Bellman remarked,
That frequently happens in tropical climes,
  When a vessel is, so to speak, "snarked."

But the principal failing occurred in the sailing,
  And the Bellman, perplexed and distressed,
Said he *had* hoped, at least, when the wind blew due East
  That the ship would *not* travel due West!

But the danger was past—they had landed at last,
  With their boxes, portmanteaus, and bags:
Yet at first sight the crew were not pleased with the view,
  Which consisted of chasms and crags.

The Bellman perceived that their spirits were low,
  And repeated in musical tone
Some jokes he had kept for a season of woe—
  But the crew would do nothing but groan.

He served out some grog with a liberal hand,
  And bade them sit down on the beach:
And they could not but own that their Captain looked
  As he stood and delivered his speech.   [grand,

"Friends, Romans, and countrymen, lend me your ears!"
  (They were all of them fond of quotations:
So they drank to his health, and they gave him three cheers,
  While he served out additional rations).

"We have sailed many months, we have sailed many weeks
  (Four weeks to the month you may mark),
But never as yet ('tis your Captain who speaks)
  Have we caught the least glimpse of a Snark!

"We have sailed many weeks, we have sailed many days
  (Seven days to the week I allow),
But a Snark, on the which we might lovingly gaze,
  We have never beheld till now!

"Come, listen, my men, while I tell you again
  The five unmistakable marks
By which you may know, wheresoever you go,
  The warranted genuine Snarks.

Et puis l'on confondait gouvernail et beaupré ;
Ce qui, l'Homme à la Cloche le fit remarquer,
Souvent arrive sous les climats tropicaux,
Quand un navire est, pour ainsi dire, « ensnarké ».

Surtout, le gros point noir fut la marche à la voile,
Et notre Homme à la Cloche, affligé et perplexe,
Dit *avoir* espéré, le vent soufflant plein Est,
Que le navire, au moins, *ne* courrait *pas* plein Ouest !

Mais, le péril passé, nos amis débarquèrent
Enfin, avec valises, cantines et sacs ;
Pourtant, d'abord, on fut peu charmé du décor
Qui n'était que crevasses et rochers à pic.

Sentant que le moral baissait, l'Homme à la Cloche,
D'une voix musicale, se mit à redire
Les bons mots réservés pour les temps de détresse :
Mais l'équipage, lui, ne fit rien que gémir.

Distribuant le grog d'une main généreuse,
Il convia chacun à s'asseoir sur la grève ;
Et l'on dut convenir qu'il avait grande allure,
Cependant que, debout, il faisait son discours.

« Amis, concitoyens, Romains, écoutez-moi ! »
(Tous, étant friands de belles citations,
Lui portant sa santé, poussèrent trois hourras,
Tandis qu'il resservait de larges rations.)

« Nous avons navigué des mois et des semaines
(Par mois, quatre semaines, veuillez en prendre acte),
Mais hélas ! jusqu'ici (la chose est bien certaine)
Nous n'avons attrapé jamais la queue d'un Snark !

Nous avons navigué des semaines, des jours
(Par semaine, sept jours, on peut vérifier),
Mais de Snark, de vrai Snark, pour l'amour de nos cœurs,
Nous n'en avons point, jusqu'à présent, contemplé !

Allons, écoutez, les gars, que je vous répète
Les cinq indubitables caractéristiques
Auxquelles, en tous lieux, vous pourrez reconnaître
Les véritables Snarks garantis authentiques.

"Let us take them in order. The first is the taste,
    Which is meagre and hollow, but crisp:
Like a coat that is rather too tight in the waist,
    With a flavour of Will-o'-the-wisp.

"Its habit of getting up late you'll agree
    That it carries too far, when I say
That it frequently breakfasts at five-o'clock tea,
    And dines on the following day.

"The third is its slowness in taking a jest,
    Should you happen to venture on one,
It will sigh like a thing that is deeply distressed:
    And it always looks grave at a pun.

"The fourth is its fondness for bathing-machines,
    Which it constantly carries about,
And believes that they add to the beauty of scenes—
    A sentiment open to doubt.

"The fifth is ambition. It next will be right
    To describe each particular batch:
Distinguishing those that have feathers, and bite,
    From those that have whiskers, and scratch.

"For, although common Snarks do no manner of harm,
    Yet, I feel it my duty to say,
Some are Boojums——" The Bellman broke off in alarm,
    For the Baker had fainted away.

Dans l'ordre, prenons-les. Tout d'abord, la saveur,
Le goût, maigre et perfide, mais croquignolet :
Ainsi qu'un habit trop étroit de la ceinture,
Avec je ne sais quel fumet de Feu follet.

Son dada de se lever tard, vous avouerez
Qu'il le pousse trop loin si je dis que, souvent,
Pour déjeuner, le Snark attend l'heure du thé,
Et qu'il ne dîne guère avant le jour suivant.

Ensuite, sa lenteur à saisir les finesses.
En sa présence, si vous plaisantez un jour,
Le Snark soupirera comme une âme en détresse,
Et jamais, jamais il ne rit d'un calembour.

La quatrième est sa passion des cabines
De bains qu'il véhicule avec lui constamment;
Il y voit un appoint à la beauté des sites —
Opinion sujette à caution vraiment.

La cinquième est l'ambition. Il faut ensuite
Vous décrire en détail les traits de chaque sorte,
En distinguant ceux qui ont des plumes, et mordent,
De ceux portant moustaches et jouant des griffes.

Car, si les Snarks communs sont sans méchanceté,
Je crois de mon devoir, à présent, de le dire,
Certains sont des Boujeums... » Alarmé, il se tait,
Car notre Boulanger vient de s'évanouir.

THE BAKER'S TALE

They roused him with muffins—they roused him with ice—
  They roused him with mustard and cress—
They roused him with jam and judicious advice—
  They set him conundrums to guess.

When at length he sat up and was able to speak,
  His sad story he offered to tell;
And the Bellman cried, "Silence! not even a shriek!"
  And excitedly tingled his bell.

There was silence supreme! Not a shriek, not a scream,
  Scarcely even a howl or a groan,
As the man they called "Ho!" told his story of woe
  In an antediluvian tone.

"My father and mother were honest, though poor——"
  "Skip all that!" cried the Bellman in haste.
"If it once becomes dark, there's no chance of a Snark—
  We have hardly a minute to waste!"

"I skip forty years," said the Baker, in tears,
  "And proceed without further remark
To the day when you took me aboard of your ship
  To help you in hunting the Snark.

"A dear uncle of mine (after whom I was named)
  Remarked, when I bade him farewell——"
"Oh, skip your dear uncle!" the Bellman exclaimed,
  As he angrily tingled his bell.

"He remarked to me then," said that mildest of men,
  " 'If your Snark be a Snark, that is right:

LE RÉCIT DU BOULANGER

On le ranime avec des muffins, de la glace;
Avec de la moutarde et avec du cresson;
Avec de bons conseils et de la confiture;
On le ranime en lui posant des devinettes.

Lorsqu'enfin il revint à lui et put parler,
Il offrit de conter sa lamentable histoire;
Sur quoi l'Homme à la Cloche s'écria : « Silence! »
Et, très surexcité, fit sa cloche tinter.

Ce fut le grand silence! Pas un hurlement —
Tout juste quelques meuglements ou grognements —
Quand le nommé « Ohé! » retraça son destin
De misère, sur un ton antédiluvien.

« Mes père et mère étaient, bien que pauvres, honnêtes... »
« Saute tout ça! cria l'Homme à la Cloche en hâte.
Une fois qu'il fait noir, pour le Snark plus d'espoir :
Nous n'avons certes pas une minute à perdre! »

« Je saute quarante ans, dit le Conteur, en pleurs,
Et en viens, tout de suite et sans autre remarque,
Au jour où vous m'avez pris à bord du navire
Afin que je vous aide à pourchasser le Snark.

« Un oncle à moi, très cher (dont je porte le nom),
Me dit lorsque j'allai lui faire mes adieux... »
« Saute l'oncle très cher! » cria l'Homme à la Cloche,
En faisant retentir rageusement sa cloche.

« Il me dit donc, reprit le plus bénin des hommes,
Si ton Snark est un Snark, bon : ramène-le mort

Fetch it home by all means—you may serve it with greens,
    And it's handy for striking a light.

" 'You may seek it with thimbles—and seek it with care;
    You may hunt it with forks and hope;
You may threaten its life with a railway-share;
    You may charm it with smiles and soap——"

("That's exactly the method," the Bellman bold
    In a hasty parenthesis cried,
"That's exactly the way I have always been told
    That the capture of Snarks should be tried!")

" 'But oh, beamish nephew, beware of the day,
    If your Snark be a Boojum! For then
You will softly and suddenly vanish away,
    And never be met with again!'

"It is this, it is this that oppresses my soul,
    When I think of my uncle's last words:
And my heart is like nothing so much as a bowl
    Brimming over with quivering curds!

"It is this, it is this——" "We have had that before!"
    The Bellman indignantly said.
And the Baker replied, "Let me say it once more.
    It is this, it is this that I dread!

"I engage with the Snark—every night after dark—
    In a dreamy delirious fight:
I serve it with greens in those shadowy scenes,
    And I use it for striking a light;

"But if ever I meet with a Boojum, that day,
    In a moment (of this I am sure),
I shall softly and suddenly vanish away—
    And the notion I cannot endure!"

Ou vif; tu le peux servir garni de légumes
Verts, ou bien t'en servir en guise de frottoir.

Tu peux, pour le traquer, t'armer de dés à coudre,
De fourchettes, de soin, d'espoir; tu peux l'occire
D'un coup d'action de chemin de fer; tu peux
Le charmer avec du savon et des sourires... »

(« C'est de cette façon, s'écria, péremptoire,
L'Homme à la Cloche, ouvrant vite une parenthèse,
C'est ainsi, de tout temps on me le fit savoir,
Que des Snarks la capture doit être tentée! »)

« Mais, oh! rayonnâtre neveu, gare le jour
Où ton Snark sera un Boujeum! Parce qu'alors
Soudain, tout doucement, toi, tu disparaîtras,
Et jamais, jamais plus on ne te reverra! »

« C'est cela, c'est cela qui me tourmente quand
Je repense, ô mon oncle, à vos sages paroles;
Et mon cœur ne ressemble à rien tant qu'à un bol
Jusqu'au bord plein de lait caillé tout tremblotant!

« C'est cela, c'est cela... » — « On connaît le refrain! »
Repartit, indigné, le brave Homme à la Cloche.
Et le Boulanger dit : « Rien qu'une fois encore :
C'est cela, c'est cela, c'est cela que je crains!

J'engage avec le Snark, chaque nuit, dans les brumes
Du songe, un extravagant combat; je le sers
Sous des voûtes obscures, garni de légumes
Verts, ou bien je m'en sers en guise de frottoir.

Mais si jamais je rencontre un Boujeum, alors,
Moi qui vous parle, hélas! (je n'en suis que trop sûr),
Soudain, tout doucement, je devrai disparaître,
Et c'est là notion que je ne puis admettre! »

THE HUNTING

The Bellman looked uffish, and wrinkled his brow.
  "If only you'd spoken before!
It's excessively awkward to mention it now,
  With the Snark, so to speak, at the door!

"We should all of us grieve, as you well may believe,
  If you never were met with again—
But surely, my man, when the voyage began,
  You might have suggested it then?

"It's excessively awkward to mention it now—
  As I think I've already remarked."
And the man they called "Hi!" replied, with a sigh,
  "I informed you the day we embarked.

"You may charge me with murder—or want of sense—
  (We are all of us weak at times):
But the slightest approach to a false pretence
  Was never among my crimes!

"I said it in Hebrew—I said it in Dutch—
  I said it in German and Greek;
But I wholly forgot (and it vexes me much)
  That English is what you speak!"

"'Tis a pitiful tale," said the Bellman, whose face
  Had grown longer at every word;
"But, now that you've stated the whole of your case,
  More debate would be simply absurd.

"The rest of my speech" (he explained to his men)
  "You shall hear when I've leisure to speak it.
But the Snark is at hand, let me tell you again!
  'Tis your glorious duty to seek it!

LA CHASSE

L'air suffèche, et le front plissé, le Capitaine
Lui dit : « Qu'attendiez-vous pour parler de la sorte ?
Il est fort maladroit, à présent, de le faire
Quand le Snark frappe, pour ainsi dire, à la porte!

« Nous serions tous navrés, je le dis sans ambages,
Si jamais, jamais plus on ne vous revoyait;
Mais, mon ami, pourquoi, au début du voyage,
Ne nous point avoir dit ce qui vous tracassait ?

« Il est fort maladroit de le faire à présent;
Comme déjà je crois l'avoir fait remarquer. »
Et le nommé « Hep! » de répondre en soupirant :
« Je vous l'ai dit, à peine étions-nous embarqués.

« Accusez-moi de meurtre — ou de manque de sens
Commun (Qui, parmi nous, n'a parfois ses faiblesses ?),
Mais le soupçon le plus ténu de faux semblant,
Jamais ne fut compté au nombre de mes crimes.

« Je l'ai dit en hébreu, l'ai dit en allemand,
L'ai dit en grec, l'ai dit aussi en hollandais,
Mais j'avais oublié (c'est fort contrariant)
Que la langue que tous vous parlez, c'est l'anglais! »

« Navrant! dit le Capitaine dont le visage
A chaque mot s'était un peu plus allongé;
Mais, maintenant que tout est bien élucidé,
Discuter plus longtemps serait vraiment peu sage.

« La fin de mon discours (cria-t-il à ses hommes),
Vous l'entendrez si je la prononce jamais.
Mais le Snark n'est pas loin, répétons-le encore!
C'est votre glorieux devoir de le traquer!

"To seek it with thimbles, to seek it with care;
    To pursue it with forks and hope;
To threaten its life with a railway-share;
    To charm it with smiles and soap!

"For the Snark's a peculiar creature, that won't
    Be caught in a commonplace way.
Do all that you know, and try all that you don't:
    Not a chance must be wasted to-day!

"For England expects—I forbear to proceed:
    'Tis a maxim tremendous, but trite:
And you'd best be unpacking the things that you need
    To rig yourselves out for the fight."

Then the Banker endorsed a blank cheque (which he
                                                    [crossed),
    And changed his loose silver for notes.
The Baker with care combed his whiskers and hair,
    And shook the dust out of his coats.

The Boots and the Broker were sharpening a spade—
    Each working the grindstone in turn;
But the Beaver went on making lace, and displayed
    No interest in the concern:

Though the Barrister tried to appeal to its pride,
    And vainly proceeded to cite
A number of cases, in which making laces
    Had been proved an infringement of right.

The maker of Bonnets ferociously planned
    A novel arrangement of bows:
While the Billiard-marker with quivering hand
    Was chalking the tip of his nose.

But the Butcher turned nervous, and dressed himself fine,
    With yellow kid gloves and a ruff—
Said he felt it exactly like going to dine,
    Which the Bellman declared was all "stuff."

"Introduce me, now there's a good fellow," he said,
    "If we happen to meet it together!"
And the Bellman, sagaciously nodding his head,
    Said, "That must depend on the weather."

« De le traquer, armés d'espoir, de dés à coudre,
De fourchettes, de soin; d'essayer de l'occire
Avec une action de chemin de fer; ou de
Le charmer avec du savon et des sourires!

« Car le Snark est un drôle que l'on ne peut guère
Capturer selon les méthodes ordinaires.
Faites tout le possible, et tentez l'impossible;
Nulle chance aujourd'hui ne doit être gâchée!

« Car l'Angleterre attend... Je m'abstiens de poursuivre :
La formule est banale, encore que pompeuse;
Et j'aimerais vous voir déballer ce qu'il faut
Pour aller au combat congrûment équipés. »

Alors, endossant un chèque en blanc (qu'il barra),
Le Banquier en billets son argent convertit.
Le Boulanger, soigneux, peigna ses favoris
Et de ses sept vestons secoua la poussière.

Le Courtier en Valeurs et le Garçon d'Etage,
A tour de rôle affûtaient une bêche; mais le
Castor continua de faire sa dentelle,
Sans montrer pour leur Snark le plus mince intérêt.

Encor que l'Avocat, tentant de faire appel
A sa fierté, en vain entreprît de citer
De fort nombreux cas, où faire de la dentelle,
Au droit infraction avait constitué.

Avec férocité le Marchand de Bonnets
Méditait un nouvel arrangement de nœuds,
Tandis que, d'une main tremblante, le Marqueur
De Billard se frottait de bleu le bout du nez.

Mais le Boucher, nerveux, arborant une mise
Soignée — une fraise et des gants beurre frais —, dit
Avoir l'impression d'aller à un dîner,
Ce qui, selon le Chef, n'était que vantardise.

« Présentez-moi, dit-il, ce sera très charmant,
Si nous le rencontrons, un jour, étant ensemble! »
L'Homme à la Cloche, avec sagesse hochant la tête,
L'air vague, répondit : « Ça dépendra du temps. »

The Beaver went simply galumphing about,
   At seeing the Butcher so shy:
And even the Baker, though stupid and stout,
   Made an effort to wink with one eye.

"Be a man!" said the Bellman in wrath, as he heard
   The Butcher beginning to sob.
"Should we meet with a Jubjub, that desperate bird,
   We shall need all our strength for the job!"

Le Castor, en tous sens, se mit à galompher,
En voyant le Boucher si craintif et troublé;
Le Boulanger lui-même, ce lourdaud stupide,
Fit un effort notable pour cligner de l'œil.

« Sois un homme! cria, outré, l'Homme à la Cloche,
Tandis que le Boucher éclatait en sanglots :
S'il venait, le Jeubjeub, ce frénétique oiseau,
Nous ne serions pas trop nombreux pour la besogne! »

THE BEAVER'S LESSON

They sought it with thimbles, they sought it with care;
   They pursued it with forks and hope;
They threatened its life with a railway-share;
   They charmed it with smiles and soap.

Then the Butcher contrived an ingenious plan
   For making a separate sally;
And had fixed on a spot unfrequented by man,
   A dismal and desolate valley.

But the very same plan to the Beaver occured:
   It had chosen the very same place;
Yet neither betrayed, by a sign or a word.
   The disgust that appeared in his face.

Each thought he was thinking of nothing but "Snark"
   And the glorious work of the day;
And each tried to pretend that he did not remark
   That the other was going that way.

But the valley grew narrow and narrower still,
   And the evening got darker and colder,
Till (merely from nervousness, not from goodwill)
   They marched along shoulder to shoulder.

Then a scream, shrill and high, rent the shuddering sky,
   And they knew that some danger was near:
The Beaver turned pale to the tip of its tail,
   And even the Butcher felt queer.

LA LEÇON DU CASTOR

Ils le traquaient, armés d'espoir, de dés à coudre,
De fourchettes, de soin; ils tentaient de l'occire
Avec une action de chemin de fer; ou de
Le charmer avec du savon et des sourires.

Lors le Boucher conçut un projet ingénu
Autant qu'ingénieux de sortie autonome,
Et il fit choix d'un lieu non fréquenté par l'homme,
Savoir : une vallée inquiétante et nue.

Mais au Castor la même idée était venue :
Il avait choisi tout juste le même lieu;
Par un signe ou un mot pourtant aucun des deux
Ne trahit son dégoût et sa déconvenue.

Chacun d'eux croyait qu'il ne pensait qu'au « Snark »,
L'éventualité de glorieux exploits —   [— qu'à
Et aucun d'eux ne laissait voir qu'il remarquât
Que l'autre, lui aussi, prenait ce chemin-là.

Mais la vallée devint de plus en plus étroite,
Et le soir s'obscurcit et l'air se fit plus froid,
Jusqu'à ce que (pressés par un commun effroi)
Tous deux ils cheminassent enfin côte à côte.

Alors un cri perçant fit frissonner le ciel,
Et ils comprirent qu'un danger planait sur eux;
Notre Castor pâlit jusqu'au bout de la queue,
Et le Boucher lui-même se sentit tout drôle.

He thought of his childhood, left far far behind—
    That blissful and innocent state—
The sound so exactly recalled to his mind
    A pencil that squeaks on a slate!

"'Tis the voice of the Jubjub!" he suddenly cried
    (This man, that they used to call "Dunce").
"As the Bellman would tell you," he added with pride,
    "I have uttered that sentiment once.

"'Tis the note of the Jubjub! Keep count, I entreat;
    You will find I have told it you twice.
"'Tis the song of the Jubjub! The proof is complete,
    If only I've stated it thrice."

The Beaver had counted with scrupulous care,
    Attending to every word:
But it fairly lost heart, and outgrabe in despair,
    When the third repetition occured.

It felt that, in spite of all possible pains,
    It had somehow contrived to lose count,
And the only thing now was to rack its poor brains
    By reckoning up the amount.

"Two added to one—if that could but be done,"
    It said, "with one's fingers and thumbs!"
Recollecting with tears how, in earlier years,
    It had taken no pains with its sums.

"The thing can be done," said the Butcher, "I think
    The thing must be done, I am sure.
The thing shall be done! Bring me paper and ink,
    The best there is time to procure."

The Beaver brought paper, portfolio, pens,
    And ink in unfailing supplies:
While strange creepy creatures came out of their dens,
    And watched them with wondering eyes.

So engrossed was the Butcher, he heeded them not,
    As he wrote with a pen in each hand,
And explained all the while in a popular style
    Which the Beaver could well understand.

Il revécut le temps de sa lointaine enfance —
Ce beau temps de naïf bonheur et d'innocence —
Le son lui rappelait, de façon si précise,
La pointe d'un crayon qui sur l'ardoise grince !

« C'est la voix du Jeubjeub ! tout à trac s'écria
Celui que l'on nommait, d'ordinaire : « Ganache ».
Comme dirait, ajouta-t-il, l'Homme à la Cloche,
Je viens de formuler cet avis une fois.

« C'est le cri du Jeubjeub ! Comptez, je vous en prie,
Vous constaterez que je vous l'ai dit deux fois.
C'est le chant du Jeubjeub ! la preuve en est acquise,
Pourvu que seulement je le dise trois fois. »

Notre Castor avait soigneusement compté,
A chaque mot prêtant une attentive oreille :
Mais il perdit courage et, navré, bournifla
Lorsque, de nouveau, la phrase fut répétée.

Il comprit qu'en dépit de ses vaillants efforts,
Il n'avait réussi qu'à embrouiller son compte,
Et qu'il allait falloir se creuser la cervelle
Pour, de tête, reconstituer le total.

« Deux à un ajoutés : si, au moins, gémit-il,
On pouvait faire ça sur les doigts et les pouces ! »
Songeant, l'œil larmoyant, qu'en ses jeunes années
Il avait négligé l'étude du calcul.

« On peut rattraper ça, dit le Boucher, je pense.
On doit rattraper ça, j'en suis persuadé.
On va rattraper ça ! Du papier et de l'encre,
Les meilleurs qu'on ait le temps de se procurer. »

Le Castor apporta du papier, un buvard,
Des plumes, de l'encre à profusion, tandis
Que des êtres hideux, sortant de leurs repaires,
Epiaient nos héros de leurs yeux arrondis.

Le Boucher, absorbé, ne les remarqua guère,
Alors qu'écrivant, une plume à chaque main,
Il expliquait tout en un style populaire
Que le Castor pouvait assimiler fort bien.

"Taking Three as the subject to reason about—
  A convenient number to state—
We add Seven, and Ten, and then multiply out
  By One Thousand diminished by Eight.

"The result we proceed to divide, as you see,
  By Nine Hundred and Ninety and Two:
Then subtract Seventeen, and the answer must be
  Exactly and perfectly true.

"The method employed I would gladly explain,
  While I have it so clear in my head,
If I had but the time and you had but the brain—
  But much yet remains to be said.

"In one moment I've seen what has hitherto been
  Enveloped in absolute mystery,
And without extra charge I will give you at large
  A Lesson in Natural History."

In his genial way he proceeded to say
  (Forgetting all laws of propriety,
And that giving instruction, without introduction,
  Would have caused quite a thrill in Society),

"As to temper the Jubjub's a desperate bird,
  Since it lives in perpetual passion:
Its taste in costume is entirely absurd—
  It is ages ahead of the fashion:

"But it knows any friend it has met once before:
  It never will look at a bribe:
And in charity-meetings it stands at the door,
  And collects—though it does not subscribe.

"Its flavour when cooked is more exquisite far
  Than mutton, or oysters, or eggs:
(Some think it keeps best in an ivory jar,
  And some, in mahogany kegs:)

"You boil it in sawdust: you salt it in glue:
  You condense it with locusts and tape:
Still keeping one principal object in view—
  To preserve its symmetrical shape."

« Trois étant le sujet sur quoi nous raisonnons —
C'est un chiffre des plus commodes à poser —
Nous ajoutons sept à dix, puis multiplions
Le total par, de huit, mille diminué.

« Le résultat ainsi obtenu, voyez-vous,
Nous le divisons par neuf cent quatre-vingt-douze;
Nous soustrayons dix-sept : la réponse doit être
Absolument exacte et parfaitement juste.

« Expliquer ma méthode serait un plaisir,
Alors que je la vois, très claire, dans ma tête,
Si j'en avais le temps, si vous êtiez moins bête —
Mais il y a encor bien des choses à dire.

« En un instant j'ai vu ce qui, jusqu'à ce jour,
Restait enveloppé dans un épais mystère;
Sans majoration de prix, je vous vais faire,
In extenso, d'Histoire Naturelle, un cours. »

Le Boucher poursuivit, de joyeuse façon
(Oubliant trop les règles de la bienséance,
Et qu'instruire les gens sans présentation,
Dans le Monde eût passé pour une inconvenance) :

« Le Jeubjeub est, bien sûr, un oiseau frénétique,
Puisqu'il vit en état d'incessante colère.
En fait de vêtements ses goûts sont excentriques :
Il a plusieurs siècles d'avance sur la mode.

« Mais il sait reconnaître un ami rencontré;
Il n'accepte jamais le moindre pot-de-vin,
Et se tient à la porte, aux bals de charité,
Pour quêter — bien que lui-même ne donne rien.

« De sa chair la saveur est fort supérieure
A celle du mouton, des huîtres ou des œufs;
Certains le gardent dans une jarre d'ivoire,
D'autres le mettent dans des barils d'acajou.

« Bouilli dans la sciure, à la colle salez-le;
Relevez-le de sauterelles, de bolduc;
Sans oublier jamais la chose essentielle,
Qui est de préserver sa forme symétrique. »

The Butcher would gladly have talked till next day,
  But he felt that the Lesson must end,
And he wept with delight in attempting to say
  He considered the Beaver his friend.

While the Beaver confessed, with affectionate looks
  More eloquent even than tears,
It had learnt in ten minutes far more than all books
  Would have taught it in seventy years.

They returned hand-in-hand, and the Bellman, unmanned
  (For a moment) with noble emotion,
Said, "This amply repays all the wearisome days
  We have spent on the billowy ocean!"

Such friends, as the Beaver and Butcher became,
  Have seldom if ever been known;
In winter or summer, 'twas always the same—
  You could never meet either alone.

And when quarrels arose—as one frequently finds
  Quarrels will, spite of every endeavour—
The song of the Jubjub recurred to their minds,
  And cemented their friendship for ever!

Volontiers le Boucher eût, jusqu'au lendemain,
Parlé, mais il sentit qu'il fallait en finir,
Et pleura de délice en essayant de dire
Qu'il tenait le Castor pour un très cher ami.

Tandis que l'autre avouait, avec des regards
Plus éloquents que les larmes, qu'il venait d'en
Apprendre en dix minutes plus que tous les livres
N'en peuvent enseigner en soixante-dix ans.

Ils revinrent, la main dans la main. Désarmé
(Un instant) par l'émotion, le Capitaine
Dit : « Nous voilà payés des fâcheuses journées
Que nous passâmes dessus les mers incertaines! »

Des amis tels que ces ennemis en devinrent,
S'il y en eut jamais, on en a peu connus;
L'hiver comme l'été, c'était invariable :
Jamais l'on ne pouvait rencontrer l'un sans l'autre.

Et lorsque s'élevaient des querelles — ainsi
Que souvent il arrive, en dépit qu'on en ait —
Le chant du Jeubjeub leur revenait à l'esprit
Et cimentait leur affection à jamais!

THE BARRISTER'S DREAM

They sought it with thimbles, they sought it with care;
   They pursued it with forks and hope;
They threatened its life with a railway-share;
   They charmed it with smiles and soap.

But the Barrister, weary of proving in vain
   That the Beaver's lace-making was wrong,
Fell asleep, and in dreams saw the creature quite plain
   That his fancy had dwelt on so long.

He dreamed that he stood in a shadowy Court,
   Where the Snark, with a glass in its eye,
Dressed in gown, bands, and wig, was defending a pig
   On the charge of deserting its sty.

The Witnesses proved, without error or flaw,
   That the sty was deserted when found:
And the Judge kept explaining the state of the law
   In a soft under-current of sound.

The indictment had never been clearly expressed,
   And it seemed that the Snark had begun,
And had spoken three hours, before anyone guessed
   What the pig was supposed to have done.

The Jury had each formed a different view
   (Long before the indictment was read),
And they all spoke at once, so that none of them knew
   One word that the others had said.

"You must know——" said the Judge: but the Snark
                        [exclaimed, "Fudge!
   That statute is obsolete quite!

LE RÊVE DE L'AVOCAT

Ils le traquaient, armés d'espoir, de dés à coudre,
De fourchettes, de soin; ils tentaient de l'occire
Avec une action de chemin de fer; ou de
Le charmer avec du savon et des sourires.

Mais l'Avocat, las de prouver que le Castor
Avait tort de vouloir faire de la dentelle,
S'endormit et, en songe, vit la créature
Qui depuis si longtemps lui hantait la cervelle.

Il rêva qu'il siégeait en un tribunal sombre,
Où le Snark, portant robe, perruque et rabat,
Monocle à l'œil, tentait de défendre un verrat
Qu'on accusait d'avoir déserté son étable.

Les Témoins démontraient, sans erreur ni lacune,
Que l'étable était vide au moment du constat;
Et le Juge expliquait sans fin le point de droit,
En un doux, monotone et souterrain murmure.

L'accusation jamais n'avait été claire;
Il semblait que le Snark eût ouvert le débat,
Parlant durant trois heures, sans qu'on devinât
Ce que l'infortuné verrat avait pu faire.

Puis les Jurés s'étant fait leur conviction
(Avant qu'on ne lût l'acte d'accusation),
Parlaient tous à la fois, de sorte qu'aucun d'eux
Ne saisit un seul mot de l'exposé des autres.

Le Juge dit : « Sachez... »; mais le Snark cria : « Bah!
La loi dont il s'agit tombe en désuétude!

Let me tell you, my friends, the whole question depends
   On an ancient manorial right.

"In the matter of Treason the pig would appear
   To have aided, but scarcely abetted:
While the charge of Insolvency fails, it is clear,
   If you grant the plea 'never indebted.'

"The fact of Desertion I will not dispute:
   But its guilt, as I trust, is removed
(So far as relates to the costs of this suit)
   By the Alibi which has been proved.

"My poor client's fate now depends on your votes."
   Here the speaker sat down in his place,
And directed the Judge to refer to his notes
   And briefly to sum up the case.

But the Judge said he never had summed up before;
   So the Snark undertook it instead,
And summed it so well that it came to far more
   Than the Witnesses ever had said!

When the verdict was called for, the Jury declined,
   As the word was so puzzling to spell;
But they ventured to hope that the Snark wouldn't mind
   Undertaking that duty as well.

So the Snark found the verdict, although as it owned,
   It was spent with the toils of the day:
When it said the word, "GUILTY" the Jury all groaned,
   And some of them fainted away.

Then the Snark pronounced sentence, the Judge being quite
   Too nervous to utter a word:
When it rose to its feet, there was silence like night,
   And the fall of a pin might be heard.

"Transportation for life" was the sentence it gave,
   "And *then* to be fined forty pound."
The Jury all cheered, though the Judge said he feared
   That the phrase was not legally sound.

Disons-le, mes amis, la question entière
Est liée à un droit seigneurial ancien.

« En fait de Trahison, le verrat semblerait
Avoir prêté la main, mais sans encourager ;
Et la charge d'insolvabilité s'effondre
Si l'on m'autorise à plaider « non redevable ».

« La Désertion, je ne la conteste mie ;
Mais j'en crois la culpabilité annulée
(Tout au moins quant aux frais qu'entraîne ce procès)
Par l'alibi probant qui a été fourni.

« Le sort d'un malheureux, maintenant, de vos votes
Dépend. » Se rasseyant là-dessus, l'orateur
Demanda que le Juge consultât ses notes
Et récapitulât brièvement l'affaire.

Mais le Juge avoua ne le point savoir faire ;
Aussi fut-ce le Snark qui récapitula,
Et récapitula si bien qu'il dépassa
De loin tout ce que les Témoins avaient pu dire !

Au moment du verdict, les Jurés déclarèrent
Que le mot était trop ardu à épeler,
Et que le Snark, ils l'osaient espérer, d'ailleurs,
De cette tâche encor voudrait bien se charger.

Le Snark s'en chargea donc, bien que, selon ses dires,
Les travaux de ce jour l'eussent anéanti :
Tous les Jurés, lorsqu'il dit : « COUPABLE! », gémirent,
Et quelques-uns d'entre eux churent évanouis.

Puis le Snark prononça la sentence, le Juge
Etant bien trop nerveux pour proférer un mot :
Dès qu'il se fut levé, il se fit un silence
Tel qu'on eût entendu une mouche voler.

« Travaux forcés, lut-il, à perpétuité...
Paiera quarante livres, *ensuite*, d'amende... »
Le Jury applaudit, mais le Juge dit craindre
Que l'arrêt ne fût point légalement fondé.

But their wild exultation was suddenly checked
  When the jailer informed them, with tears,
Such a sentence would have not the slightest effect,
  As the pig had been dead for some years.

The Judge left the Court, looking deeply disgusted:
  But the Snark, though a little aghast,
As the lawyer to whom the defence was entrusted,
  Went bellowing on to the last.

Thus the Barrister dreamed, while the bellowing seemed
  To grow every moment more clear:
Till he woke to the knell of a furious bell,
  Which the Bellman rang close at his ear.

Et des Jurés la joie eut à se modérer,
Quand le geôlier, pleurant, leur avoua qu'en fait
Cet arrêt n'aurait pas le plus léger effet,
Le verrat étant mort depuis plusieurs années.

L'air dégoûté, le Juge leva l'audience;
Mais Maître Snark, encore qu'un peu consterné,
En tant qu'homme de loi chargé de la défense,
Jusqu'au bout ne cessa, lui, de vociférer.

A l'Avocat rêvant, ces cris, de proche en proche,
Semblèrent en clarté gagner à chaque instant,
Jusqu'à son réveil au glas rageur d'une cloche
Qu'à son oreille l'Homme à la Cloche tintait.

THE BANKER'S FATE

They sought it with thimbles, they sought it with care;
   They pursued it with forks and hope;
They threatened its life with a railway-share;
   They charmed it with smiles and soap.

And the Banker, inspired with a courage so new
   It was matter for general remark,
Rushed madly ahead and was lost to their view
   In his zeal to discover the Snark.

But while he was seeking with thimbles and care,
   A Bandersnatch swiftly drew nigh
And grabbed at the Banker, who shrieked in despair,
   For he knew it was useless to fly.

He offered large discount—he offered a cheque
   (Drawn "to bearer") for seven-pounds-ten:
But the Bandersnatch merely extended its neck
   And grabbed at the Banker again.

Without rest or pause—while those frumious jaws
   Went savagely snapping around—
He skipped and he hopped, and he floundered and flopped,
   Till fainting he fell to the ground.

The Bandersnatch fled as the others appeared:
   Led on by that fear-stricken yell:
And the Bellman remarked, "It is just as I feared!"
   And solemnly tolled on his bell.

He was black in the face, and they scarcely could trace
   The least likeness to what he had been:

LE SORT DU BANQUIER

Ils le traquaient, armés d'espoir, de dés à coudre,
De fourchettes, de soin; ils tentaient de l'occire
Avec une action de chemin de fer; ou de
Le charmer avec du savon et des sourires.

Et le Banquier, soudain se montrant si hardi
Que cela fut pour tous un sujet de remarques,
S'élançant en avant, à leur vue se perdit
Dans l'ardeur de son zèle à découvrir le Snark.

Mais comme il le traquait, armé de dés à coudre,
Un Pinçmacaque, tel l'éclair, surgit soudain
Pour s'en prendre au Banquier qui, dans son désespoir,
Hurla, sachant, hélas! que fuir eût été vain.

Il lui offrit une forte ristourne : un chèque
(Payable « au porteur ») de sept livres et demie;
Mais, tendant simplement le cou, le Pinçmacaque
Derechef menaça le Banquier de ses griffes.

Sans répit, comme les frumieuses mâchoires
Férocement claquaient partout autour de lui,
L'homme sauta, bondit, lutta, se débattit,
Jusqu'à ce qu'il tombât, défaillant, sur le sol.

Le Prédateur s'enfuit quand parurent les autres,
Accourus à l'appel affolé du Banquier;
L'Homme à la Cloche dit : « C'est ce que je craignais! »
Et solennellement il fit tinter sa cloche.

A peine pouvaient-ils, en cet homme au visage
Noir, trouver quelques traits connus auparavant;

While so great was his fright that his waistcoat turned
  A wonderful thing to be seen!   [white—

To the horror of all who were present that day,
  He uprose in full evening dress,
And with senseless grimaces endeavoured to say
  What his tongue could no longer express.

Down he sank in a chair—ran his hands through his hair—
  And chanted in mimsiest tones
Words whose utter inanity proved his insanity,
  While he rattled a couple of bones.

"Leave him here to his fate—it is getting so late!"
  The Bellman exclaimed in a fright.
"We have lost half the day. Any further delay,
  And we shan't catch a Snark before night!"

Sous l'effet de la peur, en outre, son gilet —
Phénomène incroyable — était devenu blanc !

A l'effroi de tous ceux qui, ce jour-là, le virent,
Il se leva en grande tenue de soirée,
Et tenta, au moyen de grimaces, de dire
Ce que sa langue ne pouvait plus exprimer.

Rassis, il se plongea les doigts dans les cheveux
Et chanta, sur des airs flivoreux, des mots dont
L'inanité dénonçait son insanité,
Tout en entrechoquant deux castagnettes d'os.

« Il se fait tard : abandonnons-le à son sort !
S'exclama, pris de panique, l'Homme à la Cloche.
Nous perdons notre temps : si nous flânons encor,
Nous n'attraperons pas de Snark d'ici la nuit ! »

THE VANISHING

They sought it with thimbles, they sought it with care;
   They pursued it with forks and hope;
They threatened its life with a railway-share;
   They charmed it with smiles and soap.

They shuddered to think that the chase might fail,
   And the Beaver, excited at last,
Went bounding along on the tip of its tail,
   For the daylight was nearly past.

"There is Thingumbob shouting!" the Bellman said.
   "He is shouting like mad, only hark!
He is waving his hands, he is wagging his head,
   He has certainly found a Snark!"

They gazed in delight, while the Butcher exclaimed
   "He was always a desperate wag!"
They beheld him—their Baker—their hero unnamed—
   On the top of a neighbouring crag,

Erect and sublime, for one moment of time.
   In the next, that wild figure they saw
(As if stung by a spasm) plunge into a chasm,
   While they waited and listened in awe.

"It's a Snark!" was the sound that first came to their ears,
   And seemed almost too good to be true.
Then followed a torrent of laughter and cheers:
   Then the ominous words, "It's a Boo——"

LA DISPARITION

Ils le traquaient, armés d'espoir, de dés à coudre,
De fourchettes, de soin; ils tentaient de l'occire
Avec une action de chemin de fer; ou de
Le charmer avec du savon et des sourires.

Ils tremblaient à l'idée de revenir bredouilles,
Et Messire Castor, enfin intéressé,
Se mit à sautiller sur le bout de sa queue,
Car le couchant déjà était couleur de rouille.

L'Homme à la Cloche dit : « C'est lui, Machinchouette!
Comme un dément, il crie, oh! écoutez-le donc!
Il agite les mains, il balance la tête :
Sans nul doute il aura découvert quelque Snark! »

Ecarquillant les yeux, tandis que le Boucher
Disait : « Ce fut toujours un sacré plaisantin! »
Ils le virent, joyeux, leur héros innommé,
Leur Boulanger, au faîte d'un rocher voisin.

Sublimement dressé, l'espace d'un instant.
L'instant d'après, hélas! cette folle figure
(Comme en convulsions) s'abîmait dans un gouffre,
Tandis qu'ils écoutaient, anxieux, haletants.

« C'est un Snark! » tel fut le son qui d'abord frappa
Leurs oreilles, semblant, pour être vrai, trop beau.
Puis ce fut un torrent de rires, de hourras,
Puis, de mauvais augure, les mots : « C'est un Bou... »

Then, silence. Some fancied they heard in the air
   A weary and wandering sigh
That sounded like "—jum! "but the others declare
   It was only a breeze that went by.

They hunted till darkness came on, but they found
   Not a button, or feather, or mark,
By which they could tell that they stood on the ground
   Where the Baker had met with the Snark.

In the midst of the word he was trying to say
   In the midst of his laughter and glee,
He had softly and suddenly vanished away——
   For the Snark *was* a Boojum, you see.

Et puis, plus rien. Certains crurent, dans l'air, ouïr
Un soupir divagueur, équivoque et lassé,
Qui pouvait être : « ...jeum! » Les autres prétendirent
Que c'était seulement la brise qui passait.

Jusqu'à la nuit, chassant, ils cherchèrent en vain
Une plume, un bouton, un indice quelconque
Qui permît d'affirmer qu'ils foulaient le terrain
Où le Boulanger avait rencontré le Snark.

Au milieu de ce mot qu'il essayait de dire,
Au milieu de sa joie et de son rire fous,
Soudain, tout doucement, il avait disparu, —
Car ce Snark, c'était un Boujeum, figurez-vous.

EIGHT DRAWINGS OF MAX ERNST

SUITE DES DESSINS DE MAX ERNST
illustrant *La Chasse au Snark*
(version française de Henri Parisot, Editions Premières,
Paris, 1950).

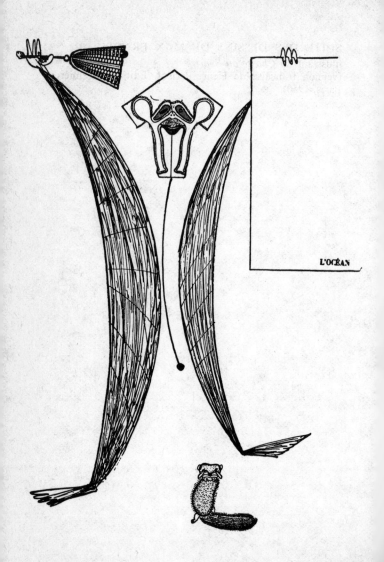

L'OCÉAN

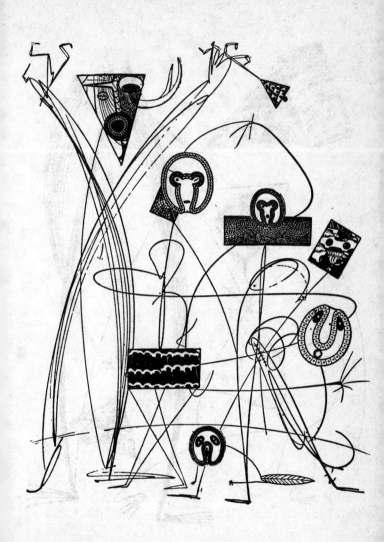

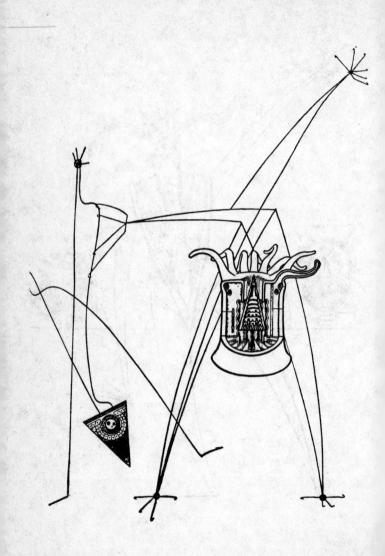

CONTENTS

TABLE DES MATIÈRES

THROUGH THE LOOKING-GLASS
AND WHAT ALICE FOUND THERE

THE HUNTING OF THE SNARK
An agony in eight fits

7970-1979. — Impr.-Reliure Maison Mame, Tours.
N° d'édition 1551. — 4ᵉ trimestre 1979. — Printed in France.